#기출지문
#반복훈련

처음 만나는
수능 어법

이 책을 쓰신 분들

홍정환   박주경   이승현
최영미   김민지   Enoch Chung

교재 검토에 도움을 주신 분들

강성옥   권기용   권예나   김대수   김도훈
김미영   김봉수   김순주   김재희   김정옥
김현미   남미지   손명진   송주영   신인숙
오택경   이명언   이민정   이서진   이용훈
이혜인   임해림   전미정   조운호   한지원

**Chunjae
Makes
Chunjae**

▼

기획총괄   김성희
편집개발   김보영, 최윤정, 조원재, 이시현
디자인총괄   김희정
표지디자인   윤순미, 안채리
내지디자인   디자인뮤제오, 박희춘, 임용준
제작   황성진, 조규영

발행일   2020년 12월 1일 초판   2022년 3월 15일 2쇄
발행인   (주)천재교육
주소   서울시 금천구 가산로9길 54
신고번호   제2001-000018호
고객센터   1577-0902

기출지문으로 공략하는

처음 만나는 수능 어법

Basic

기본

Preview

1

- **결정적 출제 어법**
  시험에 나오는 어법 출제 유형 간단 제시

- **어법 기본 다지는 Basic Grammar**
  주요 어법 학습에 앞선 기본 문법 확인

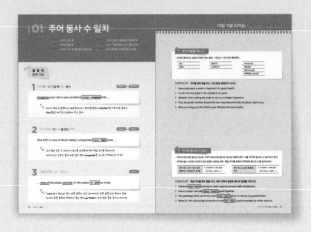

2

- **기출문장으로 실전어법 개념잡기**
  고1 9월, 11월 ~ 고2 학력평가 · 모의고사
  빈출 어법 Point
  기출문장 예문으로 문제 풀기

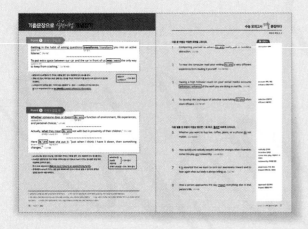

3

- **어법 TEST1 문장 어법훈련하기**
  문장 단위로 주요 어법 Point 문제 풀기

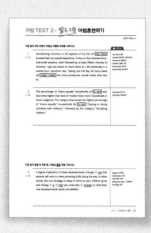

4

- **어법 TEST2 짧은 지문 어법훈련하기**
  단문 단위로 주요 어법 Point 문제 풀기

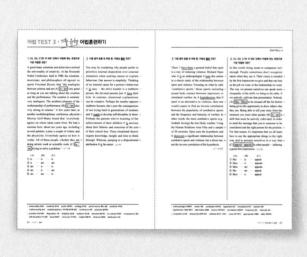

5

- **어법 TEST3 기출 유형 어법훈련하기**
  기출 지문으로 주요 어법 Point 문제 풀기

- **문장 구조+어법 POINT 확인하기**
  기출 어법 문장의 구조 분석 및 어법 Point 확인

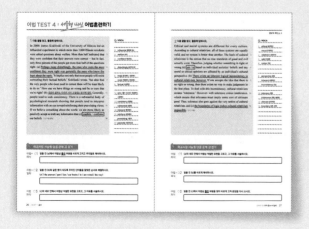

6

- **어법 TEST4 서술형 내신 어법훈련하기**
  기출 지문으로 서술형 문제 풀기

- **학교시험 서술형 단골 문제 감 잡기**
  학교 내신 시험 문제 유형의 서술형 문제 풀기

Contents

Q1 수능과 모의고사는 어떻게 다른가요?

A1 수능(대학수학능력시험)은 대학 교육에 필요한 학습 능력을 측정하는 시험으로 각 대학의 선발 지표가 되며, 고등학교 교육과정의 내용과 수준에 맞게 출제됩니다. 영어영역은 국어, 수학에 이어 3교시에 70분간 치러지며 총 45문항이 출제됩니다.

수능 영어영역	듣기	독해	총 문항수 / 시간
	17문항	28문항	45문항 / 70분

절대평가로 100점 만점에 점수별 등급이 정해집니다.

등급	1	2	3	4	5	6	7	8	9
점수	90	80	70	60	50	40	30	20	20 미만

교육청 모의고사(전국연합학력평가)는 고등학생의 수능 시험 적응을 위해 각 학년별로 실시하는 시험으로 각 시·도 교육청이 주관하며, 연 4회(1, 2학년 – 3월, 6월, 9월, 11월 / 3학년 – 3월, 4월, 7월, 10월) 시행됩니다. 시험 형식은 수능과 유사하며, 각 학년별 수준에 맞는 내용으로 출제됩니다.

평가원 모의고사(수능모의평가)는 한국교육과정평가원이 주관하며 고등학교 3학년 학생들이 11월 수능 실전에 대비하기 위해 치르는 시험으로, 연 2회(6월, 9월) 치르게 됩니다. 시험 유형과 난이도가 실제 수능 시험과 가장 유사하게 출제되기 때문에 중요하게 생각하고 대비해야 합니다.

	3월	4월	6월
1, 2학년	교육청 전국연합학력평가		교육청 전국연합학력평가
3학년	교육청 전국연합학력평가	교육청 전국연합학력평가	평가원 수능모의평가

	7월	9월	10월	11월
1, 2학년		교육청 전국연합학력평가		교육청 전국연합학력평가
3학년	교육청 전국연합학력평가	평가원 수능모의평가	교육청 전국연합학력평가	평가원 대학수학능력시험

Q2 영어 45문항의 문제 유형을 알려 주세요.

A2 보통 여러 유형이 골고루 출제되며, 문항 난이도에 따라 2점과 3점으로 출제됩니다.

영어 듣기 유형 (17문항)

짧은 대화 응답	그림 (불)일치	이유	목적	의견	심정	부탁	관계
주제	언급, 불언급	수치 계산	도표, 실용문	상황에 적합한 말	할 일	내용 (불)일치	긴 대화 응답

영어 독해 유형 (28문항)

목적	심경	주장	요지	주제	제목	도표	내용 (불)일치	안내문, 실용문	어법
어휘	지칭 추론	빈칸 추론	연결사	글의 순서	문장 삽입	무관 문장	요약문	단일 장문	복합 문단

Q1 **어법이란 무엇인가요? 문법과 다른 것인가요?**

중학교 때까지만 해도 영문법(English Grammar)만 배우면 문법 공부는 다 끝났다고 생각했었는데, 고등학교에서는 '어법성 판단 문제'가 나온다고 해서 당황스러워요. 두 가지가 어떻게 다른지 모르겠어요.

A1 문법(Grammar, 文法)은 '말의 구성 및 운용상의 규칙'이에요. 우리가 영문법을 배운다고 할 때, 명사, 대명사, 동사 등 각 품사가 문장에서 어떤 역할을 하고, 어떤 형식으로 변화하는지 등 구성의 규칙을 아는 것이지요.

> I want **to go to Paris to meet** my uncle.
>   ①   ②   ③

이 문장을 보면 ①의 to는 want의 목적어로 쓰인 'to부정사'의 명사적 용법
②의 to는 '전치사'로 '(이동 방향) ~로'의 의미,
③의 to는 '~하기 위하여'의 목적을 나타내는 'to부정사'의 부사적 용법

이렇게 각 단어가 문장 속에서 어떤 구실을 하는지 알려 주는 기본 법칙이 문법이에요.

어법(Usage, 語法)은 좀 더 넓은 의미로 이런 문법 사항들이 실제 말 속에서 어떻게 사용되고 있는지 '쓰임 규칙'을 나타내는 언어학의 전문 용어라고 할 수 있어요.
'어법성 판단'이라는 말을 많이 쓰는데, 이건 문법적으로 맞는지 틀리는지를 하나씩 따진다기 보다는 전체 문장에서 언어의 법칙, 즉 그 개별 단어의 문법이 '종합적으로' 잘 쓰이고 있는지를 확인하는 거예요.
사실 어법이 바르게 쓰였는지 아닌지 확인하려면 먼저 문법을 알아야 해요.
그런데 문법만 잘 안다고 해서 어법 문제를 잘 풀 수 있을까요?

실제 고2 3월 모의고사에 나온 어법을 묻는 기출 문제를 한번 풀어 보세요.

> But more recent research has shown that the leaves are simply so low
> in nutrients that koalas have almost no energy. [고2 3월 모의고사]

위 문제의 밑줄 친 that이 맞게 들어가 있는지, 아니면 틀렸는지 알아야 해요.
한번 맞춰 보세요. 어떤가요? 쉽게 찾았나요?

> ┌ 목적절을 이끄는 접속사 that
> **But more recent research has shown** [that the leaves are
> 그러나 더 최근의 연구는   보여 준다   그 잎들이
>   전체 문장의 주어1   전체 문장의 동사1   목적절 안의 주어2 동사2
>
> simply so low in nutrients / that koalas have almost no energy].
> 단순히   영양분이 너무나도 적기 때문에   코알라가 거의 에너지가 없는 것임을
>   so ~ that _ : 너무 ~해서 ...하다   주어3   동사3   [ ] 전체 문장의 목적어

자, 이렇게 풀어보니까 알겠지요? 밑줄 친 that은 「so ~ that ...」 용법에 쓰인 that이었어요. 「so+형용사/부사+that+주어+동사」('너무 ~해서 ...하다') 구문은 이미 중학교 때 다 배운 내용이지요. 그런데 왜 이 쉬운 so ~ that이 왜 안보였을까요? -.-
일단 문장이 좀 길지요. 어디서부터가 주어인지 목적어인지도 모르겠고, 어디에 문법에 해당하는 내용이 있었는지 찾지 못했을 수도 있어요. 어려운 단어는 없는데 그렇다고 매끄럽게 해석도 잘 되지 않네요...ㅠㅠ

Q2 그렇다면 어법 문제를 어떻게 풀어야 하나요?

A2 어법 = '문법' + '문장 구조 분석' + '문맥'

어법 문제를 풀기 위해서는 기본적으로 '문법'을 익힌 다음, '문장 구조'와 '문맥'을 알아야 해요.

'문장 구조'를 안다는 것은 문장을 '주어/동사/목적어' 등 '문장 성분'으로 끊어 읽을 수 있다는 것을 의미해요. 긴 문장에서는 보통 주어 덩어리, 술어 덩어리... 로 되어 있어서 먼저 이것을 끊으며 읽어 보는 연습, 즉 '문장 구조 분석' 연습이 필요합니다.

'문맥'을 안다는 것은 문장의 맥, 다시 말해 문장의 흐름을 잘 파악하는 거예요. 전체적으로 문장 구조를 알면, 그 문장에서 문맥상 적절한 문법 사항이 잘 적용되어 있는지 파악할 수 있어요.

위에 예처럼 주어와 동사가 3개씩 있지만, 전체 문맥은 가장 기본적인 「주어+동사+(목적어/보어)」를 파악하는 데서 시작해요. 그러고 나면 기본 문장의 목적어로 쓰인 절 안에서 so ~ that ...을 발견할 수 있어요.

또 어법 문제를 풀기 위해서뿐만 아니라, 긴 문장의 독해를 위해서도 어법 공부는 필요해요. 수능모의고사 지문은 한 문장이 3~4줄이 될 정도로 길고 복잡해서, 이 긴 지문을 빠르게 읽어나가며 내용을 파악하려면 문장 구조를 분석하며 직독직해하는 연습을 많이 해야 합니다.

Q3 실제 기출 시험의 어법성 판단 문제 유형을 알려 주세요.

A3 시험에 나오는 어법성 판단 문제는 다음과 같이 두 가지 유형이 있습니다.

(1) 둘 중 맞는 것 조합 고르기

(2) 다섯 개 중 틀린 하나 고르기

---

28. (A), (B), (C)의 각 네모 안에서 어법에 맞는 표현으로 가장 적절한 것은?

Clothing doesn't have to be expensive to provide comfort during exercise. Select clothing appropriate for the temperature and environmental conditions (A) which / in which you will be doing exercise. Clothing that is appropriate for exercise and the season can improve your exercise experience. In warm environments, clothes that have a wicking capacity (B) is / are helpful in dissipating heat from the body. In contrast, it is best to face cold environments with layers so you can adjust your body temperature to avoid sweating and remain (C) comfortable / comfortably.

	(A)	(B)	(C)
①	which	is	comfortable
②	which	are	comfortable
③	in which	are	comfortable
④	in which	is	comfortably
⑤	in which	are	comfortably

---

29. 다음 글의 밑줄 친 부분 중, 어법상 틀린 것은?

Bad lighting can increase stress on your eyes, as can light that is too bright, or light that shines ① directly into your eyes. Fluorescent lighting can also be ② tiring. What you may not appreciate is that the quality of light may also be important. Most people are happiest in bright sunshine—this may cause a release of chemicals in the body ③ that bring a feeling of emotional wellbeing. Artificial light, which typically contains only a few wavelengths of light, ④ do not seem to have the same effect on mood that sunlight has. Try experimenting with working by a window or ⑤ using full spectrum bulbs in your desk lamp. You will probably find that this improves the quality of your working environment.

---

(1)번 유형은 (A), (B), (C) 선택지 중 맞는 것을 골라 답끼리 묶인 것을 찾으면 되고, (2)번 유형은 밑줄 친 다섯 개의 선택지 중 틀린 것을 고르는 것이에요. (1)번 유형은 세 개만 확인하면 되지만, (2)번 유형은 다섯 개를 다 확인해야 하죠? 최근에는 (2)번 유형이 더 많이 출제되는 경향이랍니다. 또, 문법만 알아서는 풀기 힘들고, 문장 구조와 문맥을 통해 전체 내용을 파악해야만 풀 수 있는 유형의 문제가 많이 출제되고 있어요.

Q4 실제 시험에서는 어떤 어법들이 많이 나오나요?

**A4 최근 5년 동안 고1,2,3 모의고사와 고3 수능에서 나왔던 출제 횟수를 분석해 본 데이터입니다.
준동사 파트와 연결사 파트에서 문제가 가장 많이 나와요. 그렇지만 출제율이 낮다고 해서 공부가 필요 없는 건
아니에요. 긴 지문 해석을 위해서 어법은 기본입니다.**

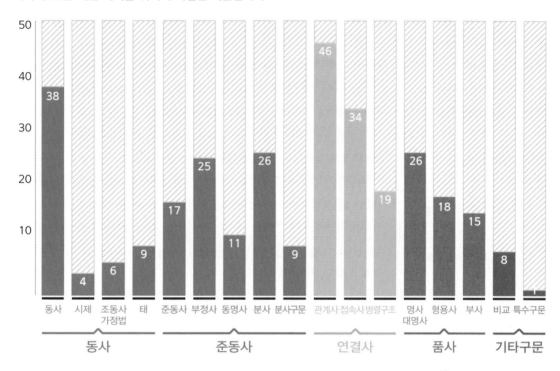

품사(Parts of Speech)

명사(Noun)
사람, 사물, 장소 등 무언가의 이름을 나타내는 말
Book, Information, Seoul, Einstein ...

대명사(Pronoun)
명사를 대신해서 쓰는 말 → 재귀대명사, 부정대명사 등
I, my, myself, one, other ...

동사(Verb)
사람이나 사물의 상태 또는 움직임을 나타내는 말 → 자동사, 타동사, 수여동사 등
study, rise, appear, increase ...

형용사(Adjective)
명사나 대명사를 꾸며 모양, 성질, 수량 등을 나타내는 말
beautiful, attractive, modern ...

부사(Adverb)
형용사, 동사, 다른 부사, 문장 전체 등을 꾸며 주는 말
very, really, hardly, generally ...

전치사(Preposition)
명사나 대명사 앞에 놓여 시간, 장소, 수단, 방향 등을 나타내는 말
in, for, forward, despite ...

접속사(Conjunction)
단어와 단어, 구와 구, 절과 절을 이어주는 말 → 등위접속사, 종속접속사
and, but, so, though, as ...

문장 성분과 문장의 5형식

주어(Subject)
동사가 나타내는 동작이나 상태의 주체를 나타내는 말
Da Vinci is a famous painter.

동사(Verb) – 서술어
주어가 하는 동작이나 주어의 상태를 나타내는 말
I study harder than any other students do.

목적어(Object)
동사가 나타내는 행위의 대상을 나타내는 말 → 간접목적어/직접목적어
She bought his grandma some flowers.

보어(Complement)
어떤 말을 보충 설명해 주는 말 → 주격보어/목적격보어
You look happy.   She makes me happy.

수식어(Modifier)
단어나 문장을 꾸며서 그 의미를 더 자세하고 풍부하게 해 주는 말
I eat slowly. The cute dog sleeps on the sofa.

1형식	주어+동사	A bus arrives at the bus stop. 　S　　　V
2형식	주어+동사+주격보어	This soup smells good. 　S　　　V　　C
3형식	주어+동사+목적어	He is learning Chinese. 　S　　　V　　　O
4형식	주어+동사+간접목적어+직접목적어	My dad bought me a dress. 　S　　　V　　IO　DO
5형식	주어+동사+목적어+목적격보어	Robbie found the exam difficult. 　S　　V　　　O　　　OC

구와 절

구(Phrase)
두 개 이상의 단어가 모여서 이루어진 것으로, 「주어+동사」를 포함하지 않는다.

명사구
문장에서 명사 역할(주어, 보어, 목적어)을 하는 구 → 부정사구, 동명사구, 분사구, 「의문사+to부정사」구 등
He promised to call me every day.　(promised의 목적어로 쓰인 to부정사구)

형용사구
문장에서 형용사 역할(명사, 대명사 수식)을 하거나 보어로 쓰이는 구 → 전치사구, 부정사구, 분사구 등
I want someone to talk with.　(someone을 수식하는 to부정사구)

부사구
문장에서 부사 역할(동사, 형용사, 부사, 문장 수식, 장소, 시간, 방법, 정도 등을 표시)을 하는 구
→ 전치사구, 부정사구, 분사구 등
I get up early in the morning. (때를 나타내는 전치사구)

전치사구
전치사를 포함하고 있는 구
She saw Jane dancing on the stage. (장소를 나타내는 전치사구)

부정사구
to부정사, 원형부정사를 포함하고 있는 구
They called 911 to ask for an ambulance.

분사구
분사를 포함하고 있는 구
Sandra likes the boy shooting a soccer ball.

동명사구
동명사를 포함하고 있는 구
There are many methods for finding answers to the mysteries.

절 (Clause)
두 개 이상의 단어가 모여서 문장의 일부를 구성하면서, 그 자체에 「주어+동사」를 포함한다.

등위절
등위접속사(and, but, or 등)로 이어진 절로 문법상 대등한 관계로 연결된다.
The child got boring and turned on the TV.

종속절
종속접속사로 이어진 절로 한 개의 절이 다른 절의 명사, 형용사, 부사의 역할을 한다.

명사절
문장에서 명사 역할(주어, 보어, 목적어)을 하는 절
→ 접속사 that절, if(whether)절, 의문사절, 관계사절 등
I want to know whether she is alive. (목적어로 쓰인 whether절)

형용사절
문장에서 형용사 역할(명사, 대명사 수식)을 하는 절 → 관계사절
This is the house which has a beautiful garden.

부사절
문장에서 부사 역할(시간, 이유, 결과, 조건, 양보 등)을 하는 절
I'll call you when I get home. (시간을 나타내는 종속접속사 when절)

준동사(Verbal)

동사로부터 파생된 것이지만, 동사 역할을 하지 않고 명사, 형용사, 부사의 역할을 하는 것

부정사(Infinitive)
동사 앞에 to가 붙거나(to부정사), 동사원형(원형부정사)의 형태
I want to study hard.

동명사(Gerund)
동사원형 뒤에 -ing가 붙은 형태
Walking fast is good for your health.

분사(Participle)
동사원형 뒤에 -ing가 붙거나 p.p.의 형태

┌ **현재분사**
능동, 진행의 의미로 동사원형 뒤에 -ing가 붙은 형태
Do you know that crying child?

└ **과거분사**
수동, 완료의 의미로 동사원형 뒤에 -ed가 붙거나 불규칙하게 p.p.가 된 형태
I like the play written by Shakespeare.

문장 구조 분석 관련 용어

끊어 읽기/직독직해
문장 성분에 맞게 끊어 읽고 바로 해석하기
I saw a cat / sitting outside the window / yesterday.
나는 고양이를 보았다   창밖에 앉아 있는   어제

완전/불완전한 구조
문장에 필수적인 문장 성분이 다 있는 경우 – 완전한 구조
문장에 필수적인 문장 성분이 하나라도 빠진 경우 – 불완전한 구조
Apples contain vitamin C.　　Apples contain _____.
　　S　　　V　　O (완전한 구조)　　　S　　　V　　목적어 X (불완전한 구조)

어순
문장 구성 성분의 순서
Do you know when he got up this morning?
　　　　　　　의문사+주어+동사 (간접의문문의 어순)

병렬구조
등위접속사(and, but, or)나 상관접속사(not A but B 등) 앞뒤의 문법 형태가 같은 구조
The recycling was both difficult and costly.
　　　　　　　　　　　　　형용사　　　　형용사

수 일치
주어와 동사, 주어와 대명사 등 단수, 복수가 일치하는 것
Some people in the room are wearing glasses.
　　복수 주어　　　　　　　　복수 동사

구문
구조화된 문장 성분 → 분사구문, 비교구문, 도치구문 등
Seeing the police officer, he began to run away.
　　분사구문

PART 1 동사

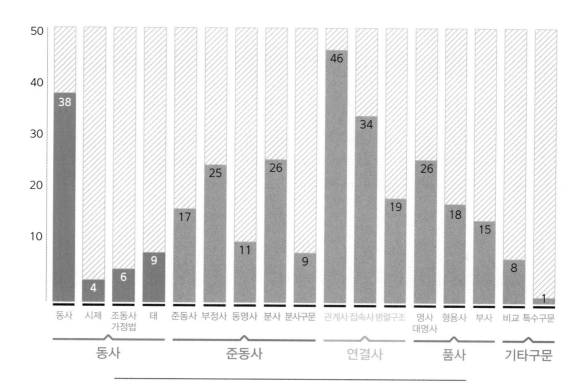

수능 모의고사
기출어법
항목별 빈도수

항목	빈도수
동사	38
시제	4
조동사 가정법	6
태	9
준동사	17
부정사	25
동명사	11
분사	26
분사구문	9
관계사	46
접속사 병렬구조	34
병렬구조	19
명사 대명사	26
형용사	18
부사	15
비교	8
특수구문	1

구분: 동사 / 준동사 / 연결사 / 품사 / 기타구문

UNIT

01 주어 동사 수 일치

Point 1 주어가 구일 때
Point 2 주어가 절일 때
Point 3 주어가 구의 수식을 받아 길어질 때
Point 4 주어가 절의 수식을 받아 길어질 때
Point 5 주어가 「부분 표현 + of + 명사」일 때
Point 6 도치구문에서 주어를 찾아야 할 때

결 정 적
출제 어법

1 주어가 구나 절일 때 단수 동사
`Point 1` + `Point 2`

Accepting your role in your problems | mean / **means** | that ...

주어가 명사구(동명사구, to부정사구)나 명사절(접속사 whether절, 의문사절, 접속사 that절)일 때 단수 취급하여 단수 동사

2 긴 수식어구의 수식을 받는 주어
`Point 3` + `Point 4`

One CEO [in one of Silicon Valley's companies] | have / **has** | what ...

구나 절과 같은 긴 수식어가 주어를 수식할 때 먼저 핵심 주어를 찾아야 해.
수식어구의 일부인 동사 바로 앞의 명사 companies를 주어로 착각해서는 안 돼!

3 「부분 표현 + of + 명사」
`Point 5`

... most of the plastic particles [in the ocean] | is / **are** | so small.

「most of + 명사」와 같이 부분 표현이 쓰인 주어에서는 부분 표현 뒤의 명사가 진짜
주어야. 부분 표현에 연연하지 말고 명사 particles의 수에 맞춰 복수 동사가 와야 해.

주어 역할을 하는 것

- 주어란 동작이나 상태의 주체가 되는 말로, '~은(는)/~이(가)'로 해석한다.

명사	동명사구	whether절
대명사	to부정사구	의문사절
		접속사 that절
		관계대명사 what절

CHECK-UP 주어를 찾아 밑줄 치고, 어떤 문법 형태인지 쓰시오.

1 Exercising twice a week is important for good health.

2 To win the first prize in the contest is my goal.

3 Whether she is telling the truth or not is no longer important.

4 That the Earth revolves around the Sun was discovered by Nicolaus Copernicus.

5 Who you hang out with affects your lifestyle and personality.

주어와 동사의 수 일치

- 주어가 단수이면 동사도 단수로, 주어가 복수이면 동사도 복수로 맞춰야 한다. 이를 '주어와 동사의 수 일치'라고 한다.
- 주어와 동사 사이에 수식어가 있어 문장이 길어질 경우, 핵심 주어를 정확히 파악하여 동사의 수를 일치시킨다.

단수 명사, 셀 수 없는 명사, 동명사구, to부정사구, 명사절	(+ 수식어구) + 단수 동사 (is/was, makes …)	복수 명사, and로 연결되는 어구	(+ 수식어구) + 복수 동사 (are/were, make …)

CHECK-UP 핵심 주어를 찾아 밑줄 치고, 네모 안에서 알맞은 동사의 형태를 고르시오.

1 Children 〔was / were〕 waiting for their surprise present with excitement.

2 Peanut butter and jelly 〔taste / tastes〕 good together.

3 The paintings which are in my room 〔was / were〕 given to me by my grandmother.

4 What Dr. Kim did during his service in Iraq 〔set / sets〕 a good example for other doctors.

기출문장으로 *실전어법* 개념잡기

Point ❶ 주어가 구일 때

Getting in the habit of asking questions 〔**transforms** / transform〕 you into an active
동명사구 주어   단수 동사
listener.[1] [고2 6월]

To put extra space between our car and the car in front of us 〔**was** / were〕 the only way
~~to~~부정사구 주어   단수 동사
to keep from crashing.[2] [고2 3월 응용]

- 동명사구나 to부정사구가 주어로 사용될 경우, 단수 취급하여 단수 동사를 쓴다.
- 구에 쓰인 명사, 특히 동사 바로 앞에 있는 명사를 주어로 착각하여 이를 동사의 수와 일치시키지 않도록
  주의한다.
- to부정사구가 길어질 경우, 가주어 it을 사용하여 「It + 동사 ~ + to부정사」의 어순으로 쓴다.
  It is so important for us **to identify** context related to information.

> 동명사구
> to부정사구 + 단수 동사

Point ❷ 주어가 절일 때

Whether someone does or doesn't 〔**is** / are〕 a function of environment, life experiences,
whether절 주어   단수 동사
and personal choices.[3] [고2 3월]

Actually, **what** they mean 〔**is** / are〕 not with but in proximity of their children.[4] [고1 11월]
관계대명사 what절 주어   단수 동사

Here 〔**is** / are〕 **how** she put it: "Just when I think I have it down, then something
유도부사 + 단수 동사 +   의문사절 주어
changes."[5] [고2 6월]

- whether절, 접속사 that절, 의문사절이 주어로 사용될 경우, 단수 취급하여 단수 동사를 쓴다.
- that절은 일반적으로 주어 자리에 가주어 it을 쓰고 접속사 that이 이끄는 명사절은 문장 뒤로
  이동하여 진주어가 된다.
  It is now apparent **that** we must move to an assisted-living facility.
- 관계대명사 what이 이끄는 절은 글의 맥락에 따라 단수나 복수로 받을 수 있으므로 문맥상
  알맞은 동사의 수를 파악한다.

> whether절
> that절   + 단수 동사
> 의문사절
> 관계사 what절 + 단수 / 복수 동사

---

1 질문을 하는 습관을 갖는 것은 당신을 적극적 청자로 바꾼다.   2 우리 차와 우리 앞에 있는 차 사이에 여분의 공간을 두는 것이 추돌을 막는 유일한 방법이었다.
3 어떤 사람이 그렇게 하느냐 하지 않느냐의 여부는 환경, 인생 경험, 그리고 개인적인 선택이 작용한다.   4 사실, 그들이 의미하는 것은 자녀들과 함께하는 것이 아니라 자녀들 가까이에
있는 것이다.   5 이것이 그녀가 말한 방식이다: "내가 그것을 숙지했다고 생각하는 바로 그때, 그때 무언가가 변한다."

다음 중 어법상 적절한 표현을 고르시오.

VOCA

distraction 방해

1 Comparing yourself to others is / are really just a needless distraction. [고2 3월]

2 To hear the computer read your writing is / are a very different experience from reading it yourself. [고2 3월 응용]

3 Having a high follower count on your social media accounts enhances / enhance all the work you are doing in real life. [고2 6월]

account 계좌, 계정
enhance 향상시키다

4 To develop the technique of selective note-taking is / are often more efficient. [고2 9월 응용]

selective 선별적인
efficient 효율적인

다음 밑줄 친 부분이 어법상 맞으면 ○표 하고, 틀리면 바르게 고치시오.

5 Whether you want to buy tea, coffee, jeans, or a phone do not matter. [고2 9월 응용]

6 How quickly and radically people's behavior changes when incentives come into play are noteworthy. [고2 9월 응용]

radically 급격히
incentive 장려금
come into play 작동하기 시작하다
noteworthy 주목할 만한

7 It is essential that we learn to turn our awareness inward and to hear again what our body is always telling us. [고2 3월]

awareness 의식; 관심
inward 안쪽으로, 내부로

8 How a person approaches the day impact everything else in that person's life. [고1 9월]

approach 접근하다
impact 영향을 주다

Point ❸ 주어가 구의 수식을 받아 길어질 때

The acceleration of human migration toward the shores **is** / are a contemporary
불가산명사(단수)   전치사구   단수 동사
phenomenon.[1] [고1 11월]

34 zoo chimpanzees and orangutans participating in a study was / **were** each
복수 명사   현재분사구   복수 동사
individually tested in a room.[2] [고1 9월]

- 주어가 구의 수식을 받아 길어질 때, 핵심 주어와 수식어구를 정확히 파악하여
  핵심 주어의 수와 동사의 수를 일치시킨다.
- 수식어구의 일부인 동사 바로 앞의 명사를 주어로 착각하지 않도록 유의한다.
- 구 형태의 수식어구에는 전치사구, 현재분사구, 과거분사구, to부정사구, 형용사구가 있다.

  People interested in the project is / **are** welcome to join us.
  〈과거분사구〉

  The best way to market your products **is** / are to sell them online.
  〈to부정사구〉

  A garden full of beautiful flowers attract / **attracts** many bees.
  〈형용사구〉

> 전치사구
> 현재분사구
> + 과거분사구 +
> to부정사구
> 주어   형용사구   동사
> 수 일치

Point ❹ 주어가 절의 수식을 받아 길어질 때

The culture that we inhabit shape / **shapes** how we think, feel, and act in the most
단수 명사   관계사절   단수 동사
pervasive ways.[3] [고1 9월]

The parents who're boasting of the achievements of their children is / **are** anxious
복수 명사   관계사절   복수 동사
about their failures.[4] [고2 6월]

- 주어가 관계사절의 수식을 받아 길어질 때, 핵심 주어와 수식하는 관계사절을 정확히 파악하여
  핵심 주어의 수와 동사의 수를 일치시킨다.
- 관계사절의 일부인 동사 바로 앞의 명사를 주어로 착각하지 않도록 유의한다.

> 주어 + 관계사절 + 동사
> 수 일치

---

1 해안을 향한 사람들의 이동의 가속화는 현대적인 현상이다.   2 한 연구에 참여하고 있는 34마리의 동물원 침팬지와 오랑우탄은 한 마리씩 방에서 검사를 받았다.   3 우리가 살고 있는 문화는 가장 널리 스며드는 방식으로 우리가 생각하고, 느끼고, 행동하는 방식을 형성한다.   4 자녀들의 성취를 뽐내는 부모들은 그들의 실패에 대해 걱정한다.

다음 중 어법상 적절한 표현을 고르시오.

1 The competition to sell manuscripts to publishers is / are fierce.
[고2 3월]

2 Perfection, or the attribution of that quality to individuals, create / creates a perceived distance that the general public cannot relate to. [고2 9월]

3 Testing strategies relating to direct assessment of content knowledge still have / has their value in an inquiry-driven classroom. [고2 9월]

4 His calculations based on that logic is / are still in use today, and they have saved many pilots. [고2 6월]

다음 밑줄 친 부분이 어법상 맞으면 ○표 하고, 틀리면 바르게 고치시오.

5 Any manuscript that contains errors <u>stand</u> little chance at being accepted for publication. [고2 3월]

6 People of Northern Burma, who think in the Jinghpaw language, <u>has</u> eighteen basic terms for describing their kin. [고2 9월]

7 Inequality of well-being that is driven by differences in individual choices or tastes <u>are</u> acceptable. [고2 9월]

8 The liberalization of capital markets, where funds for investment can be borrowed, <u>have</u> been an important contributor to the pace of globalization. [고2 11월]

✔ VOCA

manuscript 원고
fierce 격렬한, 치열한

attribution 귀속
perceive 인지하다

testing strategy 테스트 전략
assessment 평가
inquiry-driven 탐구를 주도하는

calculation 계산
logic 논리

chance 가능성; 기회

kin 친족, 친척

inequality 불평등

liberalization 자유화
capital market 자본 시장
contributor 기부자, 원인 제공자
globalization 세계화

Point ❺ 주어가 「부분 표현+of+명사」일 때

With very low frequency vibration <u>the rest of</u> **the body's sense of touch** | **starts** / start | to
take over.[1] [고2 11월 응용]

<u>the rest of +</u>   단수 명사   단수 동사

Because <u>most of</u> **the plastic particles** in the ocean | is / **are** | so small, there is no practical
way to clean up the ocean.[2] [고1 6월]

<u>most of +</u>   복수 명사   복수 동사

- 주어가 「부분 표현(all, most, some, part, the rest, half, 분수 등) + of + 명사」일 때, 부분 표현 뒤의 명사의 수에 동사의 수를 일치시킨다.
- 다음 표현은 항상 단수 또는 복수 취급한다.

  〈단수 취급〉 one of, each of, the number of + 복수 명사

  〈복수 취급〉 both of, a number of + 복수 명사

  The number of **male athletes** | were / **was** | more than twice that of female athletes.

  A number of **studies** | **suggest** / suggests | that the state of your desk might affect how you work.

> 부분 표현 + of + 단수 명사 + 단수 동사
> 부분 표현 + of + 복수 명사 + 복수 동사

Point ❻ 도치구문에서 주어를 찾아야 할 때

<u>Standing behind them</u> | **was** / were | **Kathy**, a beautiful five-year-old with long shiny
brown hair and dark flashing eyes.[3] [고2 9월]

강조어구   동사   주어

- 도치란 강조하고자 하는 어구를 문장의 맨 앞에 두어 「강조어구 + (조)동사 + 주어」로 문장의 어순을 바꾸는 것을 뜻한다.
- 문두에 있는 강조어구를 주어로 혼동하지 않도록 유의한다.

> 강조어구 + (조)동사 + 주어

---

1 매우 낮은 주파수 진동에 나머지 신체의 촉각이 중요해지기 시작한다.   2 바닷속에 있는 대부분의 플라스틱 조각들은 매우 작기 때문에 바다를 청소할 실질적인 방법은 없다.

3 그들 뒤에는 빛나는 긴 갈색 머리와 짙게 반짝이는 눈을 가진 예쁜 다섯 살짜리 Kathy가 서 있었다.

다음 중 어법상 적절한 표현을 고르시오.

1 This part of the brain is / are still changing and maturing well into adulthood. [고2 9월]

2 Each of new technologies increase / increases the stock of available tools and resources that can be employed by other technologies to produce new artifacts. [고2 3월 응용]

3 One of the better-known examples of the cooperation between chance and a researcher is / are the invention of penicillin. [고2 6월]

4 Most of his landscapes were / was done in shades of black, but a few had light washes of color added to them. [고2 6월]

5 All of human interaction is / are a set of signals and cues that lead to other signals and cues. [고2 11월 응용]

6 Some of the things you've learned since childhood also become / becomes implicit memories. [고1 11월]

7 There is / are countless examples of scientific inventions that have been generated by accident. [고2 6월]

8 Only after a king died was / were the *Sillok* of his reign published. [교과서]

정답과 해설 **p. 3**

다음 중 어법상 적절한 표현을 고르시오.

✔ VOCA

1
고2 9월

Using a recorder has / have some disadvantages and is / are not always the best solution.

disadvantage 단점
solution 해결책

2
고2 11월

Included within the envelope was / were a round-trip airline ticket to and from Syracuse.

include 포함하다
envelope 봉투

3
고2 3월

The number of natural disasters in Asia were / was the largest of all five regions and accounted for 36 percent, which was more than twice the percentage of Europe.

disaster 재해
account 차지하다

4
고2 11월

The disintermediated and transnational nature of blockchains make / makes the technology difficult to govern.

disintermediate 금융 기관 중개를 탈피하다
transnational 초국가적인
govern 통제하다

다음 밑줄 친 부분이 어법상 맞으면 ○표 하고, 틀리면 바르게 고치시오.

5
고2 11월
응용

To take unscheduled breaks <u>are</u> a sure-fire way to fail into the procrastination trap.

sure-fire 확실한
procrastination 미루는 버릇, 지연

6
고2 9월

A brain that's been wired by listening to twelve-tone scales <u>don't</u> have a concept for that music.

wire 고정하다
twelve-tone scales 12음계

7
고2 3월

Less than one percent of the material sent to publishers <u>is</u> ever published.

material 자료

어법 TEST 2 | *짧은 지문* 어법훈련하기

정답과 해설 p. 4

다음 글의 네모 안에서 어법상 적절한 표현을 고르시오.

VOCA

1
고2 3월

Introducing recovery in all aspects of my life (A) has / have transformed my overall experience. In four or five intensive hour-and-a-half sessions, each followed by at least fifteen minutes of recovery, I get just about as much done as I did previously in a twelve-hour marathon day. Taking one full day off every week (B) make / makes me more productive overall rather than less so.

recovery 회복
overall 전반적인; 전반적으로
intensive 집중적인
session (활동) 시간
previously 이전에
productive 생산적인

2
고2 9월

The percentage of "share equally" households (A) is / are over two times higher than that of "mother does more" households in three categories. The category that shows the highest percentage of "share equally" households (B) is / are "Playing or doing activities with children." followed by the category "Discipling children."

household 가정
discipline 훈육하다

다음 글의 밑줄 친 부분 중, 어법상 틀린 것을 고르시오.

3
고2 6월

A logical implication of these developmental changes ① are that parents will need to make parenting shifts along the way. In other words, the one strategy to keep in mind as your children grow and change ② is ③ that you must also ④ change to meet their new developmental needs and abilities.

logical 논리적인
implication 암시
shift 변화; 이동
along the way 그 과정에서
strategy 전략

UNIT 01 주어 동사 수 일치 · 23

1 (A), (B), (C)의 각 네모 안에서 어법에 맞는 표현으로 가장 적절한 것은?

A good many scientists and artists have noticed the universality of creativity. At the Sixteenth Nobel Conference, held in 1980, the scientists, musicians, and philosophers all agreed, to quote Freeman Dyson, that "the analogies between science and art (A) [is / are] very good as long as you are talking about the creation and the performance. The creation is certainly very analogous. The aesthetic pleasure of the craftsmanship of performance (B) [is / are] also very strong in science." A few years later, at another multidisciplinary conference, physicist Murray Gell-Mann found that "everybody agrees on where ideas come from. We had a seminar here, about ten years ago, including several painters, a poet, a couple of writers, and the physicists. Everybody agrees on how it works. All of these people, whether they are doing artistic work or scientific work, (C) [is / are] trying to solve a problem." [고2 11월]

	(A)	(B)	(C)
①	is	is	is
②	is	are	are
③	are	is	is
④	are	is	are
⑤	are	are	is

2 다음 글의 밑줄 친 부분 중, 어법상 틀린 것은?

You may be wondering why people prefer to prioritize internal disposition over external situations when seeking causes to explain behaviour. One answer is simplicity. Thinking of an internal cause for a person's behaviour ① is easy — the strict teacher is a stubborn person, the devoted parents just ② love their kids. In contrast, situational explanations can be complex. Perhaps the teacher appears stubborn because she's seen the consequences of not trying hard in generations of students and ③ wants to develop self-discipline in them. Perhaps the parents who're boasting of the achievements of their children ④ is anxious about their failures, and conscious of the cost of their school fees. These situational factors require knowledge, insight, and time to think through. Whereas, jumping to a dispositional attribution ⑤ is far easier. [고2 6월]

---

1 universality 보편성   creativity 창의성   quote 인용하다   analogy 유사성   performance 행위, 실행   aesthetic 미적인
craftsmanship 솜씨   multidisciplinary 여러 학문 분야에 걸친   conference 회의   physicist 물리학자

2 prioritize 우선시하다   disposition 기질   simplicity 단순성   stubborn 완고한   devoted 헌신적인   in contrast 반대로   consequence 결과
self-discipline 자기 훈련   boast 뽐내다   conscious 의식하는   insight 통찰(력)   whereas 반면에   attribution 속성

3 다음 글의 밑줄 친 부분 중, 어법상 틀린 것은?

There ① have been a general belief that sport is a way of reducing violence. Richard Sipes who ② is an anthropologist ③ tests this notion in a classic study of the relationship between sport and violence. Focusing on what he calls "combative sports," those sports including actual body contact between opponents or simulated warfare, he ④ hypothesizes that if sport is an alternative to violence, then one would expect to find an inverse correlation between the popularity of combative sports and the frequency and intensity of warfare. In other words, the more combative sports (e.g., football, boxing) the less likely warfare. Using the Human Relations Area Files and a sample of 20 societies, Sipes tests the hypothesis and ⑤ discovers a significant relationship between combative sports and violence, but a direct one, not the inverse correlation of his hypothesis.

[고2 11월 응용]

4 (A), (B), (C)의 각 네모 안에서 어법에 맞는 표현으로 가장 적절한 것은?

In this world, being smart or competent isn't enough. People sometimes don't recognize talent when they see it. Their vision is clouded by the first impression we give and that can lose us the job we want, or the relationship we want. The way we present ourselves can speak more eloquently of the skills we bring to the table, if we actively cultivate that presentation. Nobody (A) like / likes to be crossed off the list before being given the opportunity to show others who they are. Being able to tell your story from the moment you meet other people (B) is / are a skill that must be actively cultivated, in order to send the message that you're someone to be considered and the right person for the position. For that reason, it's important that we all learn how to say the appropriate things in the right way and to present ourselves in a way that (C) appeal / appeals to other people — tailoring a great first impression. [고2 6월]

	(A)		(B)		(C)
①	like	……	is	……	appeal
②	likes	……	is	……	appeals
③	likes	……	are	……	appeals
④	like	……	are	……	appeal
⑤	likes	……	is	……	appeal

---

3 anthropologist 인류학자　notion 개념　combative 전투적인　opponent 상대　simulated 모의의　warfare 전투
hypothesize 가설을 세우다　alternative 대체물　inverse 역(반대)의　correlation 상관관계　frequency 빈도　intensity 강도

4 competent 능숙한　eloquently 설득력 있게　cultivate 일구다, 기르다　cross off 지우다　appropriate 적절한　tailor 재단하다

어법 TEST 4 | 서술형 내신 어법훈련하기

1 다음 글을 읽고, 물음에 답하시오.

In 2000, James Kuklinski of the University of Illinois led an influential experiment in which more than 1,000 Illinois residents were asked questions about welfare. More than half indicated that they were confident that their answers were correct — but in fact, only three percent of the people got more than half of the questions right. (a) <u>Perhaps more disturbingly, the ones who were the *most* confident they were right was generally the ones who knew the least about the topic.</u> "It implies not only that most people will resist correcting their factual beliefs," Kuklinski wrote, "but also that the very people who most need to correct them will be least likely to do so." How can we have things so wrong and be so sure that we're right? (b) 정답의 일부는 우리의 뇌가 고정되는 방식에 있다. Generally, people tend to seek consistency. There is a substantial body of psychological research showing that people tend to interpret information with an eye toward reinforcing their preexisting views. If we believe something about the world, we are more likely to passively accept as truth any information that (c) confirm / confirms our beliefs. [고2 9월 응용]

학교시험 서술형 단골 문제 감 잡기

어법+ 01 밑줄 친 (a)에서 어법상 틀린 부분을 바르게 고치고 우리말로 해석하시오.
해석

어법+ 02 밑줄 친 (b)와 같은 뜻이 되도록 주어진 단어들을 알맞은 순서로 배열하시오.
영작

(of / the answer / part / lies / our brains / in / are wired / the way)

어법 03 (c)의 네모 안에서 어법상 적절한 표현을 고르고, 그 이유를 서술하시오.
파악

2 다음 글을 읽고, 물음에 답하시오.

Ethical and moral systems are different for every culture. According to cultural relativism, all of these systems are equally valid, and no system is better than another. The basis of cultural relativism is the notion that no true standards of good and evil actually exist. Therefore, judging whether something is right or wrong (a) are / is based on individual societies' beliefs, and any moral or ethical opinions are affected by an individual's cultural perspective. (b) There exists an inherent logical inconsistency in cultural relativism, however. If one accepts the idea that there is no right or wrong, then there exists no way to make judgments in the first place. To deal with this inconsistency, cultural relativism creates "tolerance." However, with tolerance comes intolerance, which means that tolerance must imply some sort of ultimate good. Thus, tolerance also goes against the very notion of cultural relativism, and (c) the boundaries of logic makes cultural relativism impossible. [고1 11월]

3

6

9

12

15

VOCA

1 ethical 윤리적인
  moral 도덕적인
2 relativism 상대주의
3 valid 타당한
4 notion 개념

8 perspective 관점
  inherent 내재적인
  inconsistency 모순

12 tolerance 관용
  intolerance 편협, 불관용
13 ultimate 궁극적인
15 boundary 경계, 영역

학교시험 서술형 단골 문제 감 잡기

어법 파악 **01** (a)의 네모 안에서 어법상 적절한 표현을 고르고, 그 이유를 서술하시오.

어법+해석 **02** 밑줄 친 (b)를 바르게 해석하시오.

어법 파악 **03** 밑줄 친 (c)에서 어법상 틀린 부분을 찾아 바르게 고쳐 다시 쓰시오.

02 시제

결정적 출제 어법

1 시간이나 조건의 접속사 when, if 등이 부사절을 이끌 때는 미래 대신 현재시제 Point 1 + Point 2

If the pioneer **survives** / will survive , everyone else will follow suit.

↳ 단순시제 문제에서는 when, if 부사절 문제가 단골로 출제돼!

2 과거시제와 현재완료 시제를 구분하려면 부사(구)를 확인 Point 3 + Point 4

He **died** / have died in 1933.

↳ yesterday, ago, last, 「in + 연도」 등은 과거시제와,
before, 「since + 특정 과거 시점」, 「for + 기간」 등은 현재완료 시제와 자주 쓰여!

시제

시제	형태	개념 및 예문
현재	am/are/is, 동사원형/동사원형-(e)s	현재의 상태, 현재의 습관적 동작, 반복적 행동, 일반적 사실, 불변의 진리, 격언, 속담 등 Mina usually **drinks** coffee and **reads** newspaper in the morning.
과거	was/were, 동사원형-(e)d/불규칙형	과거의 동작 또는 상태, 과거의 습관적 동작, 과거의 역사적 사실 I **found** a deserted cottage and **walked** into it.
미래	will + 동사원형	미래에 발생할 동작, 사건, 주어의 의지 Each first place winner **will receive** a $50 gift certificate.
현재진행	am/are/is + -ing	현재 진행 중인 동작, 사건, 가까운 미래의 예정 In today's version of show business, the business part **is happening** online.
과거진행	was/were + -ing	과거의 어느 시점에서 진행 중이던 동작, 사건 When I called my boss, he **was jogging** at the park.
미래진행	will be + -ing	미래의 어느 시점에서 진행 중일 동작, 사건 This month, we **will be holding** a "parent-child" look-alike contest!
현재완료	have/has + p.p.	과거에 일어난 일이 현재에 영향을 미칠 때 (동작의 완료, 현재까지의 경험, 현재까지의 계속, 현재에 영향을 준 결과) Think of a buffet table at a party, or perhaps at a hotel you **have visited**.
과거완료	had + p.p.	과거 이전부터 과거의 어느 시점까지의 동작, 상태의 완료, 결과, 경험, 계속 He **had** only **become** a dog-lover in later life when Jofi was given to him.
미래완료	will have + p.p.	미래의 어느 시점까지 예상되는 완료, 결과, 경험, 계속 I **will have gone** on a vacation by this time next year.
현재완료진행	have/has been + -ing	현재완료보다 동작이 계속되고 있음을 강조할 때 I **have been using** your coffee machines for several years.
과거완료진행	had been + -ing	과거완료보다 동작이 계속되고 있음을 강조할 때 Otis Barton **had been working** on a design for a deep diving sphere.
미래완료진행	will have been + -ing	미래완료보다 동작이 계속되고 있음을 강조할 때 By next month John **will have been teaching** English for five years.

CHECK-UP 동사의 시제 부분에 밑줄 친 다음, 그 시제를 쓰시오.

1 From next week, you will be working in the Marketing Department.

2 Since the new millennium, businesses have experienced more global competition.

3 The boy realized that he had misspelled the word.

기출문장으로 *실전어법* 개념잡기

Point ❶ 단순시제 vs. 진행시제

Male impalas **have** / are having long and pointed horns which can measure 90
현재시제: 소유 동사

centimeters in length.[1] [고2 6월]

The young woodcutter realized that during break times while the old man had / **was**

having a drink, he **was** also **re-sharpening** his axe.[2] [고2 9월]
진행시제: 마시고 있었다   진행시제: 날을 다시 갈고 있었다

- 현재의 상태, 현재의 습관적 동작, 반복적 행동, 일반적 사실, 불변의 진리, 격언, 속담 등은 현재시제를 쓴다.
- 과거의 동작 또는 상태, 과거의 습관적 동작, 과거의 역사적 사실 등은 과거시제를 쓴다.
- 소유, 상태, 감정, 인지, 지각 등의 뜻으로 쓰인 동사는 일반적으로 진행형을 쓰지 않는다.

> - 소유: have, belong, own, possess ...
> - 상태: seem, resemble, remain ...
> - 감정: like, love, hate, want, dislike, doubt ...
> - 인지: think, know, believe, remember, understand ...
> - 지각: feel, taste, smell, sound, look ...

Point ❷ 미래시제 대용

If the pioneer **survives** / will survive , everyone else will follow suit.[3] [고1 11월]
조건의 접속사(부사절)   현재시제

You should give someone a second chance **before** you **shut** / will shut them out
시간의 접속사(부사절)   현재시제

forever.[4] [고1 9월]

- if, unless 등 조건을 나타내는 접속사나 when, before, after, until, as soon as 등
  시간을 나타내는 접속사가 이끄는 부사절에서는 현재시제가 미래시제를 대신한다.

  cf. if나 when이 명사절을 이끌 때는 미래시제를 쓸 수 있다.
  Using apps, you can find out where your bus is and when it will arrive.

> 시간/조건의 부사절 접속사 + 주어 + 현재시제

> 명사절 접속사 + 주어 + 현재/미래시제

---

1 수컷 임팔라는 길이가 90cm인 길고 뾰족한 뿔이 있다.   2 젊은 나무꾼은 노인이 휴식 시간에 음료를 마시는 동안 또한 그의 도끼날을 다시 갈고 있었다는 것을 깨달았다.

3 만약 그 선두 주자가 살아남으면, 다른 모두가 그대로 따를 것이다.   4 여러분은 그들을 영원히 차단해 버리기 전에 다시 한번 기회를 줘야 한다.

다음 중 어법상 적절한 표현을 고르시오.

1 He has to see and hear them the way the father ⬚ wants / is wanting ⬚ him to. [고2 3월]

2 David Hilbert, a German mathematician, ⬚ identifies / identified ⬚ 23 unsolved problems in 1900. [고2 9월]

identify 규정하다
unsolved 풀리지 않는

3 I anticipate that your approval of this request ⬚ will greatly improve / greatly improved ⬚ the safety of our children. [고2 9월]

anticipate 기대하다, 예상하다
approval 승인
request 요청

4 I awoke to the sound of a far away church clock, softly ringing seven times and noticed that the sun ⬚ was slowly rising / is slowly rising ⬚.
[고2 3월]

notice 알아차리다

5 Paradoxically, when you ⬚ ask / will ask ⬚ basic questions, you will more than likely be perceived by others to be smarter. [고2 6월]

paradoxically 역설적이게도
perceive 인식하다, 인지하다

6 Maybe he will be an ornithologist when he ⬚ grows up / will grow up ⬚.
[고2 3월]

ornithologist 조류학자

7 If a perceived average or less than average competent person ⬚ makes / will make ⬚ a mistake, he or she will be less attractive and likable to others. [고2 9월]

competent 능력 있는

8 If you ⬚ apply / will apply ⬚ all your extra money to paying off debt without saving for the things that are guaranteed to happen, you will feel like you've failed when something does happen. [고2 3월]

pay off 청산하다, 다 갚다
debt 빚
guarantee (어떤 일이 일어날 것을) 확신하다

기출문장으로 실전개념 개념잡기

Point ③ 과거시제 vs. 현재완료 시제

In 1958, he has become / **became** staff at the *Philadelphia Evening Bulletin*, a daily

in + 연도   과거

evening newspaper published in Philadelphia.[1] [고1 9월]

Since the nineteenth century, shopkeepers took / **have taken** advantage of this trick by

since + 특정 과거 시점   현재완료

choosing prices ending in a 9, to give the impression that a product is cheaper than it is.[2]

[고1 11월]

- **과거시제**: 과거의 특정 시점에 일어나 이미 끝난 일을 서술할 때 쓴다.
  주로, yesterday, ago, last, when, 「in + 연도」 등과 함께 쓴다.
- **현재완료 시제**: 과거에 일어난 일이 현재에 영향을 미칠 때 쓴다.
  주로, 「since + 특정 과거 시점」, 「for + 기간」, before, so far, just,
  already, yet, ever, never 등과 함께 쓴다.

> 「in + 연도」 + 과거시제

> 「since + 특정 과거 시점」
> 「for + 기간」 + 현재완료 시제

Point ④ 과거시제, 현재완료 시제 vs. 과거완료 시제

Jason said he filled / **had filled** the stove with every piece of wood he could fit into it.[3]

과거   과거완료

[고1 11월]

The growing field of genetics is showing us what many scientists **have suspected** /

현재 진행   현재완료

had suspected for years.[4] [고2 3월]

for + 기간

- **과거시제 vs. 과거완료 시제**

과거시제	과거에 일어난 일들을 발생 순서대로 나열할 때
과거완료 시제	과거보다 먼저 일어난 일인 '대과거'를 표현할 때

- **현재완료 시제 vs. 과거완료 시제**

현재완료 시제	과거에 일어난 일이 현재에 영향을 미칠 때
과거완료 시제	과거보다 먼저 일어난 일이 과거 어느 시점까지 영향을 미칠 때

---

1 1958년, 그는 Philadelphia에서 발간된 석간신문 *Philadelphia Evening Bulletin*의 직원이 되었다.   2 19세기 이래 소매상인들은 상품이 실제보다 싸다는 인상을 주기 위해 9로 끝나는 가격을 선택함으로써 이 착각을 이용해 왔다.   3 Jason은 자신이 거기에 끼워 넣을 수 있는 모든 나무 조각을 난로에 채워 넣었다고 말했다.   4 성장하고 있는 유전학 분야는 많은 과학자들이 여러 해 동안 의구심을 가져왔던 것을 우리에게 보여 주고 있다.

다음 중 어법상 적절한 표현을 고르시오.

1 Since the 1970s there ⎡has been / was⎤ a trend towards a freer flow of capital across borders. [고2 11월]

2 Cassatt ⎡lost / has lost⎤ her sight at the age of seventy, and, sadly, was not able to paint during the later years of her life. [고1 9월]

3 Around 10,000 years ago, humans ⎡learned / have learned⎤ to cultivate plants and tame animals. [고2 9월]

4 For many years, scientists ⎡recognized / have recognized⎤ other environmental factors, such as chemical toxins (tobacco for example), can contribute to cancer through their actions on genes. [고2 3월]

5 Participants who ⎡have sat / had sat⎤ quietly after watching the video experienced an average of six flashback. [고2 11월 응용]

6 I am sure you ⎡have heard / had heard⎤ something like, "You can do anything you want, if you just persist long and hard enough." [고2 3월]

7 The archaeologists soon realised that they ⎡have found / had found⎤ one of the most significant sites in all of western European intellectual culture. [고2 11월]

8 His father ⎡abandoned / had abandoned⎤ his family when he was young, and A. Y. had to go to work at age twelve to help support his brothers and sisters. [고2 3월]

VOCA

trend 추세
flow 흐름
border 국경

sight 시력

cultivate 경작하다
tame 길들이다

toxin 독소
contribute ~하는 원인이 되다
gene 유전자

participant 참가자
flashback 회상, 회상 장면

persist 집요하게 계속하다

archaeologist 고고학자
significant 중요한
site 장소

abandon 버리다, 유기하다

어법 TEST 1 | 문장 어법훈련하기

정답과 해설 p. 9

다음 중 어법상 적절한 표현을 고르시오.

✔ VOCA

1
고2 3월

And yet painters don't use all the colours at once, and indeed many | have used / had used | a remarkably restrictive selection.

remarkably 눈에 띄게
restrictive 제한하는
selection 선택

2
고2 9월

When they arrived, the roaring fire | was spreading / is spreading | through the whole building.

roaring 맹렬히 타오르는, 으르렁대는

3
고1 11월

When you | will be / are | suppressed emotionally and constantly do things against your own will, your stress will eat you up faster than you can count to three.

suppress 억압하다

다음 밑줄 친 부분이 어법상 맞으면 ○표 하고, 틀리면 바르게 고치시오.

4
고2 6월

Many years ago I <u>have visited</u> the chief investment officer of a large financial firm, who had just invested some tens of millions of dollars in the stock of the ABC Motor Company.

investment 투자
stock 주식

5
고2 6월

We at the Future Music School <u>have been providing</u> music education to talented children for 10 years.

provide 제공하다
talented 재능 있는

6
고2 11월

30 percent of the people who <u>have sampled</u> from the small assortment decided to buy jam.

sample 시식하다
assortment (같은 종류의 여러 가지) 모음

7
고1 9월

If a person <u>will begin</u> their day in a good mood, they will likely continue to be happy at work and that will often lead to a more productive day in the office.

productive 생산적인

정답과 해설 p. 9

다음 글의 네모 안에서 어법상 적절한 표현을 고르시오.

> **VOCA**

1
고2 6월

I (A) was / have been using your coffee machines for several years. Since your products (B) never let / had never let me down before, I bought your brand-new coffee machine, Morning Maker, on May 18th from your online store. Unfortunately, however, this product has not worked well.

let ~ down ~을 실망시키다

2
고2 3월

My wife and I (A) lived / have lived at the Spruce Apartments for the past twelve years. As you know, we recently renewed our lease with plans to stay for another year. In recent weeks, my wife's health has taken a dramatic turn for the worse, and it (B) is / was now apparent that we must move to an assisted-living facility where she can receive the help she needs.

renew 갱신하다
lease 임대차 계약
take a turn for the worse
점차 나빠지다
dramatic 극적인
apparent 분명한
assisted-living facility
병자 원호 생활 시설

다음 글의 밑줄 친 부분 중, 어법상 틀린 것을 고르시오.

3
고1 9월

We ① have ordered an exact replacement from the manufacturer, and we ② expect that delivery ③ will take place within two weeks. As soon as the desk ④ will arrive, we will telephone you immediately and ⑤ arrange a convenient delivery time.

replacement 대체물, 교체물
manufacturer 제조업체, 생산 회사
take place 일어나다
immediately 즉시
arrange 정하다
convenient 편리한

어법 TEST 3 | 기출 유형 어법훈련하기

1 (A), (B), (C)의 각 네모 안에서 어법에 맞는 표현으로 가장 적절한 것은?

In 1944 the German rocket-bomb attacks on London suddenly escalated. Over two thousand V-1 flying bombs fell on the city, killing more than five thousand people and wounding many more. Somehow, however, the Germans consistently missed their targets. Bombs that were intended for Tower Bridge, or Piccadilly, would fall well short of the city, landing in the less populated suburbs. This was because, in fixing their targets, the Germans relied on secret agents they (A) planted / had planted in England. They did not know that these agents (B) were / had been discovered, and that in their place, English-controlled agents (C) were giving / is giving them subtly deceptive information. The bombs would hit farther and farther from their targets every time they fell. By the end of the attack they were landing on cows in the country. By feeding the enemy wrong information, the English army gained a strong advantage. [고2 3월]

	(A)	(B)	(C)
①	planted	..... were	..... were giving
②	had planted	..... had been	..... were giving
③	planted	..... had been	..... is giving
④	had planted	..... were	..... is giving
⑤	had planted	..... had been	..... is giving

2 다음 글의 밑줄 친 부분 중, 어법상 틀린 것은?

Trade will not occur unless both parties ① will want what the other party has to offer. This is referred to as the double coincidence of wants. Suppose a farmer wants to trade eggs with a baker for a loaf of bread. If the baker ② has no need or desire for eggs, then the farmer is out of luck and does not get any bread. However, if the farmer ③ is enterprising and utilizes his network of village friends, he might discover that the baker is in need of some new cast-iron trivets for cooling his bread, and it just so happens that the blacksmith needs a new lamb's wool sweater. Upon further investigation, the farmer ④ discovers that the weaver has been wanting an omelet for the past week. The farmer ⑤ will then trade the eggs for the sweater, the sweater for the trivets, and the trivets for his fresh-baked loaf of bread. [고1 9월]

---

1 escalate 증가하다, 확대되다   somehow 왜 그런지   consistently 끊임없이, 계속해서   target 목표물   suburb 교외   rely on ~에 의지하다
agent 요원   subtly 교묘하게   deceptive 기만하는   advantage 이점, 이득

2 occur 발생하다   coincidence (우연의) 일치   suppose 가정하다   desire 욕구   out of luck 운이 없는   enterprising 진취력이 있는
utilize 활용하다   cast-iron trivet 무쇠 주철 삼각 거치대   blacksmith 대장장이   investigation 조사   weaver 직조공

3 다음 글의 밑줄 친 부분 중, 어법상 <u>틀린</u> 것은?

Many years ago I visited the chief investment officer of a large financial firm, who ① <u>had just invested</u> some tens of millions of dollars in the ₃ stock of the ABC Motor Company. When I asked how he ② <u>made</u> that decision, he replied that he ③ <u>had recently attended</u> an automobile ₆ show and had been impressed. He said, "Boy, they do know how to make a car!" His response made it very clear that he trusted his gut feeling ₉ and was satisfied with himself and with his decision. I found it remarkable that he had apparently not considered the one question that ₁₂ an economist would call relevant: Is the ABC stock currently underpriced? Instead, he ④ <u>had listened</u> to his intuition; he liked the cars, he ₁₅ liked the company, and he liked the idea of owning its stock. From what we know about the accuracy of stock picking, it is reasonable ₁₈ to believe that he did not know what he ⑤ <u>was doing</u>. [고2 6월]

4 (A), (B), (C)의 각 네모 안에서 어법에 맞는 표현으로 가장 적절한 것은?

Dear Mr. Spencer,

I (A) will live / will have lived in this apartment for ten years as of this coming April. I have ₃ enjoyed living here and hope to continue doing so. When I first moved into the Greenfield Apartments, I was told that the apartment ₆ (B) was / had been recently painted. Since that time, I have never touched the walls or the ceiling. Looking around over the past ₉ month has made me realize how old and dull the paint has become. I would like to update the apartment with a new coat of paint. I ₁₂ (C) understand / am understanding that this would be at my own expense, and that I must get permission to do so as per the lease agreement. ₁₅ Please advise at your earliest convenience.

Sincerely,

Howard James [고2 3월] ₁₈

	(A)	(B)	(C)
①	will live	was	understand
②	will live	had been	understand
③	will have lived	had been	am understanding
④	will have lived	was	am understanding
⑤	will have lived	had been	understand

---

3 investment 투자   financial firm 금융 회사   stock 주식   impress 깊은 인상을 주다   response 반응   gut feeling 직감
remarkable 놀랄 만한   apparently 명백히, 분명히   relevant 적절한   intuition 직감   accuracy 정확도   reasonable 당연한

4 as of ~ 현재로   ceiling 천장   realize 깨닫다   dull 흐릿한   coat 칠, 도금   at one's own expense 자비로   permission 허락
as per (이미 결정된) ~에 따라   lease agreement 임대차 계약   advise 알리다   at your earliest convenience 가급적 빨리, 형편 닿는 대로 빨리

1 다음 글을 읽고, 물음에 답하시오.

Two students met their teacher at the start of a track through a forest. The path split into two: one was clear and smooth, the other had fallen logs and other obstacles in the way. One student chose to avoid the obstacles, taking the easier path to the end. The second student chose to tackle the obstacles, battling through every challenge in his path. (a) <u>When they arrive, they could see a ravine that was a few meters wide.</u> The students looked at their teacher and he said just one word. "Jump!" The first student looked at the distance and his heart sank. The teacher looked at him. "What's wrong? This is the leap to greatness. Everything that you've done until now should have prepared you for this moment." The student shrugged his shoulders and walked away, knowing he ____(b)____ (prepare) adequately for greatness. The second student looked at the teacher and smiled. (c) <u>그는 이제 그의 길 위에 놓여 있던 장애물들이 그의 준비의 일부였다는 것을 알았다.</u> By choosing to overcome challenges, not avoid them, he was ready to make the leap. [고1 9월]

VOCA

1 track 길
2 split 나뉘다
3 obstacle 장애물

5 tackle 씨름하다
6 ravine 계곡

10 leap 도약

12 shrug (어깨를) 으쓱하다
13 adequately 충분히

15 overcome 극복하다

학교시험 서술형 단골 문제 감 잡기

어법 파악 01 밑줄 친 (a)에서 <u>어색한</u> 부분을 바르게 고쳐 문장을 다시 쓰고, 그 이유를 서술하시오.

어법 파악 02 빈칸 (b)에 동사 prepare의 가장 알맞은 형태를 어법과 맥락에 맞게 쓰시오. (3단어로 쓸 것)

어법+ 영작 03 밑줄 친 (c)와 같은 뜻이 되도록 주어진 단어들을 알맞은 순서로 배열하시오.

(he / in his path / part of his preparation / knew now / were / that had been placed / that the obstacles)

2 다음 글을 읽고, 물음에 답하시오.

Six months ago, 55-year-old Billy Ray Harris ① has been homeless. But then, one day, his life ② changed. In February, Sarah Darling passed Harris at his usual spot and dropped some change into his cup. But she also accidentally dropped in her engagement ring. Though Harris considered selling the ring a few days later, he returned the ring to Darling. As a way to say thank you, Darling gave Harris all the cash she had with her. Then her husband, Bill Krejci, launched a Give Forward page to collect money for Harris. As of mid-morning Tuesday, close to $152,000 ③ had been donated. Harris talked to a lawyer, who helped him put the money in a trust. Since then, he ④ has been able to buy a car and even put money down on a house, which he's fixing up himself. And that's not all: After he appeared on TV, his family members who ___(a)___ (search) for him for 16 years ⑤ were able to find him. (b) Since the fateful day that Darling's ring landed in his cup, Harris's life has turned completely around. [고2 6월 응용]

VOCA

4 engagement 약혼

8 launch 시작하다

10 donate 기부하다
11 trust 신탁
12 put ~ down (보증금을) 걸다

15 fateful 운명적인

학교시험 서술형 단골 문제 감 잡기

어법 파악 **01** 밑줄 친 ①~⑤ 중, 어법상 틀린 것을 찾아 바르게 고쳐 쓰고, 그 이유를 서술하시오.

어법 파악 **02** 빈칸 (a)에 동사 search의 가장 알맞은 형태를 어법과 맥락에 맞게 3단어로 쓰시오.

어법+ 해석 **03** 밑줄 친 (b)를 우리말로 바르게 해석하시오.

결정적 출제 어법

1 요구, 제안, 주장, 명령의 should   `Point 1`

A nurse **suggested** that the twins | **be** / are | kept together.

should가 생략되어 동사원형만 오는 경우가 있어. 그렇게 쓰는 동사가 무엇인지 알아야겠지?

2 추측, 가능성의 조동사 뒤에 have p.p.는 과거 사실에 대한 추측, 후회, 유감   `Point 2`

The loss of self-esteem | must discourage / **must have discouraged** | him.

must have p.p.는 특히 자주 나오는데, '~했음에 틀림없다'라는 의미야.

3 형태가 다양한 가정법   `Point 3` + `Point 4`

| As if / **Without** | money, people could only barter.

가정법은 실제로 일어난 일이 아니라 어떤 일을 가정할 때 사용해.
As if, As though, I wish, Without, If were ~ 등 형태도 다양해.

조동사

동사를 도와주는 동사로, 문법적인 기능을 도와주거나 의미를 더하는 역할

be	be + -ing (진행시제)	**do**	do + not + 동사원형 (부정문)
	be + p.p. (수동태)		do + 주어 + 동사원형 ~? (의문문)
have	have + p.p. (완료시제)		동사의 반복을 피할 때, 부가의문문, 동사 강조
must (have to)	가능성, 추측 (~임에 틀림없다)	**shall / should** (ought to)	가능성, 추측 (~일 것이다)
	의무 (~해야 한다)		제안 (~하는 게 좋다) 의무, 당위 (~해야 한다)
will / would	가능성, 추측 (당연히 ~일 것이다)	**can / could** (be able to)	가능성, 추측 (~일 수 있다)
	미래 (~할 것이다)		능력 (~할 수 있다)
	의지 (~하겠다)		허가 (~해도 된다)
	과거의 습관 (~하곤 했다) (=used to)	**may / might**	가능성, 추측 (~일지도 모른다)
	공손한 부탁/질문 (~해 주시지 않겠습니까?)		허가 (~해도 된다)
			기원 (~하기를 바란다)

가정법

어떤 일을 사실 그대로 표현하는 것이 아니라, 가정하거나 상상, 소망하는 표현

	개념	형태	의미
가정법 과거	현재 사실에 반대되는 일, 실현 가능성이 희박한 일을 가정하거나 상상	If + 주어 + 동사의 과거형 ~, 주어 + 조동사의 과거형 + 동사원형 …	만일 ~라면, …할 텐데
가정법 과거완료	과거 사실에 반대되는 일, 실현 가능성이 희박한 일을 가정하거나 상상	If + 주어 + had p.p. ~, 주어 + 조동사의 과거형 + have p.p. …	만일 ~했다면, …했을 텐데

CHECK-UP 조동사를 찾아 밑줄을 치고, 어떤 역할로 쓰였는지 쓰시오.

1 If the government worked more efficiently, more people would vote.

2 If she comes tomorrow, I will go skating with her.

3 To avoid this problem, you should develop a problem-solving design plan.

4 If I had studied harder, I could have passed the test.

기출문장으로 *실전어법* 개념잡기

Point ❶ 조동사 should의 생략

He **requested** that they boxed[join / joined] him at a specific location in three days.[1] [고1 9월]

request(요청하다) that 주어 + (should) 동사원형

A nurse on the floor repeatedly **suggested** that the twins boxed[be / are] kept together in one incubator.[2] [고2 6월]

suggest(제안하다) that 주어 + (should) 동사원형

- 요구, 제안, 주장, 명령 등을 나타내는 어구 뒤에 오는 that절의 내용이 당위성(~해야 한다)을 나타낼 때는, that절의 동사를 「should + 동사원형」 형태로 쓴다. 이때, should는 일반적으로 생략할 수 있다.

> 요구, 제안, 주장, 명령 등을 나타내는 어구 + that + 주어 + (should) + 동사원형

  that절에 당위의 should를 쓰는 주요 동사 및 형용사

  advise(조언하다), command(명령하다), demand(요구하다), insist(주장하다), propose(제안하다), recommend(추천하다), require(필요로 하다), suggest(제안하다), order(명령하다), request(요청하다) *형용사 essential, necessary(필수적인)

- 뒤에 오는 that절의 내용이 당위가 아니라 사실일 때는 직설법을 쓴다.
  Storyteller Syd Lieberman <u>suggests</u> that it <u>is</u> the story in history that provides the nail to hang facts on.

Point ❷ 조동사 + have p.p.

Desired objects are perceived as physically nearer to people than they really are, which boxed[**might have motivated** / cannot have motivated] people to pursue them.[3] [고2 9월]

might have p.p.: ~했을지도 모른다

- 추측, 가능성의 조동사가 have p.p.와 함께 쓰이면 과거 사실에 대한 추측이나 후회, 유감을 나타낸다.

must have p.p.	~했음에 틀림없다(강한 추측)	should have p.p.	~했어야 한다(유감, 후회)
may(might) have p.p.	~했을지도 모른다(약한 추측)	shouldn't have p.p.	~하지 말았어야 한다(부정 유감, 후회)
cannot have p.p.	~했을 리가 없다(부정 추측)	could have p.p.	~했을 수도 있다(가능성)

- 조동사의 관용 표현

would like + to부정사	~하고 싶다	**cannot help + -ing**	~하지 않을 수 없다 (= cannot but + 동사원형 / have no choice but + to부정사)
had better + 동사원형	~하는 편이 낫다(좋다)	**may well**	~할 것 같다, ~일지도 모른다 (= be likely + to 부정사) / ~하는 것이 당연하다 (= have good reason + to부정사)
would rather A(동사원형) than B(동사원형)	B하느니 차라리 A하겠다	**may(might) as well ~ (as ...)**	(…하기보다는) ~하는 편이 낫다

---

1 그는 그들에게 사흘 후 특정 장소에서 그와 만나자고 요청했다.   2 그 층의 간호사는 쌍둥이들이 한 인큐베이터에 함께 놓여야 한다고 반복적으로 제안했다.

3 바라던 물건들은 사람들에게 실제 있는 것보다 물리적으로 더 가깝게 인식되는데, 이는 사람들이 그것들을 추구하도록 동기를 부여했는지도 모른다.

다음 중 어법상 적절한 표현을 고르시오.

VOCA

1 I am writing this letter to request that you be / are our guest speaker for the afternoon. [고2 11월]

request 요청하다

2 From Dworkin's view, justice requires that a person's fate be / is determined by things that are within that person's control, not by luck. [고2 9월]

justice 정의
fate 운명
determine 결정하다

3 It is essential that you have worn / wear clothing that covers your shoulders and knees. [고2 11월 응용]

essential 필수적인

4 As longtime residents, I am writing to ask that we be / are released from the new lease. [고2 3월]

release 해지하다, 풀어 주다
lease 임대차 계약

5 Voltaire left his name off the title page, otherwise its publication would have landed / should have landed him in prison again for making fun of religious beliefs. [고2 9월]

leave ~ off ~을 빼다, 제외하다
publication 출판
religious 종교적인
belief 신념

6 The time doctors use to keep records is time they cannot have spent / could have spent seeing patients. [고2 6월]

record 기록

7 Connect a USB device to the USB port of the projector to enjoy your content files. You cannot write / cannot have written data to or delete data from the USB device. [고2 9월]

device 장치
delete 지우다

8 She approached the woman and said, "Excuse me, I couldn't help overhearing / couldn't help overhear what you said to the cashier. [고2 6월]

approach 다가가다
overhear 우연히 듣다
cashier 출납원, 계산원

기출문장으로 *실전어법* 개념잡기

Point ❸ 가정법

If we **had** that telescope, we | **might be** / might have been | able to see the beginning.[1]
If + 주어 + 동사의 과거형   주어 + 조동사의 과거형 + 동사원형   [고1 9월]

If Wills **had allowed** himself to become frustrated by his outs, he | would never set /
If + 주어 +   had p.p.   주어 +

| **would have never set** | any records.[2] [고1 11월]
조동사의 과거형 + have p.p.

가정법 과거
- 현재 사실에 반대되는 일, 실현 가능성이 희박한 일을 가정하거나 상상할 때 사용
- 형태: If + 주어 + 동사의 과거형/were(was) ~, 주어 + 조동사의 과거형 + 동사원형 … (만일 ~라면, …할 텐데)
  * 가정법 과거의 if절에 be동사가 올 경우, 대개 were를 쓰지만 구어체에서는 was를 쓰기도 한다.

가정법 과거완료
- 과거 사실에 반대되는 일, 실현 가능성이 희박한 일을 가정하거나 상상할 때 사용
- 형태: If + 주어 + had p.p. ~, 주어 + 조동사의 과거형 + have p.p. … (만일 ~했다면, …했을 텐데)

혼합 가정법
- 과거의 어떤 일에 대한 결과가 현재까지 영향을 미치는 경우에 사용
- 형태: If + 주어 + had p.p. ~, 주어 + 조동사의 과거형 + 동사원형 …
  If I had gone to college then, I would be a senior now.
  cf. 'Without ~' 가정법 과거는 '만약 ~이 없다면'이라는 의미로, 현재 있는 것이 없다고 가정할 경우에 쓴다.
  (= But for / If it were not for / Were it not for / If there were no / If we didn't have)
  Without (But for) salt, we couldn't have the pleasure of eating.

Point ❹ 다양한 가정법 표현

She lay there, listening to the empty thunder that brought no rain, and whispered,

"**I wish** the drought | will / **would** | end."[3] [고1 9월]
I wish +   주어 +   조동사의 과거형 + 동사원형

Some students even walked with their shoulders bent forwards, dragging their feet as

they left, **as if** they | are / **were** | 50 years older than they actually were.[4] [고2 11월]
as if + 주어 +   동사의 과거형

I wish + 가정법
- I wish + 가정법 과거(주어 + 동사의 과거형): 현재의 실현 불가능한 소망이나 사실에 대한 유감을 표현
- I wish + 가정법 과거완료(주어 + had p.p.): 과거에 이루지 못한 일에 대한 아쉬움이나 유감을 표현

as if(though) + 가정법
- as if(though) + 가정법 과거(주어 + 동사의 과거형): 주절과 같은 시간대에 일어난, 사실에 반대되는 상황을 가정
- as if(though) + 가정법 과거완료(주어 + had p.p.): 주절보다 앞선 시간대에 일어난, 사실에 반대되는 상황을 가정

---

1 만약 우리가 그러한 망원경을 가지고 있다면, 우리는 우주의 시작을 볼 수 있을지도 모른다.   2 만약 Wills가 아웃된 것에 의해 좌절하도록 스스로를 내버려두었다면, 그는 결코 어떠한 기록도 세우지 못했을 것이다.   3 그녀는 비를 가져오지 않는 공허한 천둥소리를 들으면서 그곳에 누워 있었고, "이 가뭄이 끝나면 좋을 텐데."라고 속삭였다.   4 어떤 학생들은 자신들이 실제보다 마치 50살이 더 많은 것처럼, 떠날 때 심지어 어깨를 앞으로 구부리고 자신들의 발을 끌면서 걷기도 했다.

다음 중 어법상 적절한 표현을 고르시오.

✔ **VOCA**

1 If the truck had been any closer, it would be / would have been a disaster. [고2 11월]

disaster 재앙

2 Unless / Without money, people could only barter. [고2 6월]

barter 물물 교환하다

3 If your brain can / could completely change overnight, you would be unstable. [고2 11월]

unstable 불안정한

4 It will / would be great if Congress settled their disagreements the same way. [고2 6월]

Congress 의회
settle 해결하다
disagreement (의견) 불일치

5 When I was young, my parents worshipped medical doctors as if / as they were exceptional beings possessing godlike qualities. [고2 3월]

worship 우러러보다
exceptional 뛰어난
possess 지니다, 가지다

6 I want / wish you could join the bike tour. [고2 3월]

7 It appeared as though / like the entire sky had turned dark. [고2 9월]

entire 전체의

8 I wish I can / could have gotten a foot massage. [고2 11월]

정답과 해설 **p. 15**

다음 중 어법상 적절한 표현을 고르시오.

✓ VOCA

1
고1 9월
응용

Kids cannot help [feel / feeling] helpless when they make mistakes.

helpless 무기력한

2
고2 6월

If you were a robot, you [would be / have been] stuck here all day trying to make a decision.

stuck 꼼짝 못하는

3
고1 9월
응용

You [had better / should better] give someone a second chance before you label them and shut them out forever.

label 꼬리표를 달다
shut ~ out 차단하다, 배제하다

4
고2 6월

For many of the habits that you do not create intentionally, there [cannot have been / must have been] some value to performing that particular behavior.

intentionally 의도적으로

다음 밑줄 친 부분이 어법상 맞으면 ○표 하고, 틀리면 바르게 고치시오.

5
고1 11월

Swedish law requires that the town taxes and donations from the city <u>goes</u> to support the struggling paper.

tax 세금
donation 기부
struggling 힘겨워하는
paper 신문

6
고2 6월

Unfortunately, while he was gone, the arsonists entered the area he <u>should have been</u> guarding and started the fire.

arsonist 방화범

7
고2 9월
응용

For these reasons, we request that the city <u>installs</u> speed bumps on Pine Street.

install 설치하다
speed bump 과속 방지턱

정답과 해설 **p. 16**

다음 글의 네모 안에서 어법상 적절한 표현을 고르시오.

1
고2 9월

In physics, the principle of relativity requires that all equations describing the laws of physics (A) are having / have the same form regardless of inertial frames of reference. The formulas (B) should / might appear identical to any two observers and to the same observer in a different time and space.

principle of relativity
상대성 이론
equation 방정식, 등식
inertial frame of reference
관성계
formula 공식
identical 동일한

2
고2 9월

On his march through Asia Minor, Alexander the Great fell dangerously ill. His physicians were afraid to treat him because if they didn't succeed, the army (A) will blame / would blame them. Only one, Philip, was willing to take the risk, (B) as / as if he had confidence in the king's friendship and his own drugs.

treat 치료하다
be willing to 기꺼이 ~하다
confidence 확신

다음 글의 밑줄 친 부분 중, 어법상 틀린 것을 고르시오.

3
고2 6월
응용

In 1928, Scottish biologist Alexander Fleming ① noticed mold in one of his cultures, with a bacteria-free zone around it. For a person who ② does not have expert knowledge, the bacteria-free zone ③ won't have much significance, but Fleming understood the magical effect of the mold. The result ④ was penicillin — a medication that ⑤ has saved countless people on the planet.

mold 곰팡이
culture 배양균
expert 전문적인
significance 중요함
medication 약물

어법 TEST 3 | 기출 유형 어법훈련하기

1 (A), (B), (C)의 각 네모 안에서 어법에 맞는 표현으로 가장 적절한 것은?

(A) With / Without money, people could only barter. Many of us barter to a small extent, when we return favors. A man might offer to mend ³ his neighbor's broken door in return for a few hours of babysitting, for instance. Yet it is hard to imagine these personal exchanges working ⁶ on a larger scale. What (B) will / would happen if you wanted a loaf of bread and all you had to trade was your new car? Barter ⁹ depends on the double coincidence of wants, where not only does the other person happen to have what I want, but I also have what he ¹² wants. Money solves all these problems. There is no need to find someone who wants what you have to trade; you simply pay for your goods ¹⁵ with money. The seller (C) can / must then take the money and buy from someone else. Money is transferable and deferrable — the ¹⁸ seller can hold on to it and buy when the time is right. [고2 6월]

	(A)	(B)	(C)
①	With ·····	will ·····	can
②	Without ···	would ·····	must
③	Without ···	will ·····	must
④	With ·····	would ·····	can
⑤	Without ···	would ·····	can

2 다음 글의 밑줄 친 부분 중, 어법상 틀린 것은?

Benjamin Franklin once suggested that a newcomer to a neighborhood ① asks a new neighbor to do him or her a favor, citing an old ³ maxim: He that has once done you a kindness ② will be more ready to do you another than he whom you yourself have obliged. In Franklin's ⁶ opinion, asking someone for something ③ was the most useful and immediate invitation to social interaction. Such asking on the part of ⁹ the newcomer ④ provided the neighbor with an opportunity to show himself or herself as a good person, at first encounter. It also meant ¹² that the latter could now ask the former for a favor, in return, increasing the familiarity and trust. In that manner, both parties ⑤ could ¹⁵ overcome their natural hesitancy and mutual fear of the stranger. [고1 9월]

---

1 barter 물물 교환하다; 물물 교환   mend 수리하다   for instance 예를 들어   coincidence 우연의 일치   transferable 이동(양도) 가능한
deferrable 유예할 수 있는

2 newcomer 새로 온 사람   cite 인용하다   maxim 격언   oblige 의무적으로 ~하다, 베풀다   interaction 상호 작용   encounter 만남, 조우
latter 후자   former 전자   familiarity 친밀함   overcome 극복하다   hesitancy 주저, 망설임   mutual 상호 간의

3 다음 글의 밑줄 친 부분 중, 어법상 **틀린** 것은?

How ① <u>can</u> we access the nutrients we need with less impact on the environment? The most significant component of agriculture that contributes to climate change is livestock. Globally, beef cattle and milk cattle have the most significant impact in terms of greenhouse gas emissions(GHGEs), and are responsible for 41% of the world's CO2 emissions and 20% of the total global GHGEs. The atmospheric increases in GHGEs caused by the transport, land clearance, methane emissions, and grain cultivation associated with the livestock industry ② <u>are</u> the main drivers behind increases in global temperatures. In contrast to conventional livestock, insects as "minilivestock" are low-GHGE emitters, use minimal land, ③ <u>can be fed</u> on food waste rather than cultivated grain, and can be farmed anywhere thus potentially also avoiding GHGEs caused by long distance transportation. If we ④ <u>increase</u> insect consumption and decreased meat consumption worldwide, the global warming potential of the food system ⑤ <u>would be significantly reduced</u>. [고2 6월]

4 (A), (B), (C)의 각 네모 안에서 어법에 맞는 표현으로 가장 적절한 것은?

If a food contains more sugar than any other ingredient, government regulations require that sugar (A) be / is listed first on the label. But if a food contains several different kinds of sweeteners, they can be listed separately, which pushes each one farther down the list. This requirement has led the food industry to put in three different sources of sugar so that they (B) have to / don't have to say the food has that much sugar. So sugar doesn't appear first. Whatever the true motive, ingredient labeling still (C) has / does not fully convey the amount of sugar being added to food, certainly not in a language that's easy for consumers to understand. A world-famous cereal brand's label, for example, indicates that the cereal has 11 grams of sugar per serving. But nowhere does it tell consumers that more than one-third of the box contains added sugar. [고2 3월]

	(A)	(B)	(C)
①	be	have to	has
②	be	don't have to	does
③	is	have to	has
④	be	don't have to	has
⑤	is	don't have to	does

---

3 access 접근하다　nutrient 영양분　component 요소, 성분　livestock 가축류　greenhouse gas emissions 온실가스 배출
atmospheric 대기의　land clearance 토지 개간　cultivation 경작　conventional 전통적인　emitter 방사체

4 contain 함유하다　ingredient 성분　regulation 규정　sweetener 감미료　requirement 요구　motive 동기　convey 전달하다
consumer 소비자　indicate 나타내다, 보여 주다

어법 TEST 4 | 서술형 내신 어법훈련하기

1 다음 글을 읽고, 물음에 답하시오.

Most habits are probably good when they are first formed. That is, for many of the habits that you do not create intentionally, there (a) _____ some value to performing that particular behavior. That value is what causes you to repeat the behavior often enough to create the habit. Some habits become bad, because a behavior that has rewarding elements to it at one time also has (b) negative consequences that may not have been obvious when the habit began. Overeating is one such habit. (c) 당신은 과식이 문제라는 것을 개념적으로는 알고 있을지도 모른다. But when you actually overeat, there are few really negative consequences in the moment. So you do it again and again. Eventually, though, you'll start to gain weight. By the time you really notice this, your habit of eating too much is deeply rooted. [고2 6월]

VOCA

1 form 형성하다
2 intentionally 의도적으로
3 value 가치
4 behavior 행동

6 rewarding 보상이 있는
7 consequence 결과
8 overeating 과식
9 conceptually 개념적으로

13 root 자리 잡다

학교시험 서술형 단골 문제 감 잡기

어법
파악
01 빈칸 (a)에 '(과거에) ~였음에 틀림없다'의 뜻을 가진 세 단어를 쓰시오. (조동사를 활용할 것)

어법+
해석
02 밑줄 친 (b)를 우리말로 바르게 해석하시오.

어법+
영작
03 밑줄 친 (c)와 같은 뜻이 되도록 주어진 단어들을 알맞은 순서로 배열하시오.

(is / you / that / eating / may / too much / a problem / know conceptually)

2 다음 글을 읽고, 물음에 답하시오.

Garnet blew out the candles and lay down. It was too hot even for a sheet. She lay there, sweating, listening to the empty thunder that brought no rain, and whispered, (a) "I wish the drought will end." Late in the night, Garnet had a feeling that something she had been waiting for was about to happen. She lay quite still, listening. The thunder rumbled again, sounding much louder. And then slowly, one by one, (b) 마치 누군가가 지붕에 동전을 떨어뜨리고 있는 것처럼, came the raindrops. Garnet held her breath hopefully. The sound paused. "Don't stop! Please!" she whispered. Then the rain burst strong and loud upon the world. Garnet leaped out of bed and ran to the window. She shouted with joy, "It's raining hard!" (c) She felt as though the thunderstorm was a present. [고1 9월]

3

6

9

12

⊘ VOCA

1 blow out 불어 끄다

3 drought 가뭄

6 rumble 우르릉 소리를 내다
7 drop 떨어뜨리다
8 pause 잠시 멈추다

10 leap out of ~에서 벌떡
  일어나다
12 thunderstorm 뇌우

학교시험 서술형 단골 문제 감 잡기

어법
파악

01 밑줄 친 (a)에서 어법상 어색한 부분을 찾아 바르게 고쳐 문장을 다시 쓰시오.

어법+
영작

02 밑줄 친 (b)와 같은 뜻이 되도록 주어진 단어들을 알맞은 순서로 배열하시오.

(were / as / someone / on the roof / if / dropping / pennies)

어법+
해석

03 밑줄 친 (c)를 우리말로 바르게 해석하시오.

04 태

결정적 출제 어법

1 능동 vs. 수동

Point 1 + **Point 2**

Food and pets prohibited / **are prohibited** in the museum.

주어가 능동적으로 '하고 있는지', 수동적으로 '되거나 당하고' 있는지 확인하자.
음식과 애완동물이 어떤 것을 금지할 수는 없잖아?

2 be used to+동사원형 vs. be used to+동명사

Point 3

The tool is used to **fix** / fixing this car.

문맥을 제대로 파악해야 두 항목을 구분하기 쉬워.
be used to + 동사원형: ~하는 데 이용되다 / be used to + 동명사: ~하는 데 익숙하다

3 수동태로 쓸 수 없는 동사

Point 4

Watercourses **seemed** / were seem boundless.

목적어를 취하지 않는 자동사나 상태·소유를 나타내는 타동사 등의 경우 수동태로 쓸 수 없어.
seem은 '~처럼 보이다'라는 뜻으로, 수동태로 혼동하기 쉽지만 수동태로 쓸 수 없어.

수동태

수동태는 동작의 주체보다 동작의 대상인 목적어에 초점을 맞춘다.

	형태		형태
현재	am / are / is + p.p.	현재진행	am / are / is + being + p.p.
과거	was / were + p.p.	과거진행	was / were + being + p.p.
미래	will be + p.p.	현재완료	have / has + been + p.p.
to부정사	to be + p.p.	과거완료	had + been + p.p.
동명사	being + p.p.	부정문	be + not / never + p.p.
조동사	조동사 + be + p.p.	구동사	be + 구동사 p.p.

수동태 문장 만들기

1형식 문장과 2형식 문장은 목적어가 없으므로 수동태로 바꿔 쓸 수 없다.

3형식	능동태	주어	동사	목적어
	수동태	목적어	be + p.p.	by + 행위자

* 행위자가 일반인일 경우, 또는 불명확하거나 밝힐 필요가 없을 경우에는 「by+행위자」를 생략할 수 있다.

4형식	능동태	주어	동사	간접목적어	직접목적어
	수동태 1	직접목적어	be + p.p.	to / for / of + 간접목적어	by + 행위자
	수동태 2	간접목적어	be + p.p.	직접목적어	by + 행위자

5형식	능동태	주어	동사	목적어	목적격보어
	수동태	목적어	be + p.p.	목적격보어	by + 행위자
	능동태	주어	지각동사 / 사역동사	목적어	목적격보어(동사원형)
	수동태	목적어	be + p.p.	to부정사	by + 행위자

CHECK-UP 다음 문장을 수동태로 바꿔 쓰시오.

1 The heavy rain flooded many houses.

2 The homeroom teacher assigned each of us a locker.

3 Language makes communication possible.

4 You saw a group of six people enter one of the restaurants.

기출문장으로 *실전개념* 개념잡기

Point ❶ 능동 vs. 수동

Any moral or ethical opinions | affects / **are affected** | by an individual's cultural
주어 　　　　　　　　　　　　　　　수동태(be+p.p.)　　　「by+행위자」
perspective.¹ [고1 11월]

When workers are | **dissatisfied** / dissatisfying |, their unhappiness makes the customer's
　　　　　　사람 주어　　감정의 수동형
experience worse.² [고2 3월]

- 동사의 형태를 '태'라고 한다. 주어가 동작을 하는 경우 능동태, 주어가 동작을 받거나 당하는 경우 수동태로 표현한다.
  〈능동태〉 주어 + 동사 + 목적어
  〈수동태〉 주어 + be + p.p. (+ by + 행위자)
- 사람의 감정, 상태를 나타낼 때는 외부 요인으로부터 감정의 자극을 받는 것이므로 수동태로 쓴다.
  감정을 나타내는 동사: amaze, astonish, bore, confuse, depress, embarrass, excite, frighten, frustrate, impress, interest,
  　　　　　　　　　　　satisfy, surprise, please, puzzle, tire, worry 등
  cf. 사물의 상태를 나타낼 때는 현재분사를 쓴다.
  　Have your child join us for some exciting dancing!

Point ❷ 주어를 잘 찾아야 하는 능동 vs. 수동

Here is an excellent example of how the biological process of digestion | influenced /
　　　　　　　　　　　　　　　　　　　　　　　　　　　　　how절의 주어
was influenced | by a cultural idea.³ [고2 3월]
수동태 과거

Cancellations received at least 1 day prior to the departure date can | fully refund /
주어　　　　　　　└ 수식어구　　　　　　　　　　　　　　　　　　　　조동사
be fully refunded |.⁴ [고2 6월]
수동태 현재

There are countless examples of scientific inventions that | have generated / **have**
　　　　　　　　주어(선행사)　　　└ 수식어구　　　　　　관계대명사
been generated | by accident.⁵ [고2 6월]
수동태 현재완료

- 복잡한 구조의 문장에 수동태가 쓰인 경우, 먼저 주어를 찾는다. 특히, 주어를 수식
  하는 수식어구를 파악하여 핵심 주어를 찾아야 한다. 이때, 수동태의 수에 주의한다.

┌─────────────────────────────────────┐
│ 수동태: 주어 + 수식어구(구 / 절) + be동사 + p.p. │
│ 　　　　　　▲────────────────┘ 　　　│
└─────────────────────────────────────┘

---

1 도덕적 또는 윤리적 견해는 개인의 문화적 관점에 의해 영향을 받는다.　　2 직원들이 만족하지 못하면, 그들의 불행은 고객의 경험을 악화시킨다.　　3 여기에 소화의 생물학적인 과정
이 어떻게 문화적인 관념에 의해 영향을 받았는지에 대한 훌륭한 예시가 있다.　　4 출발일 최소 하루 전에 취소할 경우 전액 환불된다.　　5 우연히 만들어진 과학적 발명의 예는 셀 수 없
이 많다.

다음 중 어법상 적절한 표현을 고르시오.

1 Consider identical twins; both individuals give / are given the same genes. [고2 3월]

identical twins 일란성 쌍둥이
gene 유전자

2 For a long time many scientists suspected / were suspected that koalas were so lethargic. [고2 3월]

suspect 의심하다
lethargic 무기력한

3 For those contributions, in 1844, he awarded / was awarded a gold medal for mathematics by the Royal Society. [고1 11월]

contribution 공헌
award 수여하다

4 While the medicine was being prepared / was been prepared, Alexander received a letter accusing the physician of having been bribed to poison his master. [고2 9월]

accuse 고발하다
physician 의사
bribe 뇌물을 주다

5 Our goal of keeping ourselves alive and unburnt serves / is served by our automatic, unconscious habits. [고2 3월]

unburnt 데지 않은
serve 이행하다
unconscious 무의식적인

6 From at least 50,000 years ago, some of the energy stored in air and water flows used / was used for navigation. [고2 9월]

store 저장하다
flow 흐름
navigation 항해, 운항

7 The smallest percentage point gap between permanent workers and temporary or no contract workers found / was found in high income countries. [고2 11월]

permanent 정규의
temporary 임시의
contract 계약

8 In the most dysfunctional organizations, signaling that work is doing / is being done becomes a better strategy for career advancement than actually doing work. [고2 9월]

dysfunctional 제대로 기능을 하지 않는, 고장 난
strategy 전략
career advancement 승진

Point ❸ be used to+동사원형 vs. be used to+동명사

The profits from reselling the shoes will **be used to** | **build** / building | schools in Africa.[1]
~하는 데 이용되다
[고1 9월]

- 형태는 비슷하나 뒤에 오는 동사의 형태에 따라 각각 다른 의미이므로, 쓰임과 의미를 구분하여 알아둔다.

  be used to + 동사원형: ~하는 데 이용되다

  be used to + 동명사: ~하는 데 익숙하다 (= be accustomed to + 동명사)

  She is used to dealing with all kinds of people in her job.

  cf. used to + 동사원형: (과거에) ~하곤 했다 〈규칙적 습관〉, (지금은 아니지만 과거에) ~이었다 〈상태〉

  Chinese priests | **used to** / were used to | dangle a rope from the temple ceiling with knots representing the hours.

Point ❹ 수동태로 쓸 수 없는 동사

Medical services are still not well distributed, and accessibility | **remains** / is remained | a
수동태   자동사(→ 수동태 불가)
problem in many parts of the world.[2] [고2 3월]

Although the robot is sophisticated, it | **lacks** / is lacked | all motivation to act.[3] [고2 9월]
주어의 의지와 상관없는 동사(→ 수동태 불가)

- 자동사는 목적어를 취하지 않으므로 수동태로 쓸 수 없다.

appear / disappear	나타나다 / 사라지다	arrive	도착하다
come	오다	consist of	~으로 구성되다
exist	존재하다	fall	떨어지다
look like / seem	~처럼 보이다	rely on	~에 의존하다
occur / happen / take place	일어나다, 발생하다	remain	여전히 ~이다, 남아 있다
result	(~의 결과로서) 생기다	turn out	~으로 판명되다

- 타동사이지만 주어의 의지와 상관없는 동사, 상태나 소유의 동사, 상호 관계를 나타내는 동사 등은 수동태로 쓸 수 없다.

become	어울리다	cost	(비용이) ~이다
equal	동등하다	escape	탈출하다
have	가지고 있다	lack	부족하다
meet	만나다	possess	소유하다
resemble	닮다	suit	적합하게 하다

1 신발을 재판매한 수익금은 아프리카에 학교를 짓는 데 쓰일 것이다.　　2 의료 서비스는 여전히 공정하게 분배되지 않고, (의료 서비스에 대한) 접근성은 세계의 여러 지역에서 문제로 남아 있다.　　3 로봇이 정교할지라도 그것은 행동하려는 동기가 전혀 없다.

다음 중 어법상 적절한 표현을 고르시오.

VOCA

1 Salespeople and other forms of promotion are used to create / are used to creating demand for a firm's current products. [고2 3월]

promotion 판촉
demand 수요
firm 회사
current 현재의

2 People used to / were used to eat more when food was available since the availability of the next meal was questionable. [고1 9월]

availability 유효성, 가능성
questionable 의심스러운

3 Yet we have become used to describe / describing machines that portray emotional states or can sense our emotional states as exemplars of "affective computing." [고2 9월]

portray 묘사하다
sense 감지하다, 느끼다
exemplar 모범, 전형, 본보기
affective computing 감성 컴퓨팅

4 *Intelligence* used to / was used to include sensibility, sensitivity, awareness, reason, wit, etc. [고2 9월]

intelligence 지능
sensibility 감각
sensitivity 감수성
awareness 인지
reason 이성

5 Photographs, as well as woodcuts and engravings of them, appeared / were appeared in newspapers and magazines. [고2 11월]

woodcut 목판화
engraving 판화

6 Consequently, he failed to adapt to the environment of the grasslands because he lacked / was lacked survival skills. [고2 6월]

adapt 적응하다
grassland 목초지, 초원

7 The rank of liquid biofuels remained / was remained the same in both years though the number of jobs decreased in 2015. [고2 11월]

biofuel 바이오 연료

8 Precious metals have been desirable as money across the millennia not only because they have intrinsic beauty but also because they exist / are existed in fixed quantities. [고2 3월]

precious metal 귀금속
desirable 바람직한
millennia 천 년
intrinsic 고유한, 본질적인

정답과 해설 **p. 21**

다음 중 어법상 적절한 표현을 고르시오.

| | | VOCA |

1
고2 3월

Two major kinds of age-related structural changes are occurred / occur in the eye.

structural 구조적인

2
고2 3월

He was surprised / was surprising to realize that Jofi seemed to sense this too.

sense 감지하다

3
고2 9월

According to this argument, inequality of well-being that drives / is driven by differences in individual choices or tastes is acceptable.

inequality 불평등
drive (사람을 특정한 방식의 행동을 하도록) 만들다, 몰아붙이다

4
고2 11월

Large data sets have been constructed / have constructed, measuring firm environmental behavior and financial performance across a wide number of industries and over many years.

construct 건설하다, 구성하다
firm 회사, 기업
performance 성과
industry 산업

다음 밑줄 친 부분이 어법상 맞으면 ○표 하고, 틀리면 바르게 고치시오.

5
고2 6월

Food and drink will provide before the start of the display for your enjoyment throughout the event.

display 행사

6
고2 3월

Sometimes animals seem unconcerned even when approached closely, whereas other times they are disappeared in a flash when you come in sight.

unconcerned 개의치 않는
in a flash 눈 깜짝할 사이에
come in sight 시야에 들어오다

7
고2 11월
응용

Most blockchain-based networks feature market-based or game-theoretical mechanisms for reaching consensus, which can be used to coordinate people or machines.

mechanism 방법
consensus 합의
coordinate 조정하다

어법 TEST 2 | 짧은 지문 어법훈련하기

정답과 해설 **p. 21**

다음 글의 네모 안에서 어법상 적절한 표현을 고르시오.

✓ VOCA

1
고2 6월

After Harris (A) [was appeared / appeared] on TV, his family members who had been searching for him for 16 years were able to find him. They were happily reunited, and Harris is now (B) [working / worked] on his relationship with them.

reunite 재결합하다, 재회하다
relationship 관계

2
고1 11월

Rutte and Taborsky (A) [trained / were trained] rats in a cooperative task of pulling a stick to obtain food for a partner. Rats who (B) [had helped / had been helped] previously by an unknown partner were more likely to help others.

cooperative 협력하는
obtain 얻다

다음 글의 밑줄 친 부분 중, 어법상 틀린 것을 고르시오.

3
고2 3월

Salespeople and other forms of promotion ① are used to create demand for a firm's current products. When a product or service ② is truly marketed, the needs of the consumer ③ consider from the very beginning of the new product development process, and the product-service mix ④ is designed to meet the unsatisfied needs of the consuming public.

firm 회사
current 현재의
development 개발
unsatisfied 충족되지 않은

1 다음 글의 밑줄 친 부분 중, 어법상 틀린 것은?

George Boole ① was born in Lincoln, England in 1815. Boole ② was forced to leave school at the age of sixteen after his father's business 3 collapsed. He taught himself mathematics, natural philosophy and various languages. He began to produce original mathematical 6 research and made important contributions to areas of mathematics. For those contributions, in 1844, he ③ was awarded a gold medal for 9 mathematics by the Royal Society. Boole was deeply interested in expressing the workings of the human mind in symbolic form, and his 12 two books on this subject, *The Mathematical Analysis of Logic* and *An Investigation of the Laws of Thought* ④ form the basis of today's 15 computer science. In 1849, he ⑤ appointed the first professor of mathematics at Queen's College in Cork, Ireland and taught there until 18 his death in 1864. [고1 11월]

2 (A), (B), (C)의 각 네모 안에서 어법에 맞는 표현으로 가장 적절한 것은?

Our culture (A) biases / is biased toward the fine arts — those creative products that have no function other than pleasure. Craft objects are 3 less worthy; because they serve an everyday function, they're not purely creative. But this division is culturally and historically relative. 6 Most contemporary high art began as some sort of craft. The composition and performance of what we now call "classical music" began as a 9 form of craft music satisfying required functions in the Catholic mass, or the specific entertainment needs of royal patrons. For example, chamber 12 music really (B) designed / was designed to be performed in chambers — small intimate rooms in wealthy homes — often as background music. 15 The dances composed by famous composers from Bach to Chopin originally did indeed accompany dancing. But today, with the 18 contexts and functions they (C) composed / were composed for gone, we listen to these works as fine art. [고2 6월] 21

	(A)	(B)	(C)
①	biases	designed	composed
②	biases	was designed	were composed
③	is biased	designed	were composed
④	is biased	was designed	composed
⑤	is biased	was designed	were composed

---

1 collapse 붕괴하다, 실패하다   contribution 공헌   award 수여하다   investigation 연구, 조사   appoint 임명하다

2 bias 편향하다   division 구분   relative 상대적인   contemporary 현대의   composition 작곡   royal 왕실의   patron 후원자
   chamber 실내   intimate 친밀한   accompany 동반하다   context 맥락

3 다음 글의 밑줄 친 부분 중, 어법상 **틀린** 것은?

James Francis ① <u>was born</u> in England and emigrated to the United States at age 18. One of his first contributions to water engineering was the invention of the sprinkler system now widely used in buildings for fire protection. Francis's design involved a series of perforated pipes running throughout the building. It had two defects: it had to be turned on manually, and it had only *one* valve. Once the system ② <u>activated</u> by opening the valve, water would flow out everywhere. If the building did not burn down, it would certainly ③ <u>be completely flooded</u>. Only some years later, when other engineers ④ <u>perfected</u> the kind of sprinkler heads in use nowadays, did the concept become popular. They turned on automatically and ⑤ <u>were activated</u> only where actually needed.

[고2 3월]

4 (A), (B), (C)의 각 네모 안에서 어법에 맞는 표현으로 가장 적절한 것은?

It was time for the results of the speech contest. I was still skeptical whether I would win a prize or not. My hands were trembling due to the anxiety. I thought to myself, 'Did I work hard enough to outperform the other participants?' After a long wait, an envelope (A) handed / was handed to the announcer. She tore open the envelope to pull out the winner's name. My hands were now sweating and my heart started pounding really hard and fast. "The winner of the speech contest is Josh Brown!" the announcer declared. As I (B) realized / was realized my name (C) had called / had been called , I jumped with joy. "I can't believe it. I did it!" I exclaimed. I felt like I was in heaven. Almost everybody gathered around me and started congratulating me for my victory. [고2 6월]

	(A)	(B)	(C)
①	handed	realized	had called
②	was handed	realized	had been called
③	handed	was realized	had been called
④	was handed	was realized	had called
⑤	was handed	realized	had called

3 emigrate 이주하다 sprinkler 스프링클러 perforate 구멍을 뚫다 defect 결점 manually 손으로 activate 작동하다 concept 개념
4 skeptical 회의적인 tremble 떨다, 떨리다 outperform ~보다 우수하다 participant 참가자 pound 연타하다, 마구 치다 declare 발표하다 exclaim 외치다 congratulate 축하하다

1 다음 글을 읽고, 물음에 답하시오.

Framing matters in many domains. When credit cards started to become popular forms of payment in the 1970s, some retail merchants wanted to charge different prices to their cash and credit card customers. To prevent this, credit card companies _____(a)_____ (adopt) rules that forbade their retailers from charging different prices to cash and credit customers. However, (b) 그러한 규정들을 금지하기 위해 법안이 의회에서 제출되었을 때, the credit card lobby turned its attention to language. Its preference was that if a company charged different prices to cash and credit customers, (c) the credit price should be considered the "normal"(default) price and the cash price a discount – rather than the alternative of making the cash price the usual price and charging a surcharge to credit card customers. The credit card companies had a good intuitive understanding of what psychologists would come to call "framing." The idea is that choices depend, in part, on the way in which problems are stated.

[고2 9월]

VOCA

1 framing 프레이밍
matter 중요하다
domain 영역
2 retail merchant 소매상
3 charge 청구하다
5 adopt 채택하다
forbid 금지하다
7 bill 법안
outlaw 금하다, 불법화하다
lobby 압력 단체
11 alternative 대안
12 surcharge 추가 요금
13 intuitive 직관적인

15 in part 부분적으로는, 어느 정도는
state 언급하다

＼ 학교시험 서술형 단골 문제 감 잡기

어법 파악 **01** 빈칸 (a)에 괄호 안의 단어를 알맞은 형태로 바꿔 쓰시오.

어법+ 영작 **02** 밑줄 친 (b)와 같은 뜻이 되도록 주어진 단어들을 알맞은 순서로 배열하시오. (필요시 단어 변형)

(in Congress / when / such rules / to outlaw / introduce / a bill)

어법+ 해석 **03** 밑줄 친 (c)를 우리말로 바르게 해석하시오.

2 다음 글을 읽고, 물음에 답하시오.

For many centuries European science, and knowledge in general, (a) _____ (record) in Latin — a language that no one spoke any longer and that had to be learned in schools. Very few individuals, probably less than one percent, had the means to study Latin enough to read books in that language and therefore to participate in the intellectual discourse of the times. Moreover, few people had access to books, which were handwritten, scarce, and expensive. (b) The great explosion of scientific creativity in Europe was certainly helped by the sudden spread of information brought about by Gutenberg's use of movable type in printing and by the legitimation of everyday languages, which rapidly replaced Latin as the medium of discourse. In sixteenth-century Europe it became much easier to make a creative contribution not necessarily because more creative individuals were born then than in previous centuries or because social supports became more favorable, but (c) because information was become more widely accessible. [고2 9월]

VOCA

5   participate 참여하다
6   discourse 담화
7   access 접근
    scarce 희귀한
8   explosion 폭발
10 movable type 가동 활자
11 legitimation 합법적 인정
    rapidly 빠르게
12 medium 수단, 도구

15 favorable 호의적인

> ### 학교시험 서술형 단골 문제 감 잡기

어법
파악   **01** 빈칸 (a)에 괄호 안의 단어를 알맞은 형태로 바꿔 쓰시오.

어법+
해석   **02** 밑줄 친 (b)를 우리말로 바르게 해석하시오.

어법
파악   **03** 밑줄 친 (c)에서 어법상 틀린 부분을 찾아 바르게 고쳐 쓰고, 그 이유를 서술하시오.

한컷
명언

" 어제에서 배우고 오늘을 살아가며 내일을 꿈꿔라. "

알버트 아인슈타인

Learn from yesterday, live for today, hope for tomorrow.

Albert Einstein

PART 2 | 준동사

수능 모의고사
기출어법
항목별 빈도수

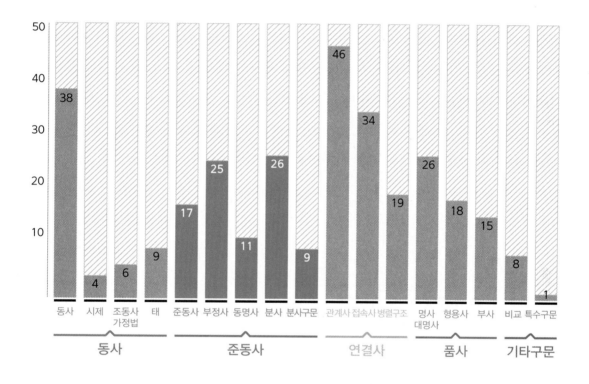

05 to부정사와 동명사

결정적 출제 어법

1 동사 vs. 준동사   Point 1

I started question / **to question** everything.

> 문장에 이미 동사가 있으면 나머지 자리에는 준동사 형태로 와야 해.

2 목적어로 쓰이는 to부정사와 동명사   Point 2 + Point 3

I decided **to walk** / walking only at night.

I have enjoyed to live / **living** here.

> 목적어로 to부정사 혹은 동명사만을 취하는 동사, 둘 다 취하는 동사에는 무엇이 있는지 알아두기

3 목적격보어로 쓰이는 to부정사와 원형부정사   Point 4

Do you advise your kids keep / **to keep** away from strangers?

Let them **know** / to know honestly how you are feeling.

> 5형식 문장에서 동사가 목적격보어로 to부정사를 취하는지 원형부정사(동사원형)를 취하는지 확인!

준동사

- 준동사는 동사가 변형되어 명사, 형용사, 부사 역할을 하는 것을 말한다.
- 준동사에는 to부정사, 동명사, 분사가 있다.

to부정사	to + V	동명사	V-ing	분사	V-ing / p.p.

CHECK-UP 준동사에 동그라미 하시오.

1 Memory means storing what you have learned.

2 The door opened and Mom's smiling face appeared.

3 Any businessperson wants to increase their personal network.

to부정사와 동명사

- to부정사: 문장에서 명사나 형용사, 부사 역할을 한다.

명사 역할	주어, 목적어, 보어
형용사 역할	명사 수식, 주어 서술
부사 역할	목적, 이유, 원인 등을 나타냄

- 동명사: 문장에서 명사 역할을 한다. 전치사 뒤에는 동사원형이 아닌 동명사가 온다.

명사 역할	주어, 목적어, 보어, 전치사의 목적어

CHECK-UP to부정사나 동명사에 동그라미 하고, 문장에서 어떤 역할을 하는지 말하시오.

1 In this world, being smart or competent isn't enough.

2 They didn't like to vote quickly and efficiently.

3 Press the power button once to turn the projector on.

4 Young Nast showed an early talent for drawing.

5 Our ability to adjust to the weather can decline.

기출문장으로 *실전어법* 개념잡기

Point ❶ 동사와 준동사

I decided **walk / to walk** only at night until I was far from the town.[1] [고2 3월]
<u>decide의 목적어로 쓰이는 명사 역할을 하는 to부정사</u>

Try / Trying them all might mean **eating** more than your usual meal size.[2] [고2 3월]
주어로 쓰이는 명사 역할을 하는 동명사   mean의 목적어로 쓰이는 명사 역할을 하는 동명사

Impalas **feed / feeding** upon grass, fruits, and leaves from trees.[3] [고2 6월]
동사(문장의 서술어)

- 동사가 다른 품사, 즉 명사, 형용사, 부사의 역할을 해야 할 때 준동사의 형태로 쓴다.
- 동사는 문장 또는 절에서 서술어 역할을 하고, 준동사는 동사로부터 파생되었으나 동사의 역할은 하지 못한다.
- 준동사도 동사로 만든 것이기 때문에 의미상의 주어를 가질 수 있다.
  It was kind of <u>him</u> to help the boy.
- 원형부정사도 준동사의 하나이며, 동사원형 형태이다.

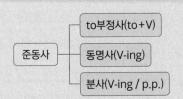

Point ❷ 동사의 목적어: to부정사/동명사

Commanders wanted **to reinforce / reinforcing** those areas because they seemed to
to부정사를 목적어로 취하는 동사
get hit most often.[4] [고2 6월]

I have enjoyed **to live / living** here and hope **to continue doing** so.[5] [고2 3월]
동명사를 목적어로 취하는 동사   to부정사를 목적어로   └둘 다 목적어로 취하는 동사
취하는 동사

- to부정사와 동명사는 명사의 역할을 하면서 타동사의 목적어로 사용될 수 있다. 이때 to부정사만을 목적어로 취하는 동사, 동명사만을 목적어로 취하는 동사가 있다.

  - to부정사만을 목적어로 취하는 동사: wish, hope, prepare, promise, want, decide, agree, manage, choose 등
  - 동명사만을 목적어로 취하는 동사: finish, admit, forgive, enjoy, mind, practice, consider, understand, keep 등
  - to부정사와 동명사를 모두 목적어로 취하는 동사: begin, continue, hate, intend, like, love, prefer, start 등

- 전치사 뒤에는 동사가 아닌 동명사가 온다.
  The deadline <u>for submitting</u> your poster is March 31.

---

1 나는 내가 마을에서 멀리 떨어질 때까지 밤에만 걷기로 결정했다.   2 그것들을 모두 먹어보는 것은 당신의 보통 식사량보다 더 많이 먹는 것을 의미할 수 있다.   3 임팔라들은 풀, 과일, 그리고 나무의 잎들을 먹고 산다.   4 지휘관들은 그 부분들이 가장 자주 타격을 받는 것 같았기 때문에 보강하기를 원했다.   5 저는 이곳에서 즐겁게 살아왔고 계속해서 그러기를 희망합니다.

다음 중 어법상 적절한 표현을 고르시오.

1 Of course, words like these sound / to sound good, but surely they cannot be true. [고2 3월]

2 Be / Being rejected for jobs does not make a job offer more likely. [고2 3월]

reject 거절하다

3 Often he used charcoal from the wood fire sketch / to sketch on a leftover piece of brown paper. [고2 3월]

charcoal 숯
leftover 잔재

4 Huygens visited England several times, and met / meeting Isaac Newton in 1689. [고2 3월]

5 This time, instead of being irritated, Bahati decided to offer / offering a prayer. [고2 11월]

irritate 짜증나게 하다

6 Consider to take / taking small bags of nuts, fruits, or vegetables with you when you are away from home. [고2 3월]

7 Like all things we hope to teach / teaching our children, learning to cooperate or to compete fairly takes practice. [고2 3월]

cooperate 협력하다

8 It allows them a safe place to practice to get / getting along. [고2 3월 응용]

get along 친하게 지내다

기출문장으로 *실전어법* 개념잡기

Point ❸ to부정사/동명사 형태의 의미 구분

Whenever someone stops **to listen** / listening to you, an element of unspoken trust

뒤에 신뢰라는 요소가 존재한다는 내용이 있으므로 문맥상 '듣기 위해 멈추다'라는 뜻의 「stop + to부정사」

exists.[1] [고2 11월]

One day, irritated, she was tempted to stop to bake / **baking** extra bread, but soon

문맥상 '빵을 굽는 것을 그만두다'라는 뜻의 「stop + 동명사」

changed her mind.[2] [고2 11월]

	to부정사	동명사
remember	~할 것을 기억하다	~한 것을 기억하다
forget	~할 것을 잊다	~한 것을 잊다
regret	~하게 되어 유감이다	~한 것을 후회하다
stop	~하기 위해 멈추다	~하는 것을 멈추다
try	~하려고 노력하다	(시험 삼아) ~해보다

Point ❹ 동사의 목적격보어: to부정사/원형부정사

He allowed her tell / **to tell** as much of the story as she could and helped to fill in the

　　　　　동사　　　목적어　　　목적격보어(to부정사)

details.[3] [고2 3월]

When the boy saw the trainer **passing** / to pass by, he asked why the beast didn't try

　　　　　　　지각동사　　　목적어　　　목적격보어(현재분사)

to escape.[4] [고2 11월]

try + to부정사: ~하려고 노력하다

Please let me **know** / to know at your earliest convenience if this is possible.[5] [고2 11월]

사역동사 목적어　　목적격보어(원형부정사)

- 일반동사가 사용된 5형식 문장에서는 동사의 목적격보어로 to부정사를 사용할 수 있다.
- 지각동사나 사역동사의 경우 목적격보어로 원형부정사(동사원형)나 분사를 사용한다.

  - to부정사를 목적격보어로 취하는 일반동사
    allow, cause, ask, lead, enable, force, encourage, tell, invite, motivate 등
  - 원형부정사나 분사를 목적격보어로 취하는 지각동사와 사역동사
    지각동사: see, watch, hear, notice, feel 등
    사역동사: make, let, have 등

- 준사역동사 help 다음에는 목적격보어로 원형부정사와 to부정사 둘 다 사용할 수 있다.
  He helped me **carry** / **to carry** the box.

1 누군가 당신의 말을 듣기 위해 멈출 때마다, 무언의 신뢰라는 요소가 존재한다.　　2 어느 날, 짜증이 나서, 그녀는 추가의 빵을 굽는 것을 그만두고 싶은 생각이 들었지만, 곧 그녀의 마음을 바꾸었다.　　3 그는 그녀가 할 수 있는 한 그 이야기를 최대한 많이 하게 해 주었고, 세부 사항을 채우는 것을 도왔다.　　4 소년이 조련사가 지나가는 것을 보았을 때, 그는 왜 그 짐승이 탈출하려 애쓰지 않는지 물었다.　　5 이것이 가능한지 가장 빠른 편리한 시간에 제게 알려주시기 바랍니다.

다음 중 어법상 적절한 표현을 고르시오.

✔ **VOCA**

1 He could choose to spend his time elsewhere, yet he has stopped ⌈ to respect / respecting ⌉ your part in a conversation. [고2 11월]

respect 존중하다

2 Permanency slips between our fingers, as when an email that we seem to remember ⌈ to receive / receiving ⌉ mysteriously disappears from our inbox. [고2 9월 응용]

permanency 영속성
inbox 받은 메일함

3 If we are feeling negative, it can be very easy for us to stop ⌈ to want / wanting ⌉ to stay active in our everyday life. [고2 11월]

negative 부정적인

4 He called his wife to help from the window while he rushed down to the street to try ⌈ to catch / catching ⌉ the child. [고2 3월]

5 Her desperate and urgent voice made Jacob ⌈ decide / to decide ⌉ to enter the building instantly. [고2 9월]

urgent 다급한
instantly 즉시

6 You teach people to deal with pain by helping them ⌈ to become / becoming ⌉ more aware of it! [고2 11월]

deal with ~을 다루다

7 Vertical separation of aircraft allows some flights ⌈ to pass / passing ⌉ over airports while other processes occur below. [고2 3월]

vertical 수직의
process 과정

8 Perhaps you have even made a similar assertion to motivate someone ⌈ tries / to try ⌉ harder. [고2 3월]

assertion 주장

정답과 해설 p. 26

다음 중 어법상 적절한 표현을 고르시오.

VOCA

1
고2 11월

Celebrate / To celebrate our company's 10th anniversary and to boost further growth, we have arranged a small event.

boost 북돋우다

2
고2 6월

This practice forces / forcing you to have a different inner life experience, since you will, in fact, be listening more effectively.

force 강제하다

3
고2 3월

He tried not to let out a cry of alarm to avoid to startle / startling her.

alarm 놀람
startle 놀라게 하다

4
고2 6월

You hope to get / getting lost in a story or be transported into someone else's life.

transport 이동시키다

다음 밑줄 친 부분이 어법상 맞으면 ○표 하고, 틀리면 바르게 고치시오.

5
고2 3월

We definitely should not let our prejudice and emotion to take the better part of us.

definitely 절대로
prejudice 편견

6
고2 6월

Once we start understanding that knowledge isn't all in the head, that it's shared within a community, our heroes change.

7
고2 6월

The 'unlucky' were also too busy counting images to spot a note reading: "Stop counting, tell the experimenter you have seen this, and win $250."

spot 발견하다

정답과 해설 **p. 26**

다음 글의 네모 안에서 어법상 적절한 표현을 고르시오.

1
고2 9월

Framing matters in many domains. When credit cards started (A) become / to become popular forms of payment in the 1970s, some retail merchants (B) wanted / wanting to charge different price to their cash and credit card customers.

framing 프레이밍
domain 영역
customer 고객

2
고2 9월
응용

The young woodcutter decided (A) to work / working harder the next day. Unfortunately, the results were even worse. "I must be losing my strength," the young man thought. One day, the old man invited him for a drink during the break time. Then the old man said to him, "It is a waste of effort to keep (B) to chop / chopping trees without re-sharpening your axe."

chop (나무를) 베다
re-sharpen 다시 날카롭게 하다

다음 글의 밑줄 친 부분 중, 어법상 틀린 것을 고르시오.

3
고2 6월

At the pharmaceutical giant Merck, CEO Kenneth Frazier decided ① to motivate his executives ② to take a more active role in leading innovation and change. He asked them ③ do something radical: generate ideas that would put Merck out of business. For the next two hours, the executives worked in groups, pretending ④ to be one of Merck's top competitors.

pharmaceutical 제약의
executive 간부
innovation 혁신
radical 급진적인
competitor 경쟁자

어법 TEST 3 | 기출 유형 어법훈련하기

1 (A), (B), (C)의 각 네모 안에서 어법에 맞는 표현으로 가장 적절한 것은?

Dear Mr. Stanton:

We at the Future Music School have been providing music education to talented children 3 for 10 years. We hold an annual festival to give our students a chance (A) share / to share their music with the community and we always invite 6 a famous musician to perform in the opening event. Your reputation as a world-class violinist precedes you and the students consider you the 9 musician who has influenced them the most. That's why we want (B) to ask / asking you (C) to perform / performing at the opening 12 event of the festival. It would be an honor for them to watch one of the most famous violinists of all time play at the show. It would make the 15 festival more colorful and splendid. We look forward to receiving a positive reply.

Sincerely,   18

Steven Forman   [고2 6월]

	(A)	(B)	(C)
①	share	to ask	to perform
②	to share	to ask	performing
③	share	asking	to perform
④	to share	to ask	to perform
⑤	to share	asking	performing

2 다음 글의 밑줄 친 부분 중, 어법상 **틀린** 것은?

Application of Buddhist-style mindfulness to Western psychology came primarily from the research of Jon Kabat-Zinn at the University 3 of Massachusetts Medical Center. He initially took on the difficult task of treating chronic-pain patients, many of whom had not responded 6 well to traditional pain-management therapy. In many ways, such treatment seems completely paradoxical — you teach people ① to deal with 9 pain by helping them ② to become more aware of it! However, the key is to help people ③ letting go of the constant tension that 12 accompanies their fighting of pain, a struggle that actually prolongs their awareness of pain. Mindfulness meditation allowed many of these 15 people ④ to increase their sense of well-being and to experience a better quality of life. How so? Because such meditation is based on the 18 principle that if we try ⑤ to ignore or repress unpleasant thoughts or sensations, then we only end up increasing their intensity. [고2 11월] 21

---

1 talented 재능 있는   annual 연례의   reputation 명성   precede 앞서다   influence 영향을 주다   splendid 멋진   positive 긍정적인

2 mindfulness 마음 챙김   initially 처음에   paradoxical 역설의   accompany 동반하다   prolong 연장시키다   meditation 명상
repress 억누르다   sensation 감각   intensity 강렬함

3 다음 글의 밑줄 친 부분 중, 어법상 틀린 것은?

A story is only as believable as the storyteller. For story to be effective, trust must be established. Yes, trust. Whenever someone ③ stops ① to listen to you, an element of unspoken trust exists. Your listener unconsciously trusts you to say something worthwhile to him, ⑥ something that will not waste his time. The few minutes of attention he is giving you is sacrificial. He could choose ② spending his ⑨ time elsewhere, yet he has stopped ③ to respect your part in a conversation. This is where story comes in. Because a story illustrates points ⑫ clearly and often bridges topics easily, trust can be established quickly, and ④ recognizing this time element to story is essential to trust. ⑮ ⑤ Respecting your listener's time is the capital letter at the beginning of your sentence. [고2 11월]

4 (A), (B), (C)의 각 네모 안에서 어법에 맞는 표현으로 가장 적절한 것은?

Attitude is your psychological disposition, a proactive way to approach life. It is a personal predetermination not to let anything or anyone ③ (A) take / taking control of your life or manipulate your mood. Attitude allows you to anticipate, excuse, forgive and forget, without ⑥ being naive or stupid. It is a personal decision to stay in control and not to lose your temper. Attitude provides safe conduct through all kinds ⑨ of storms. It helps you (B) to get up / getting up every morning happy and determined to get the most out of a brand new day. Whatever ⑫ happens — good or bad — the proper attitude (C) makes / making the difference. It may not always be easy to have a positive attitude; ⑮ nevertheless, you need to remember you can face a kind or cruel world based on your perception and your actions. [고2 11월] ⑱

	(A)		(B)		(C)
①	take	┈┈	to get up	┈┈	makes
②	take	┈┈	getting up	┈┈	making
③	take	┈┈	to get up	┈┈	making
④	taking	┈┈	getting up	┈┈	makes
⑤	taking	┈┈	to get up	┈┈	making

---

3 establish 수립하다　element 요소　unconsciously 무의식적으로　worthwhile 가치 있는　sacrificial 희생적인　illustrate 설명하다
　bridge 연결하다　recognize 인정하다

4 psychological 심리적인　disposition 성향　proactive 앞서 주도하는　predetermination 미리 결정함　manipulate 조종하다
　anticipate 기대하다　excuse 양해하다　naive 순진한　safe conduct 안전 통행증　determined 단호한　perception 인식

어법 TEST 4 | 서술형 내신 어법훈련하기

1 다음 글을 읽고, 물음에 답하시오.

When they arrived, the roaring fire was spreading through the whole building. Jacob thought it was already looking pretty hopeless. But suddenly, a woman came running up to him yelling at the top of her lungs, "My baby, my Kris is on the fifth floor!" Her desperate and urgent voice made Jacob decide (a) to enter / entering the building instantly. He made his way up to the fifth floor with another firefighter. By the time they made it up to the fifth floor, the fire had grown so fierce, neither could see more than a few feet in front of them. Jacob's partner looked at him and gave him the thumbs-down. As a fireman, he knew his partner was right, but (b) 그는 그의 머릿속에서 계속 그 어머니의 얼굴이 보였다. Impulsively, Jacob ran down the hall without his partner, disappearing into the flames. As flames shot out of the apartment like fireballs he could see a little boy lying on the floor. (c) He didn't even have time to figure out if he was alive or dead. [고2 9월 응용]

3
6
8
9
12
15

VOCA

1 roaring 으르렁거리는

5 urgent 긴급한
6 instantly 즉시

8 fierce 사나운

11 impulsively 충동적으로

학교시험 서술형 단골 문제 감 잡기

어법 파악 **01** (a)의 네모 안에서 어법상 맞는 것을 고른 후, 그 이유를 서술하시오.

어법+영작 **02** 밑줄 친 (b)와 같은 뜻이 되도록 주어진 단어들을 알맞은 순서로 배열하시오.

(in / he / seeing / kept / that mother's face / head / his)

어법+해석 **03** 밑줄 친 (c)를 우리말로 바르게 해석하시오.

2 다음 글을 읽고, 물음에 답하시오.

(a) <u>Record</u> an interview is easier and more thorough, and can be less unnerving to an interviewee than seeing someone scribbling in a notebook. But using a recorder has some disadvantages, and is not always the best solution. If the interview lasts a while, (b) <u>listening to it again to select the quotes you wish to use</u> can be time-consuming, especially if you are working to a tight deadline. It is often more efficient to develop the technique (using a recorder as backup if you wish) of selective note-taking. This involves writing down the key answers from an interview so that they can be transcribed easily afterwards. It is sensible to take down more than you think you'll need, but (c) <u>자료를 잘라내는 습관을 들이려 노력하라</u> you are not going to need as the interview proceeds. It makes the material much easier and quicker to handle afterwards. [고2 9월]

✔ VOCA

1 thorough 철저한
2 unnerve 불안하게 만들다
  scribble 갈겨쓰다
3 disadvantage 단점
5 quote 인용구
6 deadline 기한
7 efficient 효과적인
8 selective 선택적인

10 transcribe 기록하다
  afterward ~후에
12 proceed 진행되다
13 material 자료

＼ 학교시험 서술형 단골 문제 감 잡기

어법
파악 **01** 밑줄 친 (a)를 어법에 맞게 고치고, 그 이유를 서술하시오.

어법+
해석 **02** 밑줄 친 (b)를 우리말로 바르게 해석하시오.

어법+
영작 **03** 밑줄 친 (c)와 같은 뜻이 되도록 주어진 단어들을 알맞은 순서로 배열하시오.

(the habit of / try to / editing out / get into / the material)

06 분사와 분사구문

**결 정 적
출제 어법**

1 분사의 능동 vs. 수동　　　　Point 1 + Point 2 + Point 3

I got an unexpecting / **unexpected** repair bill.
He heard the sound of the floor above **collapsing** / collapsed .
I feel proud and exciting / **excited** .

↰ 분사와 분사가 수식 또는 서술하는 대상과의 관계를 파악하는 것이 중요!

2 분사구문에서 분사의 능동 vs. 수동　　　　Point 4

Shivering / Shivered with fear, I murmured a panicked prayer.
Motivating / **Motivated** by his words, she tried harder.

↰ 분사구문의 분사와 주절의 주어 사이의 관계를 파악하기

현재분사와 과거분사

- 분사는 준동사의 일종으로 명사를 앞뒤에서 수식하거나, 주격보어 또는 목적격보어로 쓰인다.
- 분사의 종류로는 현재분사(-ing)와 과거분사(p.p.)가 있다. 능동과 진행의 의미일 때는 현재분사(-ing), 수동과 완료의 의미일 때는 과거분사(p.p.)를 쓴다.

현재분사(능동/진행)	과거분사(수동/완료)
falling snow	**fallen** snow
exciting game	**excited** children

CHECK-UP 분사에 동그라미 하고, 능동인지 수동인지 말하시오.

1 The mountain is covered with fallen leaves.

2 The exam was very challenging to the students.

3 She took care of the injured people all night.

4 The dog's presence was a calming influence on patients.

5 During the tour, I saw a brick house built in 1920.

분사구문

- 부사절은 분사구문으로 간략히 표현될 수 있다. 분사구문은 부사처럼 문장 전체를 수식한다.
- 분사구문은 시간, 이유, 동시동작, 조건, 양보 등의 의미로 해석할 수 있다.

〈부사절을 분사구문으로 바꾸는 방법〉

When he played soccer with his friend, he hurt his knee.
  ① ②   ③

→ **Playing** soccer with his friend, he hurt his knee.

① 접속사: 생략할 수 있다. (정확한 의미 전달을 위해 남겨 두기도 한다.)

② 주어: 주절의 주어와 같을 때 생략한다. (같지 않으면 그대로 둔다.)

③ 동사: 의미상 주절의 주어와의 관계가 능동일 때는 현재분사(-ing), 수동일 때는 과거분사(p.p.)로 바꾼다.

CHECK-UP 분사구문에 밑줄을 치시오.

1 She looked up, trying to see the airplane.

2 Watching the movie, he ate popcorn.

3 Running to the bus stop, you'll catch the bus.

4 Surprised by the sound, the cat ran away.

기출문장으로 실전어법 개념잡기

Point ❶ 명사를 수식하는 현재분사와 과거분사

현재분사

When we see an adorable creature, we must fight an **overwhelming** / overwhelmed

urge to squeeze that cuteness.[1] [고2 9월]

After victory, the behaviors displaying / **displayed** by sighted and blind athletes were

명사   과거분사구

very similar.[2] [고2 3월]

- 분사는 명사의 앞이나 뒤에서 명사를 수식할 수 있다. 능동이나 진행의 뜻을 나타낼 때는
  현재분사(-ing)를, 수동이나 완료의 뜻을 나타낼 때는 과거분사(p.p.)를 사용한다.
- 명사를 수식할 때 분사의 위치
  - 분사 홀로 명사를 수식하면 명사의 앞에 위치한다.
  - 분사가 다른 성분과 결합하여 분사구 형태로 수식하면 명사의 뒤에 위치한다.

분사	명사

명사	분사구

Point ❷ 보어로 사용되는 현재분사와 과거분사

과거분사

Although some of the problems were solved, others remain unsolving / **unsolved** to

2형식 동사   보어

this day.[3] [고2 9월]

It is not uncommon to hear talk about how lucky we are to live in this age of medical

현재분사

advancement where antibiotics and vaccinations keep us **living** / lived longer.[4] [고2 9월 응용]

5형식 동사 목적어   목적격보어

- 분사는 주어나 목적어의 상태, 동작을 보충 설명하는 주격보어와 목적격보어로 사용될 수 있다.
  - 주격보어: 주어가 분사가 나타내는 행위의 주체이거나 감정을 유발할 때 현재분사(-ing)를 사용하고, 행위의 대상이거나 감정을 느낄 때 과거
    분사(p.p.)를 사용한다.
  - 목적격보어: 목적어가 분사가 나타내는 행위의 주체일 때 현재분사((-ing)를 사용하고, 행위의 대상일 때 과거분사(p.p.)를 사용한다.
- 지각동사와 사역동사는 목적격보어로 분사가 아닌 원형부정사(동사원형)가 올 수도 있다.

---

1 우리가 사랑스런 생명체를 볼 때, 우리는 그 귀여움을 꽉 쥐려 하는 압도적인 충동과 싸워야 한다. 2 승리 후에, 앞이 보이는 선수들과 시각 장애가 있는 선수들이 보여준 행동은 매우
비슷했다. 3 이 문제들 중 일부가 풀렸을지라도, 다른 것들은 오늘날에도 풀리지 않고 남아있다. 4 항생제와 예방 접종이 우리를 더 오래 살게 하는 이 의학 발전의 시대에 살아서
얼마나 운이 좋은지에 대해 이야기하는 것을 듣는 것은 드물지 않다.

다음 중 어법상 적절한 표현을 고르시오.

1 The dances | composing / composed | by famous composers from Bach to Chopin originally did indeed accompany dancing. [고2 6월]

dance 춤곡
accompany 동반하다

2 Living off big game in the era before refrigeration meant humans had to endure | alternating / alternated | periods of feast and famine. [고2 11월]

live off ~에 의지해서 살다
game 사냥감
alternate 번갈아 나오다
feast 성찬
famine 기근

3 Such surfaces tend to be covered by a wide array of dips and cracks and bumps that create a certain degree of pull or drag or friction on any object | moving / moved | across it. [고2 9월]

array 집합체
dip 움푹 팬 부분
pull 인력
drag 저항력
friction 마찰력

4 They need to do more to target | motorizing / motorized | scooters specifically. [고2 9월]

motorize 전동화하다

5 Though Harris considered selling the ring — he got it | appraising / appraised | for $4,000 — a few days later, he returned the ring to her. [고2 6월 응용]

appraise 평가하다

6 The researchers propose that cute aggression may stop us from becoming so emotionally | overloading / overloaded | that we are unable to look after things that are super cute. [고2 9월]

overload 과부하가 걸리게 하다

7 When the indigo-dyed denim is washed, tiny amounts of that dye get | washing / washed | away, and the thread comes with them.

[고2 9월]

indigo-dyed 남색으로 염색된
dye 염료
thread 실

8 After witnessing a father's or mother's independence in the workplace, an individual is more likely to find independence | appealing / appealed | . [고2 3월]

appeal 관심을 끌다

Point ❸ 감정 동사의 현재분사와 과거분사

The composition and performance of what we now call "classical music" began as a form

of craft music **satisfying** / satisfied required functions.[1] [고2 6월 응용]
　　　　　명사　↑　　　　　　 현재분사(만족시키는)　　 과거분사

His response made it very clear that he trusted his gut feeling and was satisfying / **satisfied**
　　 과거분사(만족하는)

with himself and with his decision.[2] [고2 6월]

- 감정이나 상태를 나타내는 동사는 현재분사나 과거분사의 형태로 쓰일 수 있다. '~한 감정을 느끼게 하는'이라는 뜻의 능동의 의미일 때는
  현재분사(-ing)를, '~한 감정을 느끼는'이라는 뜻의 수동의 의미일 때는 과거분사(p.p.)를 사용한다.

현재분사	과거분사
shocking 충격적인	shocked 충격을 받은
surprising 놀라운	surprised 놀란
disappointing 실망스러운	disappointed 실망한
astonishing 놀라운	astonished 놀란
depressing 우울하게 만드는	depressed 우울해하는
annoying 짜증나게 하는	annoyed 짜증이 난

Point ❹ 분사구문(현재분사/과거분사)

Traveling / Traveled by train across northern Ontario, A. Y. and several other artists
현재분사(주어와 능동 관계) (= As they traveled)　　　　　　　　　　　　　　　　　　주어
painted everything they saw.[3] [고2 3월]

One of his first inventions was, although much needing / **needed**, a failure.[4] [고2 11월]
　　　　　　　　주어　　　　　　　　(= although it was much needed)　　 과거분사(주어와 수동 관계)

- 분사구문에 쓰인 분사와 주절의 주어의 관계가 능동이면 현재분사(-ing)를, 수동이면 being p.p.를 쓴다. 이때 being은 생략할 수 있다.
- 분사구문을 만들 때 접속사를 생략하지만, 접속사의 의미를 강조하는 경우에는 그대로 남겨 두기도 한다.
- 전치사가 있는 분사구문
  - '…을 ~한 채로'(능동), 또는 '…이 ~된 채로'(수동)의 의미를 나타낼 때 「with+명사+분사」를 사용한다. 명사와 분사가 능동 관계일 때
    「with+명사+현재분사(-ing)」, 수동 관계일 때 「with+명사+과거분사(p.p.)」를 쓴다.
    She fell asleep **with the TV turned** on.

---

1 우리가 오늘날 '고전 음악'이라고 부르는 것의 작곡과 연주는 요구되는 기능을 만족시키는 공예 음악의 형태로서 시작했다.　 2 그의 반응은 그가 자신의 직감을 믿으며, 자기 자신과 그의 결정에 만족한다는 것을 매우 명확히 했다.　3 기차로 Ontario 북부를 가로질러 여행을 하면서, A. Y.와 다른 여러 화가들은 그들이 본 모든 것을 그렸다.　4 그의 최초 발명들 중 하나는, 매우 필요함에도 불구하고, 실패였다.

다음 중 어법상 적절한 표현을 고르시오.

1 Thus, the same task can be viewed as ⬚ boring / bored ⬚ one moment and engaging the next. [고2 9월]

task 일, 과업
engaging 매력적인

2 As she opened the door, she was ⬚ surprising / surprised ⬚ to find her son standing in the doorway. [고2 11월 응용]

3 Because they use these neural circuits in novel ways, we find them especially ⬚ interesting / interested ⬚. [고2 11월]

neural circuit 신경 회로
novel 새로운, 신기한

4 Confident leaders are not afraid to ask the basic questions: the questions to which you may feel ⬚ embarrassing / embarrassed ⬚ about not already knowing the answers. [고2 6월]

embarrass 난처하게 하다

5 Highly ⬚ motivating / motivated ⬚ by his words, the young woodcutter tried harder the next day, but he could only bring ten trees. [고2 9월]

motivate 동기를 부여하다

6 He used the vest to smother the flames on Rivera's arm and back, ⬚ screaming / screamed ⬚ for a medic even though he knew he wouldn't be heard. [고2 9월]

smother 질식시키다, 억누르다
medic 의무병

7 Many firms use patents as barriers to entry, ⬚ suing / sued ⬚ upstart innovator who trespass on their intellectual property even on the way to some other goal. [고2 9월]

patent 특허
sue 고소하다
trespass 침범하다
intellectual property 지적 재산권

8 For example, being exposed to fine wine or Pavarotti changes one's later appreciation of wine and music, even if ⬚ encountering / encountered ⬚ in late adulthood. [고2 11월]

appreciation 감상
adulthood 성년기

정답과 해설 **p. 31**

다음 중 어법상 적절한 표현을 고르시오.

VOCA

1
고2 6월

However, he would know how to track a wounding / wounded bush buck that he has not seen for three days and where to find groundwater.

track 추적하다
wound 부상을 입히다
bush buck 부시벅(아프리카 영양)

2
고2 11월

For example, I could dislike wolves; I believe they have killed people(cognitive belief), and having people killing / killed is of course bad(evaluation of belief).

cognitive 인지적인
evaluation 평가

3
고2 3월

We may enable a child to overcome their painful, frightening / frightened experience by having them repeat as much of the painful story as possible.

frighten 무섭게 하다

4
고2 9월

Holding / Held Kris against his chest, Jacob could feel the boy's heart pounding, and when he coughed from the smoke, Jacob knew Kris would survive.

pound (심장이) 뛰다

다음 밑줄 친 부분이 어법상 맞으면 ○표 하고, 틀리면 바르게 고치시오.

5
고2 3월
응용

Booth himself did not use the term "vacuum" when he filed a provisional specification describing his intended invention.

term 용어
vacuum 진공
file 제출하다
provisional specification
임시 설명서

6
고2 3월

But if this is true, then as the ship got pushing around during its journey and lost small pieces, it would already have stopped being the ship of Theseus.

7
고2 6월

Backing by social norms that pursue intergroup equality, intergroup contact tends to weaken bias more, especially when it is led by organizational support.

social norm 사회 규범
intergroup 집단 사이의
organizational 조직의
bias 편견

다음 글의 네모 안에서 어법상 적절한 표현을 고르시오.

✓ **VOCA**

1
고2 3월

Airways have (A) fixing / fixed widths and defined altitudes, which separate traffic (B) moving / moved in opposite directions. Vertical separation of aircraft allows some flights to pass over airports while other processes occur below.

airway 항공로
define 규정하다
altitude 고도
vertical 수직의

2
고2 6월

In practicing a complex movement such as a golf swing, we experiment with different grips, positions and swing movements, (A) analyzing / analyzed each in terms of the results it yields. This is a conscious, left-brain process. Once we identify those elements of the swing that produce the (B) desiring / desired results, we rehearse them over and over again in an attempt to record them permanently in "muscle memory."

yield 내다, 산출하다
conscious 의식적인
identify 식별하다
rehearse 연습하다
permanently 영구히

다음 글의 밑줄 친 부분 중, 어법상 틀린 것을 고르시오.

3
고2 11월

Bahati lived in a small village, where ① baking bread for a hungry passerby is a custom when one misses someone. She had an only son ② lived far away and missed him a lot, so she baked an extra loaf of bread and put it on the window sill every day, for anyone ③ to take away. Every day, a poor old woman took away the bread, just ④ muttering "The good you do, comes back to you!" instead of ⑤ expressing gratitude.

passerby 행인
extra 여분의
mutter 중얼거리다
sill 문틀
gratitude 감사

1 (A), (B), (C)의 각 네모 안에서 어법에 맞는 표현으로 가장 적절한 것은?

Would you expect the physical expression of pride to be biologically based or culturally specific? The psychologist Jessica Tracy has found that young children can recognize when a person feels pride. Moreover, she found that (A) isolating / isolated populations with minimal Western contact also accurately identify the physical signs. These signs include a (B) smiling / smiled face, raised arms, an expanded chest, and a pushed-out torso. Tracy and David Matsumoto examined pride responses among people (C) competing / competed in judo matches in the 2004 Olympic and Paralympic Games. Sighted and blind athletes from 37 nations competed. After victory, the behaviors displayed by sighted and blind athletes were very similar. These findings suggest that pride responses are innate. [고2 3월]

	(A)	(B)	(C)
①	isolating	smiling	competing
②	isolated	smiled	competed
③	isolated	smiling	competing
④	isolating	smiled	competing
⑤	isolating	smiled	competed

2 다음 글의 밑줄 친 부분 중, 어법상 틀린 것은?

During the late 1800s, printing became cheaper and faster, ① leading to an explosion in the number of newspapers and magazines and the ② increased use of images in these publications. Photographs, as well as woodcuts and engravings of them, appeared in newspapers and magazines. The increased number of newspapers and magazines created greater competition — ③ driving some papers to print more salacious articles to attract readers. This "yellow journalism" sometimes took the form of gossip about public figures, as well as about socialites who considered themselves private figures, and even about those who were not part of high society but had found themselves ④ involved in a scandal, crime, or tragedy that journalists thought would sell papers. Gossip was of course nothing new, but the rise of mass media in the form of widely ⑤ distributing newspapers and magazines meant that gossip moved from limited (often oral only) distribution to wide, printed dissemination. [고2 11월]

---

1 physical 신체적인   pride 자부심   biologically 생물학적으로   psychologist 심리학자   isolate 고립시키다   expand 확장시키다   torso 몸통
examine 조사하다   compete 경쟁하다   innate 타고난

2 printing 인쇄   publication 출판물   woodcut 목판(화)   engraving 판화   salacious 외설스러운   article 기사   figure 인물
socialite 사교계 명사   involve 연관시키다   tragedy 비극   distribute 나누어주다, 배포하다   dissemination 유포, 보급

3 (A), (B), (C)의 각 네모 안에서 어법에 맞는 표현으로 가장 적절한 것은?

After (A) earning / earned her doctorate degree from the University of Istanbul in 1940, Halet Cambel fought tirelessly for the ₃ advancement of archaeology. She helped preserve some of Turkey's most important archaeological sites near the Ceyhan River and ₆ established an outdoor museum at Karatepe. There, she broke ground on one of humanity's oldest (B) knowing / known civilizations by ₉ discovering a Phoenician alphabet tablet. Her work (C) preserving / preserved Turkey's cultural heritage won her a Prince Claus ₁₂ Award. But as well as revealing the secrets of the past, she also firmly addressed the political atmosphere of her present. As just a 20-year-old ₁₅ archaeology student, Cambel went to the 1936 Berlin Olympics, becoming the first Muslim woman to compete in the Games. She was later ₁₈ invited to meet Adolf Hitler but she rejected the offer on political grounds. [고2 6월]

	(A)		(B)		(C)
①	earning	⋯⋯	knowing	⋯⋯	preserving
②	earning	⋯⋯	known	⋯⋯	preserving
③	earned	⋯⋯	knowing	⋯⋯	preserved
④	earned	⋯⋯	known	⋯⋯	preserved
⑤	earning	⋯⋯	knowing	⋯⋯	preserved

4 다음 글의 밑줄 친 부분 중, 어법상 틀린 것은?

It turns out that the secret behind our recently ① extended life span is not due to genetics or natural selection, but rather to the relentless ₃ improvements made to our overall standard of living. From a medical and public health perspective, these developments were nothing ₆ less than game changing. For example, major diseases such as smallpox, polio, and measles have been eradicated by mass vaccination. ₉ At the same time, better living standards ② achieving through improvements in education, housing, nutrition, and sanitation ₁₂ systems have substantially reduced malnutrition and infections, ③ preventing many unnecessary deaths among children. Furthermore, ₁₅ technologies ④ designed to improve health have become available to the masses, whether via refrigeration to prevent spoilage or ₁₈ ⑤ systemized garbage collection, which in and of itself eliminated many common sources of disease. [고2 11월] 21

---

3 doctorate degree 박사 학위   archaeology 고고학   preserve 보존하다   establish 설립하다   civilization 문명   Phoenician 페니키아의
heritage 유산   reveal 드러내다   address (문제, 상황을) 다루다   atmosphere 분위기

4 extend 연장하다   life span 수명   relentless 끈질긴   perspective 관점   game changing 획기적인, 판을 바꾸는   smallpox 천연두
polio 소아마비   measle 홍역   eradicate 근절하다   sanitation 위생   malnutrition 영양실조   infection 감염   systemize 체계화하다

1 다음 글을 읽고, 물음에 답하시오.

Francis Crick, the Nobel Prize-winning codiscoverer of the structure of the DNA molecule, was born in Northampton, England in 1916. He attended University College London, where he studied physics, (a) and he graduated with a Bachelor of Science degree in 1937. He soon began conducting research toward a Ph. D., but his path was interrupted by the outbreak of World War II. During the war, he was involved in naval weapons research, (b) working / worked on the development of magnetic and acoustic mines. After the war, Dr. R. V. Jones, the head of Britain's wartime scientific intelligence, asked Crick to continue the work, but Crick decided to continue his studies, this time in biology. In 1951, Crick met James Watson, a young American biologist, at the Strangeways Research Laboratory. They formed a collaborative working relationship (c) solving the mysteries of the structure of DNA. [고2 11월]

VOCA

1 codiscoverer 공동 발견자
2 molecule 분자

4 Bachelor of Science 이학사
5 Ph. D. 박사 학위
6 interrupt 중단시키다
7 work on 착수하다
8 magnetic and acoustic mine 자기 음향 기뢰
9 wartime scientific intelligence 전시 과학 정보부

13 collaborative 공동의
14 structure 구조

학교시험 서술형 단골 문제 감 잡기

어법+ 01 밑줄 친 (a)를 분사구문으로 바꾸어 쓰시오.
영작

어법 02 (b)의 네모 안에서 어법상 맞는 것을 고르고, 그 이유를 서술하시오.
파악

어법+ 03 밑줄 친 (c)를 우리말로 바르게 해석하시오.
해석

2 다음 글을 읽고, 물음에 답하시오.

On his march through Asia Minor, Alexander the Great fell dangerously ill. His physicians were afraid to treat him because if they didn't succeed, the army would blame them. Only one, Philip, was willing to take the risk, as he had confidence in the king's friendship and his own drugs. While the medicine was being prepared, Alexander received (a) a letter accusing the physician of having been bribed to poison his master. Alexander read the letter without showing it to anyone. When Philip entered the tent with the medicine, (b) Alexander는 Philip에게 편지를 건네며, 그에게서 컵을 받았다. While the physician was reading it, Alexander calmly drank the contents of the cup. (c) Horrify, Philip threw himself down at the king's bedside, but Alexander assured him that he had complete confidence in his honor. After three days, the king was well enough to appear again before his army. [고2 9월]

VOCA

1 march 행군
   Asia Minor 소아시아
2 physician 의사
4 confidence 자신감

6 accuse A of B A를 B로 고발
   하다
7 poison 독살하다
   master 주인, 군주

11 horrify 무서워하게 하다
12 assure 확언하다

학교시험 서술형 단골 문제 감 잡기

어법+ **01** 밑줄 친 (a)를 우리말로 바르게 해석하시오.
해석

어법+ **02** 밑줄 친 (b)와 같은 뜻이 되도록 주어진 단어들을 알맞은 순서로 배열하시오.
영작
(the cup / handing / Alexander / the letter / from him, / Philip / took)

어법 **03** 밑줄 친 (c)를 어법에 맞게 고치고, 그 이유를 서술하시오.
파악

" 행동은 모든 성공의 기본 열쇠이다. "

파블로 피카소

Action is the foundational key to all success.

Pablo Picasso

PART 3 | 연결사

수능 모의고사
기출어법
항목별 빈도수

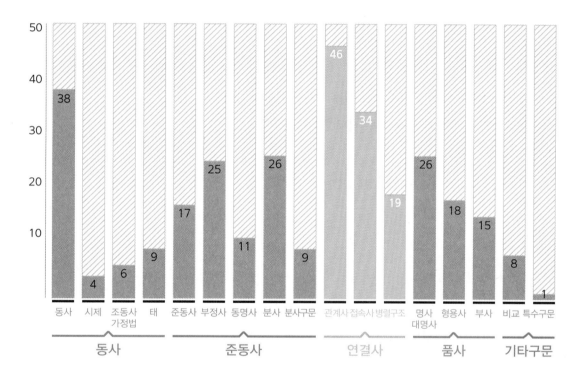

결 정 적
출제 어법

1 관계대명사의 격 파악하기 `Point 1`

He is the man **who** / which taught me English.
He has a dog **whose** / whom hair is brown.

> 선행사가 사람인지 사물인지, 관계사절에서 어떤 역할을 하는지 확인!

2 that일까 what일까 `Point 3`

I read everything **that** / what was in the book.
I couldn't understand that / **what** I read.

> 선행사가 있으면 **that**, 선행사가 없으면 **what**을 써.

3 관계대명사와 관계부사 `Point 4`

This is the park **which** / where she likes.
This is the park which / **where** we first met.

> 관계대명사 뒤에는 불완전한 형태의 절이, 관계부사 뒤에는 완전한 형태의 절이 와.

관계대명사

- 관계대명사는 「접속사＋대명사」의 역할을 한다.
- 관계대명사가 이끄는 관계사절은 관계대명사 앞의 선행사를 꾸미는 형용사절의 역할을 한다.
- 선행사가 사람인지 사물인지, 관계사절에서 어떤 역할을 하는지에 따라 다른 관계대명사를 사용한다.

선행사	주격	소유격	목적격
사람	who	whose	who(m)
사물	which	whose / of which	which
사람/사물	that	–	that

CHECK-UP 관계대명사에 동그라미 하시오.

1 I know a boy whose birthday is on December 25th.

2 He heard about a man who has lived in Africa for long.

3 Is this the song which you wanted to hear?

4 They want to live in a house that is nice and big.

관계대명사의 용법

관계대명사는 두 가지 용법으로 사용할 수 있다.

제한적 용법: 관계대명사절이 선행사를 직접 수식하며, '~한, ~하는'으로 해석한다.

계속적 용법: 관계대명사 앞에 콤마(,)가 있으며, 선행사를 보충 설명한다. 이때 관계대명사는 생략할 수 없고, 관계대명사 that과 what은 계속적 용법으로 사용할 수 없다.

CHECK-UP 관계대명사에 동그라미 하고, 제한적 용법인지 계속적 용법인지 말하시오.

1 I like my science teacher, who is also a good soccer player.

2 He has two cars, which are too old and small.

3 We ate pasta, which was very delicious.

4 I saw a robot which could paint a beautiful picture.

관계대명사 that과 what

- 관계대명사 that: 관계대명사 who, whom, which를 대신해서 사용된다. 앞에 반드시 선행사가 있다.
- 관계대명사 what: 선행사를 포함하고 있으며, 문장에서 주어, 목적어, 보어 역할을 하는 명사절을 이끈다.

  '~하는 것'으로 해석하고, the thing(s) which〔that〕로 바꾸어 쓸 수 있다.

  선행사를 포함하고 있으므로 관계사 앞에 선행사가 없다.

CHECK-UP 관계대명사에 동그라미 하고, 선행사가 있는 경우 밑줄을 치시오.

1 That is the cat that I saw in the garden yesterday.

2 I told him what I did at the summer camp.

3 The party was not what I had expected.

4 She couldn't catch the flight that goes to New York.

관계부사

- 관계부사는 「접속사+부사」의 역할을 한다. 선행사의 성격에 따라 관계부사의 종류가 결정되며, 제한적 용법일 때 「전치사+관계대명사(which)」로 바꾸어 쓸 수 있다.

선행사	관계부사	전치사+관계대명사
시간(the time, the day, the date 등)	when	at, in, on+which
장소(the place, the city 등)	where	at, in, on+which
이유(the reason)	why	for which
방법(the way)	how	in which

- 관계대명사는 뒤에 주어나 목적어가 없는 불완전한 형태의 절이 오지만, 관계부사는 뒤에 완전한 형태의 절이 온다.

CHECK-UP 관계부사에 동그라미 하시오.

1 Saturday is the day when we can go to the movies.

2 This is the town where my grandmother was born.

3 Can you show me how you solved the problem?

4 Tell me the reason why you didn't attend the meeting.

관계사의 생략

- 관계대명사: 「주격 관계대명사＋be동사」 뒤에 현재분사(-ing)나 과거분사(p.p.)가 올 때와 목적격 관계대명사일 때 생략이 가능하다.
- 관계부사: 선행사와 관계부사 중 하나를 생략할 수 있다. 단, where는 대개 생략하지 않으며, the way how는 둘 중 하나를 반드시 생략한다.

CHECK-UP   생략할 수 있는 관계사 부분에 괄호를 하시오.

1 Can you see the bird that is flying over there?

2 She helped people who were suffering from severe disease.

3 The cell phone which she is using is quite expensive.

4 Do you know the reason why she went there?

5 I don't remember the day when I saw the movie.

복합관계사

- 관계대명사나 관계부사 뒤에 -ever가 붙은 형태이다.
- 복합관계대명사: 명사절이나 부사절을 이끌며, 뒤에 불완전한 형태의 절이 온다.

복합관계대명사	명사절(주어, 목적어, 보어)	부사절
who(m)ever	~하는 사람은 누구나	누가 ~할지라도
whichever	~하는 것은 어느 쪽이든	어느 쪽이(을) ~할지라도
whatever	~하는 것은 무엇이든	무엇이(을) ~할지라도

- 복합관계부사: 부사절을 이끌며, 뒤에 완전한 형태의 절이 온다.

복합관계부사	부사절
whenever	언제 ~할지라도, ~하는 언제든지
wherever	어디에 ~할지라도, ~하는 어디든지
however	아무리 ~할지라도

기출문장으로 실전개념 개념잡기

Point ❶ 관계대명사의 격

Such practices may be suggested to athletes because of their real or perceived benefits
by **individuals** [**who** / whom] excelled in their sports].[1] [고2 3월]
선행사(사람)   주격 관계대명사   동사

Most publishers will not want to waste time with **writers** [who / **whose**] material
선행사   소유격 관계대명사   명사

contains too many mistakes].[2] [고2 3월]
동사

The course included a lecture by **an Australian lady** [whose / **whom**] we all found inspiring].[3]
선행사   목적격 관계대명사 주어   동사

[고2 3월 응용]

- 주격 관계대명사: 선행사가 관계사절에서 주어 역할을 한다. 바로 뒤에 동사가 온다.
- 소유격 관계대명사: 관계사절에서 my, his, its 등을 대신하여 소유격의 역할을 하며, 선행사의 종류와 관계없이 whose를 사용한다.
  뒤에는 명사가 온다.
- 목적격 관계대명사: 선행사가 관계사절에서 타동사의 목적어 역할을 한다. 뒤에는 「주어＋동사 ~」가 온다.
- 목적격 관계대명사가 오는 경우, 또는 「주격 관계대명사＋be동사」 뒤에 현재분사(-ing)나 과거분사(p.p.)가 오는 경우 생략할 수 있다.
- 선행사에 따른 인칭과 수의 일치에 주의한다.
  I saw the kites **that** are flying in the sky.

Point ❷ 전치사 + 관계대명사

The idea is that choices depend on **the way** [which / **in which**] problems are stated].[4] [고2 9월]
선행사   전치사＋관계대명사
= The idea is that choices depend on **the way which** problems are stated **in**.

- 관계사절의 관계대명사가 전치사의 목적어인 경우, 전치사가 관계대명사의 앞에
  오거나 관계사절의 끝에 올 수 있다.
- 전치사 뒤에는 관계대명사 that이 올 수 없고, 전치사 뒤의 whom을 who로
  바꾸어 쓸 수 없다.
  the man that I talked to   the man to whom I talked
      (to that ×)   (to who ×)

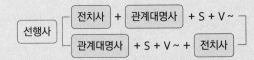

---

1 그러한 관행은 자신의 운동 분야에서 탁월한 능력을 보인 개인들의 실제적 혹은 인지된 이득 때문에 운동선수들에게 권고될 수 있다.   2 대부분의 출판사들은 그들의 자료에 너무 많은
오류를 포함하고 있는 저자에 시간 낭비를 하려 하지 않을 것이다.   3 그 강연은 영감을 준다고 우리 모두가 생각했던 호주 숙녀의 강연을 포함했다.   4 그 발상은 선택들이 문제들이
언급되는 방식에 따라 달라진다는 것이다.

다음 중 어법상 적절한 표현을 고르시오.

✔ VOCA

1 This biological "struggle for existence" bears considerable resemblance to the human struggle between businessmen who / which are striving for economic success. [고2 3월 응용]

struggle 투쟁
existence 생존
considerable 상당한
strive 분투하다

2 The koala is the only known animal which / whose brain only fills half of its skull. [고2 3월]

skull 두개골

3 Both taxi and bus drivers use a part of their brain called the hippocampus to navigate routes whom / that can sometimes be very complicated. [고2 9월]

hippocampus 해마
complicated 복잡한

4 All these techniques will quickly draw the audience's attention to the actor whose / whom the director wants to be in focus. [고1 11월]

attention 주의
director 감독
focus 초점

5 The body temperature is maintained at the temperature which / at which our enzymes work best. [고2 6월]

maintain 유지하다
enzyme 효소

6 James Kuklinski led an influential experiment which / in which more than 1,000 Illinois residents were asked questions about welfare. [고2 9월 응용]

influential 영향력 있는
welfare 복지

7 How is it possible to make sense of a situation which / in which a single word "uncle" applies to the brother of one's father and to the brother of one's mother? [고2 9월]

make sense of 이해하다
apply to ~에 적용되다

8 Bull co-founded the first theater which / in which actors performed in Norwegian rather than Danish. [고2 9월]

co-found 공동 설립하다
perform 공연하다

Point ❸ 관계대명사 that vs. what

An even better idea is to simply get rid of **anything** with low nutritional value [**that** / what
선행사 ↑ 관계대명사
선행사를 수식하는 형용사절
you may be tempted to eat].[1] [고2 3월]

You are far more likely to eat [that / **what** you can see in plain view].[2] [고2 3월]
선행사 없음 (= the thing(s) which(that)) 목적어로 쓰이는 명사절

- 관계대명사 that(which)은 반드시 앞에 선행사가 있고, 선행사를 수식하는 형용사절을 이끈다.
- 관계대명사 what은 the thing(s) which(that)로 바꾸어 쓸 수 있고, 선행사를 포함하기 때문에 선행사가 없으며, 문장에서 주어, 목적어, 보어로 쓰이는 명사절 역할을 한다.
- 관계대명사 that만 쓰는 경우: 선행사 앞에 the very, the only, the same, 최상급, 서수 등이 있는 경우 that만 사용한다.
  This is the very thing **that** I was talking about.

Point ❹ 관계대명사 vs. 관계부사

목적어가 없는 불완전한 문장 구조
Jack stopped the cycle of **perfectionism** [**that** / where his son Mark was developing].[3]
↑ 관계대명사 주어 동사
[고2 3월]

완전한 문장 구조
Jack felt a milestone had been reached **one day** [which / **when** he was playing catch
선행사(시간) ↑ 관계부사 주어 동사 목적어
with Mark and threw a bad ball].[4] [고2 3월]

- 관계부사는 시간, 장소, 이유, 방법 등을 나타내는 선행사에 따라 종류가 결정되며, 「전치사＋관계대명사」의 형태로 바꾸어 쓸 수 있다.

| 관계대명사 | + 불완전한 절 |
| 관계부사 | + 완전한 절 |

선행사	관계부사	전치사＋관계대명사
시간(the time, the day, the date 등)	when	at, in, on＋which
장소(the place, the city 등)	where	at, in, on＋which
이유(the reason)	why	for which
방법(the way)	how	in which

- 관계대명사 뒤에는 문장의 필수 성분을 다 갖추지 못한 불완전한 절이 오고, 관계부사 뒤에는 문장의 필수 성분을 다 갖춘 완전한 절이 온다.
- 선행사가 방법을 나타낼 때, 선행사 the way와 관계부사 how는 함께 쓰이지 않는다.

---

1 더 좋은 생각은 단순히 먹고 싶은 유혹을 받을 수 있는 영양가 낮은 것은 무엇이든 없애는 것이다.   2 당신은 당신이 분명히 볼 수 있는 것을 먹을 가능성이 훨씬 더 크다.   3 Jack은 그의 아들 Mark가 보이던 완벽주의의 주기를 멈추었다.   4 Jack은 그가 Mark와 캐치볼을 하다가 공을 잘못 던진 어느 날 중대한 시점에 이르렀음을 느꼈다.

다음 중 어법상 적절한 표현을 고르시오.

VOCA

1 You think the other train has moved, only to discover that it is your own train that / what is moving. [고2 6월]

2 Either reading will help you to hear things that / what you otherwise might not notice when editing silently. [고2 3월]

edit 편집하다
silently 조용히

3 As the brain evolved, people who saw distances to goals as shorter might have gone after that / what they wanted more often. [고2 9월]

evolve 진화하다

4 The mold was from the *penicillium notatum* species, which / what had killed the bacteria on the Petri dish. [고2 6월]

mold 곰팡이
species 종
Petri dish 페트리 접시

5 He had only become a dog-lover in later life which / when Jofi was given to him by his daughter Anna. [고2 3월]

6 This true story is about a government-owned shoe factory in Poland in the days that / when the country had a much more socialist economy. [고2 9월]

socialist economy 사회주의 경제

7 Drones can gather relevant data in places that / where were previously difficult or costly to reach. [고2 9월]

relevant 유의미한

8 Do you happen to live in a fast-paced city, which / where you feel in a constant hurry? [고2 11월]

constant 끊임없는

어법 TEST 1 | 문장 어법훈련하기

정답과 해설 p. 36

다음 중 어법상 적절한 표현을 고르시오.

✓ VOCA

1
고2 11월
Once a day they recalled the scenes from the video that / where replayed in their minds.

recall 상기하다
scene 장면

2
고2 3월
Respirators could save many lives, but not all those whose / whom hearts kept beating ever recovered any other significant functions.

respirator 인공호흡기
function 기능

3
고2 11월
There is a reason which / why so many of us are attracted to recorded music these days.

attract 마음을 끌다

4
고2 6월
She is investigating the extent which / to which cheating by college students occurs on exams.

investigate 조사하다
extent 정도

다음 밑줄 친 부분이 어법상 맞으면 ○표 하고, 틀리면 바르게 고치시오.

5
고2 11월
Sound is simply vibrating air which the ear picks up and converts to electrical signals, that are then interpreted by the brain.

vibrate 진동하다
convert 변환하다
interpret 해석하다

6
고2 11월
Many people find that when they are angry, they go into a state where they want to exercise or clean.

state 상태

7
고2 9월
They often have limited education in general and almost no exposure to health and nutrition advice, and they grow that feeds the most people.

exposure 노출

정답과 해설 p. 36

다음 글의 네모 안에서 어법상 적절한 표현을 고르시오.

✔ VOCA

1
고1 9월
응용

Newspaper stories, television reports, and even early online reporting required one central place (A) which / to which a reporter would submit his or her news story for printing, broadcast, or posting. Now, though, a reporter can shoot video, record audio, and type directly on their smartphones or tablets and post a news story instantly. Journalists do not need to report to a central location (B) which / where they all contact sources, type, or edit video.

submit 제출하다
broadcast 방송
post 게시하다
instantly 즉시

2
고2 6월

Scientists not only have labs with students (A) who / whom contribute critical ideas, but also have colleagues who are doing similar work, thinking similar thoughts, and without (B) who / whom / that the scientist would get nowhere.

contribute 제공하다
critical 중요한
colleague 동료

다음 글의 밑줄 친 부분 중, 어법상 틀린 것을 고르시오.

3
고2 9월

According to this argument, inequality of well-being ① that is driven by differences in individual choices or tastes is acceptable. But we should seek to eliminate inequality of well-being ② that is driven by factors ③ that are not an individual's responsibility and ④ which prevent an individual from achieving ⑤ that he or she values.

inequality 불평등
acceptable 받아들일 수 있는
eliminate 제거하다
factor 요소
responsibility 책임
value 가치 있게 여기다

1 (A), (B), (C)의 각 네모 안에서 어법에 맞는 표현으로 가장 적절한 것은?

There is a reason (A) | why / which | so many of us are attracted to recorded music these days, especially considering personal music players are common and people are listening to music through headphones a lot. Recording engineers and musicians have learned to create special effects (B) | that / what | tickle our brains by exploiting neural circuits that evolved to discern important features of our auditory environment. These special effects are similar in principle to 3-D art, motion pictures, or visual illusions, none of (C) | which / what | have been around long enough for our brains to have evolved special mechanisms to perceive them. Rather, 3-D art, motion pictures, and visual illusions leverage perceptual systems that are in place to accomplish other things. Because they use these neural circuits in novel ways, we find them especially interesting. The same is true of the way that modern recordings are made.

[고2 11월]

	(A)		(B)		(C)
①	why	·····	that	·····	which
②	why	·····	what	·····	which
③	why	·····	that	·····	what
④	which	·····	what	·····	what
⑤	which	·····	that	·····	which

2 다음 글의 밑줄 친 부분 중, 어법상 틀린 것은?

Psychologists Leon Festinger, Stanley Schachter, and sociologist Kurt Back began to wonder ① how friendships form. Why do some strangers build lasting friendships, while others struggle to get past basic platitudes? Some experts explained that friendship formation could be traced to infancy, ② where children acquired the values, beliefs, and attitudes that would bind or separate them later in life. But Festinger, Schachter, and Back pursued a different theory. The researchers believed ③ that physical space was the key to friendship formation; that "friendships are likely to develop on the basis of brief and passive contacts ④ made going to and from home or walking about the neighborhood." In their view, it wasn't so much that people with similar attitudes became friends, but rather that people ⑤ whom passed each other during the day tended to become friends and so came to adopt similar attitudes over time. [고2 6월]

---

1 tickle 즐겁게 하다 exploit 이용하다 neural circuit 신경 회로 evolve 발달시키다 discern 구분하다, 분간하다 feature 특징 auditory 청각의 motion picture 영화 visual illusion 착시 mechanism 메커니즘, 방법 leverage 이용하다 perceptual 지각의, 인식의 novel 새로운

2 lasting 지속되는 platitude 상투적인 말 formation 형성 trace 추적하다 attitude 태도 pursue 추구하다 passive 수동적인 adopt 받아들이다

3 (A), (B), (C)의 각 네모 안에서 어법에 맞는 표현으로 가장 적절한 것은?

Born in 1917, Cleveland Amory was an author, an animal advocate, and an animal rescuer. During his childhood, he had a great affection 3 for his aunt Lucy, (A) who / which was instrumental in helping Amory get his first puppy as a child, an event that Amory 6 remembered seventy years later as the most memorable moment of his childhood. He graduated from Harvard College in 1939 and 9 later became the youngest editor ever hired by *The Saturday Evening Post*. Amory wrote three instant bestselling books, including *The* 12 *Best Cat Ever*, based on his love of animals. He founded The Fund for Animals in 1967, and he served as its president, without pay, 15 until his death in 1998. He always dreamed of a place (B) which / where animals could roam free and live in caring conditions. Inspired by 18 Anna Sewell's novel *Black Beauty*, Amory established Black Beauty Ranch, a 1,460-acre area (C) that / where shelters various abused 21 animals including chimpanzees and elephants. Today, a stone monument to Amory stands at Black Beauty Ranch. [고2 9월]   24

	(A)		(B)		(C)
①	who	·····	which	·····	that
②	which	·····	where	·····	that
③	who	·····	where	·····	that
④	which	·····	where	·····	where
⑤	who	·····	which	·····	where

4 다음 글의 밑줄 친 부분 중, 어법상 틀린 것은?

The practice of medicine has meant the average age ① to which people in all nations may expect to live is higher than it has been in recorded 3 history, and there is a better opportunity than ever for an individual to survive serious disorders such as cancers, brain tumors and 6 heart diseases. However, longer life spans mean more people, ② worsening food and housing supply difficulties. In addition, medical services 9 are still not well ③ distributed, and accessibility remains a problem in many parts of the world. Improvements in medical technology ④ shift 12 the balance of population (to the young at first, and then to the old). They also tie up money and resources in facilities and trained people, 15 costing more money, and affecting ⑤ that can be spent on other things. [고2 3월]

---

3 advocate 옹호자   rescuer 구조자   affection 애정   instrumental 중요한   editor 편집자   found 설립하다   roam 돌아다니다
conditions 환경(*pl.*)   shelter 보호하다   abuse 학대하다   monument 기념비

4 practice of medicine 의료 행위   mean (어떤 결과를) 의미하다, (결국) ~하게 되다   average 평균의   disorder 장애   brain tumor 뇌종양
life span 수명   distribute 분배하다   accessibility 접근성   tie up 묶다   train 훈련시키다   affect 영향을 미치다

1 다음 글을 읽고, 물음에 답하시오.

The liberalization of capital markets, (a) <u>투자를 위한 자금이 빌려</u> <u>질 수 있는 곳인</u>, (b) <u>have</u> been an important contributor to the pace of globalization. Since the 1970s there has been a trend towards a freer flow of capital across borders. Current economic theory suggests that this should aid development. (c) <u>개발도상국은 그것으로</u> <u>성장에 투자하기에 제한된 국내 저축을 가지고 있다</u> and liberalization allows them to tap into a global pool of funds. A global capital market also allows investors greater scope to manage and spread their risks. However, some say that a freer flow of capital has raised the risk of financial instability. The East Asian crisis of the late 1990s came in the wake of this kind of liberalization. Without a strong financial system and a sound regulatory environment, capital market globalization can sow the seeds of instability in economies rather than growth. [고2 11월]

VOCA

1 liberalization 자유화
  capital market 자본 시장
2 contributor 기여자
3 globalization 세계화
4 border 국경
5 aid 도움이 되다
7 tap into ~을 이용하다
8 scope 범위
  spread 분산하다
10 instability 불안정성
11 in the wake of ~의 결과로
12 sound 건전한
  regulatory 규제력을 지닌

학교시험 서술형 단골 문제 감 잡기

어법+ 01
영작 밑줄 친 (a)와 같은 뜻의 관계사절이 되도록 주어진 단어들을 알맞은 순서로 배열하시오.
(can / borrowed / where / investment / be / funds for)

어법 02
파악 밑줄 친 (b)를 어법에 맞게 고치고, 그 이유를 서술하시오.

어법+ 03
영작 밑줄 친 (c)를 다음 조건에 맞게 완성하시오.
〈조건〉 • 「전치사 + 관계대명사」를 사용할 것
         • limited domestic savings를 포함하여 5단어로 쓸 것

Developing countries have _____ to invest in growth

2 다음 글을 읽고, 물음에 답하시오.

In the early 2000s, British psychologist Richard Wiseman performed a series of experiments with people (a) who / whom viewed themselves as either 'lucky'(they were successful and happy, and events in their lives seemed to favor them) or 'unlucky'(life just seemed to go wrong for them). (b) 그가 발견한 것은 '운이 좋은' 사람들은 기회를 포착하는 것을 잘한다는 것이었다. In one experiment he told both groups to count the number of pictures in a newspaper. The 'unlucky' diligently ground their way through the task; the 'lucky' usually noticed that the second page contained an announcement that said: "Stop counting — there are 43 photographs in this newspaper." On a later page, the 'unlucky' were also too busy counting images to spot a note reading: "Stop counting, tell the experimenter you have seen this, and win $250." Wiseman's conclusion was that, when faced with a challenge, 'unlucky' people were (c) more / less flexible. They focused on a specific goal, and failed to notice that other options were passing them by. [고2 6월]

VOCA

2 a series of 일련의

3 view A as B
  A를 B로 간주하다

4 favor ~에 유리하다, 편들다

8 diligently 부지런히, 열심히
  grind 기를 쓰고 하다

9 contain 포함하다

14 be faced with ~에 직면하다

15 flexible 유연한, 융통성이 있는
  focus on ~에 초점을 맞추다

학교시험 서술형 단골 문제 감 잡기

어법 파악 **01** (a)의 네모 안에서 어법상 맞는 것을 고르고, 그 이유를 서술하시오.

어법+ 영작 **02** 밑줄 친 (b)와 같은 뜻이 되도록 주어진 단어들을 알맞은 순서로 배열하시오.

(the 'lucky' people / he found / that / were / was / good at / what / spotting opportunities)

내용 파악 **03** 글의 내용상 (c)의 네모 안에서 알맞은 것을 고르시오.

Point 1 접속사와 전치사
Point 2 접속사 that과 관계대명사 that / what
Point 3 병렬구조
Point 4 명사절을 이끄는 접속사와 부사절을 이끄는 접속사

결 정 적
출제 어법

1 접속사의 자리와 전치사의 자리　Point 1

He failed in the exam despite / **though** he made the efforts.
He failed in the exam **despite** / though the efforts.

↰ 접속사 뒤에는 절, 전치사 뒤에는 명사(구)가 와!

2 접속사와 관계대명사의 구분　Point 2

I know **that** / what the movie is exciting.
I know a movie **that** / what is exciting.

↰ 접속사 뒤에는 완전한 형태의 절, 관계대명사 뒤에는 불완전한 형태의 절이 와!

3 앞뒤가 같은 모양인 병렬구조　Point 3

Will you go there by bus or train / **by train**?
We can either stay here or **leave** / leaving now.

↰ 접속사를 기준으로 어느 요소가 병렬구조를 이루는지 확인해야 해.

어법 기본 다지는

\ 등위접속사와 상관접속사

• 등위접속사는 단어와 단어, 구와 구, 절과 절을 연결하는 접속사로, 병렬구조를 이룬다.

and (그리고)	or (또는, 그렇지 않으면)	but (그러나)	yet (그러나)	so (그래서)

• 상관접속사는 두 개 이상의 어구가 짝을 이루어 접속사 역할을 하며, 병렬구조를 이룬다.

both A and B (A와 B 둘 다)	either A or B (A 또는 B)	neither A nor B (A도 B도 아닌)
not A but B (A가 아니라 B)	not only A but (also) B = B as well as A (A뿐만 아니라 B도)	

CHECK-UP 접속사에 밑줄을 치시오.

1 This book is very informative and interesting.

2 Movie theater normally prohibits taking pictures or making video recordings.

3 It seems to be simple to take good care of health, yet it is a difficult task.

4 I'm sorry but I have to go now.

\ 종속접속사

• 종속접속사는 주절과 주절에 의미상 종속되는 종속절(명사절, 부사절)을 연결하는 접속사이다.

〈명사절 접속사〉

주어, 목적어, 보어 역할	that, if, whether, 의문사

〈부사절 접속사〉

시간	when, while, as, since, till, until, before, after, as soon as 등
이유	because, as, since 등
결과	so ~ (that) ..., such ~ (that) ... 등
목적	so that ~, in order that 등
조건	if, in case, unless 등
양보	though, although, even if, even though, while 등

CHECK-UP 종속절에 밑줄을 치고, 명사절인지 부사절인지 쓰시오.

1 It does not matter whether you agree with me or not.

2 It is certain that he can play the violin.

3 I heard a loud noise as I entered the room.

4 If it is sunny tomorrow, I'll take you to the park.

Point ❶ 접속사와 전치사

Power companies sometimes have trouble meeting demand during / while peak usage
전치사   명사(구)

periods.¹ [고2 6월]

This practice forces you to have a different inner life experience, because of / **since** you
접속사   절: 주어

will, in fact, be listening more effectively.² [고2 6월]
동사

• 접속사는 뒤에 「주어 + 동사」 형태의 절이 오고, 전치사는 뒤에 명사(구)나 동명사(구)가 온다.

> 접속사 + 절(주어+동사 ~)
> 전치사 + 명사(구)

접속사	전치사
though, although	despite / in spite of
because / since	because of / due to
while	during / for

Point ❷ 접속사 that과 관계대명사 that / what

They focused on a specific goal, and failed to notice [**that** / what other options were
접속사 that   주어   동사

passing them by].³ [고2 6월]
목적어 → 완전한 문장 구조

The immune system remembers the molecular equipment [**that** / what it developed for
선행사   관계대명사 that   주어   동사

that particular battle].⁴ [고2 6월]
→ 목적어가 없는 불완전한 문장 구조

[That / **What** he found] was [**that** the 'lucky' people were good at spotting opportunities].⁵
선행사를 포함하는 관계대명사 what   접속사 that   주어   동사   보어
→ 목적어가 없는 불완전한 문장 구조   → 완전한 문장 구조

[고2 6월]

• 접속사 that: 뒤에 「주어+동사+~ (보어/목적어 등)」 형태의 완전한 절이 온다.
• 관계대명사 that: 선행사가 있고, 뒤에 불완전한 형태의 절이 온다.
• 관계대명사 what: 선행사가 없고, 뒤에 불완전한 형태의 절이 온다.

접속사 that	관계대명사 that	관계대명사 what
I know [**that** he was a detective]. 접속사 주어 동사 보어	I know a man [**that** loves to travel]. 선행사 관계대명사 동사 목적어	I know [**what** you think]. 관계대명사 주어 동사
완전한 형태의 절	불완전한 형태의 절(주어 없음)	불완전한 형태의 절(목적어 없음)
know의 목적어로 쓰인 명사절	앞의 명사를 수식하는 형용사절	know의 목적어로 쓰인 명사절

1 전력 회사들은 때때로 최고 사용 기간 동안 수요를 충족시키는 것에 어려움을 겪는다.   2 이 실천은 당신이 다른 내적 삶의 경험을 갖도록 강요하는데, 왜냐하면 사실상 당신이 더욱 효과적으로 들을 것이기 때문이다.   3 그들은 특정한 목표에 초점을 맞추었고, 다른 선택지들이 그들을 지나쳐 가고 있다는 것을 깨닫는 데 실패했다.   4 면역 체계는 그 특정한 전투를 위해 발달시켰던 분자 장비를 기억한다.   5 그가 발견한 것은 '운이 좋은' 사람들은 기회를 발견하는 데 능숙하다는 것이었다.

다음 중 어법상 적절한 표현을 고르시오.

1 You need to adapt, | because / because of | those who don't adapt won't make it very far. [고2 6월]

adapt 적응하다

2 Such practices may be suggested to athletes | because / because of | their real or perceived benefits by individuals who excelled in their sports. [고2 3월]

athlete 운동선수
perceive 인식하다
excel 뛰어나다

3 I grew anxious | since / due to | the time for surgery was drawing closer. [고2 3월 응용]

anxious 걱정하는
surgery 수술

4 | Although / Despite | predictability is reassuring, the brain strives to incorporate new facts into its model of the world. [고2 11월]

predictability 예측 가능성
reassuring 안심시키는
strive to ~하려고 애쓰다
incorporate 포함하다

5 To feel | that / what | you're not alone, you don't need a whole crowd to join you. [고2 6월]

crowd 군중, 무리들

6 We are mostly doing | that / what | we intend to do, even though it's happening automatically. [고2 3월]

automatically 자동으로

7 Younger males will try to challenge the older ones for space by mimicking the song | that / what | the older males are singing. [고2 3월]

mimic 흉내를 내다

8 He told a bunch of healthy undergraduates | that / what | he was testing their language abilities. [고2 11월]

bunch (한 무리의) 사람들
undergraduate 대학생

기출문장으로 *실전어법* 개념잡기

Point ③ 병렬구조

Tom clapped **and** cheered and look / **looked** like he could barely keep himself from
　　　　　 과거형　　　　 과거형　　　　　　 과거형

running up to hug her.¹ [고2 3월]

Verbal and nonverbal signs are **not only** relevant **but also** **significant** / significantly to
　　　　　　　　　　　　　　　　 not only　 A (형용사)　 but also　 B (형용사)

intercultural communication.² [고2 9월]

• 등위접속사 또는 상관접속사로 연결되는 단어, 구, 절은 같은 문법적 형태와 기능으로 연결되어 병렬구조를 이룬다.

〈등위접속사의 병렬구조〉　　　　　　　　　　　〈상관접속사의 병렬구조〉

A = B

A	and but or	B

A = B

both		and	
either		or	
neither	A	nor	B
not		but	
not only		but (also)	

* 반복되는 조동사, to부정사의 to, 진행이나 완료 시제의 be동사나 have는 생략될 수 있다.

Studies have shown that brains continue to mature and (to) develop throughout adolescence and well into early adulthood.

Point ④ 명사절을 이끄는 접속사와 부사절을 이끄는 접속사

[What / **Whether** someone does or doesn't] is a function of environment, life
　주어 역할을 하는 명사절 '~인지 아닌지'

experiences, and personal choices.³ [고2 3월]

The thought [**that** / what I could meet Evelyn soon] lightened my walk.⁴ [고2 3월]
　　　　　　 └ = ┘ 동격의 that

[**If** / Unless you simply don't have someone you can ask to do it], you can have your
　조건을 나타내는 부사절 '만약 ~라면' cf. unless = if ~ not

computer read your essay to you.⁵ [고2 3월]

• 명사절을 이끄는 접속사: that, if, whether 등이 있으며, 명사절은 문장에서 주어, 목적어, 보어 역할을 한다.
• 동격의 that: that절이 앞에 오는 명사를 구체적으로 설명할 때 이를 동격이라고 한다. 동격에 자주 사용되는 명사에는 fact, idea, belief, thought, rumor, hope 등이 있다.
• 부사절을 이끄는 접속사: 부사절은 시간, 이유, 결과, 목적, 조건, 양보 등의 의미를 나타내는 부사 역할을 하는 절로, 주절의 앞 또는 뒤에 위치한다.

〈부사절을 이끄는 접속사〉

시간	when, while, as, since, till, until, before, after 등	이유	because, as, since 등
결과	so ~ (that) ..., such ~ (that) ... 등	목적	so that ~, in order that 등
조건	if, in case, unless 등	양보	though, although, even if, even though, while 등

1 Tom은 박수를 치고 환호성을 질렀고, 달려와 그녀를 껴안는 것을 간신히 참는 것처럼 보였다.　　2 언어적, 비언어적 신호들은 문화 간 의사소통과 관계있을 뿐만 아니라 문화 간 의사소통에 있어서 중요하다.　　3 누군가가 하느냐 하지 않느냐 하는 것은 환경, 인생 경험, 그리고 개인적인 선택 사이의 함수이다.　　4 Evelyn을 곧 만날 수 있다는 생각이 나의 발걸음을 가볍게 했다.　　5 그것을 해달라고 요청할 수 있는 누군가가 전혀 없다면, 컴퓨터가 당신의 에세이를 당신에게 읽어 주도록 할 수 있다.

다음 중 어법상 적절한 표현을 고르시오.

✓ **VOCA**

1 Other behavioral options include making loud noises, retreating into a shell, rolling into a tight ball, or [rely / relying] on safety in numbers by living in a group. [고2 11월 응용]

behavioral 행동의
retreat 후퇴하다
rely on ~에 의존하다

2 Marketing management is concerned not only with finding and increasing demand but also [with changing / change] or even reducing it. [고2 6월]

demand 수요
be concerned with ~에 관계가 있다

3 Alexandra uses both her phone and tablet to surf the Internet, write emails and [checks / check] social media. [고2 11월]

surf 검색하다

4 The original idea of a patent, remember, was not to reward inventors with monopoly profits, but [encouraged / to encourage] them to share their inventions. [고2 9월]

patent 특허권
reward 보상하다
monopoly 독점

5 [Until / Because] they use these neural circuits in novel ways, we find them especially interesting. [고2 11월]

neural circuit 신경 회로
novel 새로운, 신기한

6 As he watched Julia swim away, he had a sense [whether / that] things might not go well for her so he decided to swim after her. [고2 6월]

sense 감각, 느낌, 기분

7 Because of this, many situations are considered a threat by our brains, [although / as] they are harmless to our survival. [고2 11월]

threat 위협
harmless 해가 없는
survival 생존

8 I'm writing to ask [if / that] you could possibly do me a favour. [고2 3월]

favour 부탁

정답과 해설 **p. 42**

다음 중 어법상 적절한 표현을 고르시오.

✅ VOCA

1 고2 3월	The china bowl is beautiful because / because of sooner or later it will break.

china 자기 (그릇)
sooner or later 조만간

2 고2 6월	A study of the history reveals that / what mathematicians had thought of all the essential elements of calculus before Newton or Leibniz came along.

reveal 드러내다, 밝히다
calculus 미적분학

3 고2 11월	A vast academic literature provides empirical support for the thesis that / which it pays to be green.

empirical 경험에 의거한
thesis 논지, 논제
pay (~에게) 이득이 되다

4 고2 3월	The number of natural disasters in Asia was the largest of all five regions and accounts / accounted for 36 percent.

natural disaster 자연재해
region 지역, 지방
account for 차지하다

다음 밑줄 친 부분이 어법상 맞으면 ○표 하고, 틀리면 바르게 고치시오.

5 고2 6월	The development of writing was pioneered not by gossips, storytellers, or poets, <u>but by accountants</u>.

pioneer 개척하다
gossip 험담꾼
accountant 회계사

6 고2 3월	<u>Despite</u> all the talk of how weak intentions are in the face of habits, it's worth emphasizing that much of the time even our strong habits do follow our intentions.

intention 의도
it's worth -ing ~할 가치가 있다
emphasize 강조하다

7 고2 3월	We are concerned <u>what</u> we have not heard from you since we sent you the selections you chose when you joined the Club.

selection 선택(된 것)

정답과 해설 **p. 42**

다음 글의 네모 안에서 어법상 적절한 표현을 고르시오.

✔ VOCA

1
고1 9월

The delivery of your desk will take longer than expected (A) because / due to the damage that occurred (B) while / during the shipment from the furniture manufacturer to our warehouse. We have ordered an exact replacement from the manufacturer, and we expect (C) that / what delivery will take place within two weeks.

manufacturer 제조사
warehouse 창고
replacement 대체품

2
고2 6월

Psychologists Leon Festinger, Stanley Schachter, and sociologist Kurt Back began to wonder how friendships form. Why do some strangers build lasting friendships, (A) while / if others struggle to get past basic platitudes? Some experts explained (B) that / what friendship formation could be traced to infancy, where children acquired the values, beliefs, and attitudes that would bind or separate them later in life.

struggle 고군분투하다
platitude 상투적인 말, 진부한 이야기
formation 형성
be traced to ~으로 거슬러 올라가다
infancy 유아기

다음 글의 밑줄 친 부분 중, 어법상 틀린 것을 고르시오.

3
고2 6월
응용

The study of comparative cultures has taught us ① that people in different cultures learn different cultural content and that they ② accomplish this with similar efficiency. The traditional Hadza hunter has not learned algebra ③ because of such knowledge would not particularly enhance his adaptation to life in the East African grasslands. However, he would know how to track a wounded bush buck ④ that he has not seen ⑤ for three days and where to find groundwater.

accomplish 성취하다
efficiency 효율성
algebra 대수학
enhance 높이다, 향상시키다
adaptation 적응
bush buck 부시벅(남아프리카 영양)
groundwater 지하수

1 (A), (B), (C)의 각 네모 안에서 어법에 맞는 표현으로 가장 적절한 것은?

When we read a number, we are more influenced by the leftmost digit than by the rightmost, (A) since / because of that is the order in which we read, and process, them. The number 799 feels significantly less than 800 because we see the former as 7-something and the latter as 8-something, whereas 798 feels pretty much like 799. Since the nineteenth century, shopkeepers have taken advantage of this trick by choosing prices ending in a 9, to give the impression (B) what / that a product is cheaper than it is. Surveys show that around a third to two-thirds of all retail prices now end in a 9. (C) Though / Despite we are all experienced shoppers, we are still fooled. In 2008, researchers at the University of Southern Brittany monitored a local pizza restaurant that was serving five types of pizza at €8.00 each. When one of the pizzas was reduced in price to €7.99, its share of sales rose from a third of the total to a half. [고1 11월]

	(A)		(B)		(C)
①	since	·····	what	·····	Though
②	since	·····	that	·····	Despite
③	since	·····	that	·····	Though
④	because of	·····	what	·····	Though
⑤	because of	·····	that	·····	Despite

2 다음 글의 밑줄 친 부분 중, 어법상 틀린 것은?

For several years much research in psychology was based on the assumption ① that human beings are driven by base motivations such as aggression, egoistic self-interest, and the pursuit of simple pleasures. ② Since many psychologists began with that assumption, they inadvertently designed research studies ③ that supported their own presuppositions. Consequently, the view of humanity that prevailed in psychology was that of a species barely keeping its aggressive tendencies in check and ④ manage to live in social groups more out of motivated self-interest than out of a genuine affinity for others or a true sense of community. Both Sigmund Freud and the early behaviorists led by John B. Watson believed ⑤ that humans were motivated primarily by selfish drives. From that perspective, social interaction is possible only by exerting control over those baser emotions and, therefore, it is always vulnerable to eruptions of violence, greed, and selfishness. [고2 11월]

---

1 leftmost 제일 왼쪽의   digit 수   rightmost 제일 오른쪽의   order 순서   process 처리하다   significantly 현저히   whereas 반면에   take advantage of ~을 이용하다, ~을 기회로 활용하다   impression 인상   reduce 줄이다, 인하하다

2 assumption 가정   base 열등한, 천한   aggression 공격   egoistic 이기적인   pursuit 추구   inadvertently 무심코   presupposition 가정, 예상   prevail 우세하다   keep ~ in check ~을 억제하다   genuine 진짜의, 진정한   affinity 친밀감   exert 발휘하다   vulnerable 취약한   eruption 분출

3 다음 글의 밑줄 친 부분 중, 어법상 <u>틀린</u> 것은?

When you enter a store, what do you see? It is quite likely that you will see many options and choices. It doesn't matter ① <u>whether</u> you want to buy tea, coffee, jeans, or a phone. In all these situations, we are basically flooded with options ② <u>from which</u> we can choose. What will happen if we ask someone, whether online or offline, ③ <u>what</u> he or she prefers having more alternatives or less? The majority of people will tell us that they prefer having more alternatives. This finding is interesting ④ <u>because</u>, as science suggests, the more options we have, the harder our decision making process will be. The thing is ⑤ <u>that</u> when the amount of options exceeds a certain level, our decision making will start to suffer. [고2 9월]

4 (A), (B), (C)의 각 네모 안에서 어법에 맞는 표현으로 가장 적절한 것은?

We like to make a show of how much our decisions are based on rational considerations, but the truth is (A) that / what we are largely governed by our emotions, which continually influence our perceptions. What this means is that the people around you, constantly under the pull of their emotions, change their ideas by the day or by the hour, depending on their mood. You must never assume that what people say or do in a particular moment is a statement of their permanent desires. Yesterday they were in love with your idea; today they seem cold. This will confuse you and (B) if / unless you are not careful, you will waste valuable mental space trying to figure out their real feelings, their mood of the moment, and their fleeting motivations. It is best to cultivate both distance and a degree of detachment from their shifting emotions (C) in case / so that you are not caught up in the process. [고1 11월]

	(A)		(B)		(C)
①	that	⋯⋯	if	⋯⋯	in case
②	that	⋯⋯	if	⋯⋯	so that
③	that	⋯⋯	unless	⋯⋯	so that
④	what	⋯⋯	if	⋯⋯	so that
⑤	what	⋯⋯	unless	⋯⋯	in case

---

3 option 선택 사항   matter 중요하다   flood 넘치게 하다   alternative 선택 가능한 것, 대안   decision making 의사 결정   exceed 초과하다

4 make a show of ~을 (자랑삼아) 보여 주다   rational 이성적인   govern 지배하다   perception 인지, 인식   assume 가정하다
permanent 영구적인   figure out 알아내다   fleeting 빨리 지나가는, 무상한   a degree of 어느 정도의   detachment 초연함, 분리
shifting 변화하는

1 다음 글을 읽고, 물음에 답하시오.

What we need in education is not measurement, accountability, or standards. (a) Despite / While these can be useful tools for improvement, they should hardly occupy center stage. Our focus should instead be on making sure we are giving our youth an education that is going to arm them to save humanity. We are faced with unprecedented perils, and these perils are multiplying and (b) pushes at our collective gates. We should be bolstering curriculum that helps young people mature into ethical adults who feel a responsibility to the global community. Without this sense of responsibility we have seen that many talented individuals give in to their greed and pride, and this destroys economies, ecosystems, and entire species. While we certainly should not abandon efforts to develop standards in different content areas, and also strengthen the STEM subjects, we need to take seriously our need for an education centered on global responsibility. (c) 만일 우리가 하지 않으면, 우리는 멸종의 위험에 놓이게 된다. [고2 9월]

VOCA

1 measurement 측정
   accountability 책무성
3 occupy 차지하다

5 arm 무장하다, 대비하다
6 unprecedented 전례 없는
   peril 위기
7 collective 공동의
   bolster 강화하다
10 give in to ~에 굴복하다

12 abandon 버리다, 포기하다

16 extinction 멸종
   risk ~의 위험을 무릅쓰다

학교시험 서술형 단골 문제 감 잡기

어법 파악 01 (a)의 네모 안에서 어법상 맞는 것을 고르고, 그 이유를 서술하시오.

어법 파악 02 밑줄 친 (b)를 어법에 맞게 고치시오.

어법+영작 03 밑줄 친 (c)와 같은 뜻이 되도록 주어진 단어들을 알맞은 순서로 배열하시오.
(risk / don't, / we / extinction / we / if)

2 다음 글을 읽고, 물음에 답하시오.

David Stenbill, Monica Bigoutski, Shana Tirana. I just made up these names. If you encounter any of them within the next few minutes, you are likely to remember where you saw them. You know, and will know for a while, (a) <u>what</u> these are not the names of minor celebrities. But suppose that a few days from now you are shown a long list of names, including those of some minor celebrities and "new" names of people that you have never heard of; your task will be to check every name of a celebrity on the list. There is a substantial probability (b) <u>which / that</u> you will identify David Stenbill as a well-known person, (c) 비록 여러분이 그의 이름을 접했는지 모른다 하더라도 in the context of movies, sports, or politics. How does this happen? Start by asking yourself how you know whether or not someone is famous. In some cases of truly famous people, you have a mental file with rich information about a person — think Albert Einstein, Michael Jackson, or Hillary Clinton. But you will have no file of information about David Stenbill if you encounter his name in a few days. All you will have is a sense of familiarity.

[고2 6월 응용]

VOCA

1 make up 만들다
2 encounter 접하다, 마주치다

5 celebrity 유명 인사

9 substantial 상당한
   identify 인식하다, 식별하다
11 politics 정치

14 rich 풍부한

17 familiarity 친숙함

＼ 학교시험 서술형 단골 문제 감 잡기

**어법
파악** **01** 밑줄 친 (a)를 어법에 맞게 고치고, 그 이유를 서술하시오.

**어법
파악** **02** (b)의 네모 안에서 어법상 맞는 것을 고르시오.

**어법+
영작** **03** 밑줄 친 (c)와 일치하도록 괄호 안의 어구를 바르게 배열하시오.

(you / although / will not / encountered / whether / know / his name / you)

한컷
명언

가장 간결한 대답은
행동하는 것이다.

어니스트 헤밍웨이

The shortest answer is doing the thing.

Ernest Hemingway

PART 4 | 품사

수능 모의고사
기출어법
항목별 빈도수

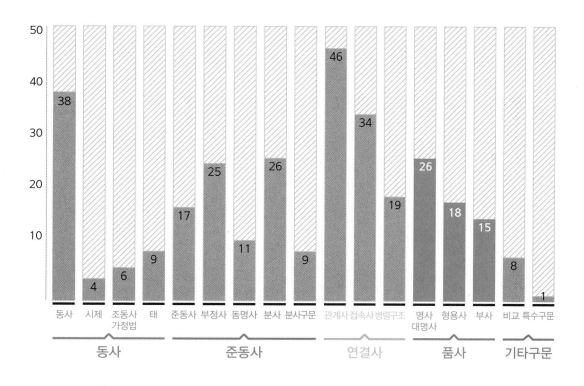

결 정 적
출제 어법

1 셀 수 있는 명사 vs. 셀 수 없는 명사 `Point 1`

There **is** / are too many / **much** information at the same time.

↳ 명사의 종류를 파악해서 단 / 복수형 및 수식어를 판단하자.

2 지시대명사 vs. 부정대명사 `Point 3`

Which restaurant are you likely to enter, empty it / **one** or other / **the other** one?

↳ 바로 그것을 가리키면 지시대명사 it, 같은 종류를 가리키면 부정대명사 one.
둘 중 하나는 one, 나머지 하나는 the other.

3 목적어 = 주어 → 재귀대명사 `Point 4`

The 6-year-olds spoke to them / **themselves** reminding the treats they'll get.

↳ 자기 자신이 목적어일 때는 재귀대명사를 써.

명사

- 명사는 사람, 사물, 개념 등의 이름을 나타내는 말로, 문장에서 주어, 목적어, 보어 등의 역할을 한다.
- 셀 수 있는 명사는 부정관사 a(an)와 함께 쓸 수 있고, -e(s)를 붙여 복수형을 만든다.
- 셀 수 없는 명사는 부정관사 a(an)와 함께 쓸 수 없고, 복수형이 없다.
- 명사의 수량 표현

	많은		약간의, 조금 있는		거의 없는	전혀 없는
셀 수 있는 명사	many	a lot of	a few	some(긍정문, 권유문)	few	no
셀 수 없는 명사	much		a little	any(부정문, 의문문)	little	

CHECK-UP 네모 안에서 알맞은 것을 고르시오.

1 If you want more information / informations , visit our website at www.miltondance.com.

2 Consumer / Consumers are generally uncomfortable with taking high risks.

3 There were some who spent their few / little precious free hours reading books.

4 Stay in the room for a few / a little minutes, and the smell will seem to disappear.

대명사

- 대명사는 사람, 사물, 개념 등의 이름을 대신하거나 명사의 반복을 피하기 위해 사용하며, 인칭대명사, 지시대명사, 부정대명사 등이 있다.
- 인칭대명사: 사람이나 사물을 지칭하는 데 사용하는 대명사로, 인칭에 따라 수와 격이 다르다.

　　　it은 비인칭 주어, 가주어, 가목적어로 쓰이며, 「It ~ that」 강조구문에도 쓰인다.

　재귀대명사: 재귀 용법 – 동사나 전치사의 목적어 역할을 하며, 생략할 수 없다.

　　　강조 용법 – 주어나 목적어를 강조하며, 생략할 수 있다.

- 지시대명사: this/these, that/those 등이 있으며, 선행 명사의 수에 알맞게 사용한다.
- 부정대명사: 특정한 사람이나 사물을 대신하지 않고 불특정한 것을 지칭할 때 사용하는 대명사이다.

　　　one/other/another, some/any, all/each, both, either/neither ...

CHECK-UP 대명사를 모두 찾아 밑줄을 치고, 대명사의 종류를 쓰시오.

1 Get to really know yourself and learn what your weaknesses are.

2 One is happening in the foreground and the other in the background.

3 The percentage of female respondents was twice as high as that of male respondents.

기출문장으로 실전어법 개념잡기

Point ❶ 셀 수 있는 명사, 셀 수 없는 명사

Farmers located a few on their land, broke the dinosaur bones into pieces, and made

many / **much** money.¹ [고2 9월 응용]
　　　　　셀 수 없는 명사

In fact, koalas spend **little** / few time thinking; their brains actually appear to have
　　　　　　　　　　　　　셀 수 없는 명사

shrunk over the last little / **few** centuries.² [고2 3월]
　　　　　　　　　　　　셀 수 있는 명사의 복수형

The number of natural disasters in Asia **was** / were the largest of all five regions and
　　　단수 주어　　　　　　　　　　　　　　단수 동사

accounted for 36 percent.³ [고2 3월]

• 셀 수 없는 명사는 단수 취급하여 단수 동사가 온다.　　• 셀 수 있는 명사와 셀 수 없는 명사의 수식어가 다르다.

셀 수 있는 명사	many	a few	few	a (great) number of	a lot of, lots of, plenty of,
셀 수 없는 명사	much	a little	little	an(a) (great) amount(deal) of	some / any, no

cf. the number of는 '~의 수'라는 의미로, 뒤에 복수 명사가 와도 단수 취급

• 의미에 따라 단수형 혹은 복수형으로 쓰는 명사

－ room ┌ 방: 복수형 가능　　　－ work ┌ 작품: 복수형 가능　　　－ paper ┌ 보고서: 복수형 가능
　　　　└ 공간: 항상 단수형　　　　　　　└ 일: 항상 단수형　　　　　　　　└ 종이: 항상 단수형

• 항상 단수 취급하는 명사: advice, information, money, news, equipment, luggage, furniture, machinery, scenery, access ...

Point ❷ 명사와 대명사의 일치

We recognize and understand information but can't recall **it** / them when we need
　　　　　　　　　　　　　선행 명사　　　　　　　　　　　단수 대명사

it / them.⁴ [고2 11월]
단수 대명사

An old woman gave me the whole loaf saying my need was greater than her / **hers**.⁵
　　　　주어　　　　　　　　　　　　　　　　　　　　　　　소유대명사(= her need)
　　　　　　　　　　　　　　　　　　　　　　　　　　　　　　[고2 11월 응용]

Most of his landscapes were done in shades of black, but a few had light washes of color
　　　　선행 명사

added to it / **them**.⁶ [고2 6월]
　　　　복수 대명사

• 명사와 대명사의 일치란 앞에 나온 명사와 이를 대신하는 대명사의 성, 수, 격, 인칭을 일치시키는 것을 말한다.
• 「all / most / some of + 명사」의 경우 뒤에 오는 명사의 수에 따라 이어지는 대명사의 수를 일치시킨다.

---

1 농부들은 그들의 토지에서 몇 개를 찾아내어 그것들을 조각으로 부수고 많은 돈을 벌었다.　　2 사실 코알라는 생각을 하는 데에 시간을 거의 사용하지 않는데, 그것들의 뇌는 실제로 지난 몇 세기 동안 크기가 줄어든 것처럼 보인다.　　3 다섯 지역 중 아시아의 자연재해 횟수가 가장 많았으며, 36%를 차지했다.　　4 우리는 정보를 인식하고 이해하지만 그것을 필요로 할 때 그것을 기억해 내지 못할 수 있다.　　5 한 노부인이 나의 궁핍이 그녀의 궁핍보다 더 크다고 말하며 그 빵 덩어리 전부를 나에게 주었다.　　6 그의 풍경화 중 대부분은 검은 색조였지만, 일부에는 옅은 색이 더해지기도 했다.

다음 중 어법상 적절한 표현을 고르시오.

1 What would happen if you wanted a loaf of [bread / breads] and all you had to trade was your new car? [고2 6월]

trade 교환하다

2 Any manuscript that contains errors stands [little / few] chance at being accepted for publication. [고2 3월]

manuscript 원고
publication 출판

3 They often have plenty of [tortilla and bean / tortillas and beans], so they have sufficient protein, and they eat until full. [고2 9월]

tortilla 토르티야
sufficient 충분한
protein 단백질

4 I have included my class schedule and would be able to make arrangements for you at [few / any] time that you would be available. [고2 9월]

arrangement 준비, 계획
available 이용할 수 있는

5 You could cut the pie in [many / much] different ways, but [it / they] never got any bigger. [고2 3월]

6 Her point of view was different from [me / mine], and resulted in a different diagram of the classroom. [고2 3월]

result in 그 결과 ~하다
diagram 설계도

7 Adults behaved in similar ways regardless of whether [it / they] were on [its / their] own or observed by others. [고1 9월]

regardless of ~에도 불구하고
observe 관찰하다

8 The 8-year-olds focused on aspects of the marshmallows unrelated to taste, such as appearance, which helped [it / them] to wait. [고2 3월]

unrelated 관련 없는
appearance (겉)모습

Point ❸ 지시대명사, 부정대명사

None of those lies, however, convinced the king that he had listened to the best it / **one** .[1]

부정대명사 one(= a lie)

[고2 3월]

Why do some strangers build lasting friendships, while other / **others** struggle to get

(불특정 다수 중) 일부는   또 다른 일부는

past basic platitudes?[2] [고2 6월]

- 앞에 언급한 바로 그 사람이나 사물과 종류는 같으나 불특정한 대상을 지칭할 때는 부정대명사 one(s)을 쓴다.
- 지시대명사 this / these, that / those는 앞에 나온 명사의 반복을 피하기 위해 사용되며, 수 일치에 유의한다.
- 부정대명사의 쓰임

one ●	the other ▲		(둘 중) 하나는 ~ 나머지 하나는 …
one ●	another ●	the other ▲	(셋 중) 하나는 ~, 또 하나는 …, 나머지 하나는 -
one ●	the others ▲▲▲▲		(여럿 중) 하나는 ~, 나머지 전부는 …
some ●●	others ●●		(불특정 다수 중) 일부는 ~, 또 다른 일부는 …
some ●●	the others ▲▲▲▲		(특정 다수 중) 일부는 ~, 나머지 전부는 …

Point ❹ 인칭대명사, 재귀대명사

He pulled Jason out of his bed, opened the front door and threw **him** / himself out into

threw의 목적어가 주어 he와 다른 대상

the snow.[3] [고1 11월]

Let them know honestly how you are feeling and allow you / **yourself** some opportunities

allow의 목적어가 주어 you와 같은 대상

to avoid responsibility.[4] [고2 6월 응용]

- 동사나 전치사 뒤의 목적어가 주어와 같은 대상이면 재귀대명사를, 다른 대상이면 인칭대명사를 쓴다.
- 재귀대명사의 관용 표현
  - by oneself: 혼자
  - in itself: 본질적으로
  - for oneself: 스스로
  - enjoy oneself: 즐겁게 보내다
  - of itself: 저절로
  - kill oneself: 자살하다

1 그러나 그 거짓말 중 어느 것도 그 왕에게 그가 최고의 거짓말을 들었다는 확신을 주지 못했다. 2 왜 다른 이들은 기본적인 상투적인 말을 넘어서는 데 어려움을 겪는 반면, 몇몇 타인들은 지속적인 우정을 쌓을까? 3 그는 Jason을 그의 침대에서 끌어내려, 앞문을 열고 그를 눈 속으로 내쫓았다. 4 당신이 어떤 느낌이 드는지를 그들에게 솔직하게 알려서 스스로에게 책임감을 피할 수 있는 기회를 허용하라.

다음 중 어법상 적절한 표현을 고르시오.

✔ VOCA

1 Hearing the computer read your writing is a very different experience from reading it / one / them yourself. [고2 3월]

experience 경험

2 There is your safety to think about, as well as the safety of your loved them / ones . [고2 6월]

safety 안전

3 In 2017, travel and tourism directly contributed 5.71 million jobs in Latin America, which was over six times more than it / that / those of Oceania in 2017. [고1 11월]

contribute 제공하다

4 There is no evidence to suggest that people from some cultures are fast learners and people from other / others are slow learners. [고2 6월]

evidence 증거

5 The 6-year-olds spoke and sang to them / themselves , reminding them / themselves they would get more treats if they waited. [고2 3월]

remind 상기시키다
treat 대접, 한턱

6 In the summer after her seventh-grade year, Sloop attended a camp for gifted kids and surprised her / herself by participating in chorus. [고2 11월]

gifted 재능이 있는
participate 참여하다
chorus 합창단

7 They were happily reunited, and Harris is now working on his relationship with them / themselves . [고2 6월]

reunite 재회(재결합)하다

8 Mondrian limited him / himself mostly to the three primaries red, yellow and blue to fill his black-ruled grids. [고2 3월]

primary 원색
grid 격자무늬

정답과 해설 **p. 47**

다음 중 어법상 적절한 표현을 고르시오.

✔ VOCA

1
고2 6월

At only ☐ a little / a few ☐ degrees above or below normal body temperature our enzymes cannot function properly.

degree 도, 정도
enzyme 효소
function 기능하다

2
고2 11월

Architects, however, do not control how the residents of those buildings present ☐ them / themselves ☐ or see each other.

present 보여 주다
control 통제하다

3
고2 11월

When they arrived there, the farmer tied one end of the rope to the car and ☐ other / the other ☐ to the donkey.

tie 묶다
donkey 당나귀

4
고2 3월

We sense the need for ☐ a great deal of / a great number of ☐ admiring attention when we have been painfully exposed to earlier deprivation.

admiring 감탄하는
attention 관심
expose 노출시키다
deprivation 박탈감

다음 밑줄 친 부분이 어법상 맞으면 ○표 하고, 틀리면 바르게 고치시오.

5
고2 6월

Saying something aloud creates a more powerful memory than only thinking <u>one</u>.

memory 기억

6
고2 6월
응용

If you have a connection at another company, you can possibly ask your connection to push that company to do business with <u>your</u>, or to avoid a competitor.

connection 인맥
company 회사
competitor 경쟁자

7
고2 9월

A cat in a bathtub full of water will try to minimize <u>their</u> contact with <u>it</u> and behave very much like a solid.

minimize 최소화하다
solid 고체

다음 글의 네모 안에서 어법상 적절한 표현을 고르시오.

✓ VOCA

1
고2 6월

And (A) a number of / the number of studies suggest that the state of your desk might affect how you work, from the idea that disorderly environments produce creativity — to the idea that too (B) many / much mess can interfere with focus.

affect 영향을 미치다
disorderly 무질서한
creativity 창조성
mess 엉망, 지저분함
interfere 간섭하다, 개입하다

2
고2 6월

Thinking about your budget might make your palms sweat, or your mouth might water thinking about the last time you consumed the chicken noodle soup, or noting the excessive creaminess of the other soup might give (A) you / yourself a stomachache. You simulate your experience with one soup, and then (B) the other / other .

budget 예산
palm 손바닥
consume 먹다
excessive 과도한
creaminess 크림 같음
stomachache 복통
simulate 시뮬레이션 하다

다음 글의 밑줄 친 부분 중, 어법상 틀린 것을 고르시오.

3
고2 6월

Newton ① himself acknowledged this flowing reality when he wrote, "If I have seen farther than ② others it is because I have stood on the shoulders of giants." Newton and Leibniz came up with ③ his brilliant insight at essentially the same time because it was not a huge leap from what was already known. All creative people, even ④ ones who are considered geniuses, start as nongeniuses and take baby steps from there.

acknowledge 인정하다
come up with ~을 제시하다
insight 통찰력
essentially 근본적으로
leap 도약

1 (A), (B), (C)의 각 네모 안에서 어법에 맞는 표현으로 가장 적절한 것은?

We have to recognize that there always exists in us the strongest need to utilize *all* our attention. And this is quite evident in the great amount ₃ of (A) | displeasure / displeasures | we feel any time the entirety of our capacity for attention is not being put to use. When this is the case, ₆ we will seek to find outlets for our unused attention. If we are playing a chess game with a weaker opponent, we will seek to supplement ₉ this activity with (B) | another / other |: such as watching TV, or listening to music, or playing another chess game at the same time. Very ₁₂ often this reveals (C) | itself / themselves | in unconscious movements, such as playing with something in one's hands or pacing around ₁₅ the room; and if such an action also serves to increase pleasure or relieve displeasure, all the better. [고1 11월] ₁₈

	(A)	(B)	(C)
①	displeasure	...... another	...... itself
②	displeasure	...... another	...... themselves
③	displeasures	...... another	...... itself
④	displeasure	...... other	...... itself
⑤	displeasures	...... other	...... themselves

2 다음 글의 밑줄 친 부분 중, 어법상 틀린 것은?

"Survivorship bias" is a common logical fallacy. We're prone to listen to the success stories from survivors because ① the others aren't around to ₃ tell the tale. A dramatic example from history is the case of statistician Abraham Wald who, during World War II, was hired by the U.S. ₆ Air Force to determine how to make ② their bomber planes safer. The planes that returned tended to have bullet holes along the wings, ₉ body, and tail, and commanders wanted to reinforce those areas because ③ it seemed to get hit most often. Wald, however, saw that the ₁₂ important thing was that these bullet holes had not destroyed the planes, and what needed more protection were the areas that were not hit. ₁₅ ④ Those were the parts where, if a plane was struck by a bullet, it would never be seen again. His calculations based on that logic are still in ₁₈ use today, and they have saved ⑤ many pilots.

[고2 6월]

---

1 recognize 인식하다   utilize 활용하다   attention 주의력   evident 명백한   displeasure 불쾌감   entirety 전체   capacity 용량
outlet 배출구   opponent 상대방   supplement 보충하다   pace around 돌아다니다   relieve 완화하다

2 survivorship 생존   bias 편향   logical 논리적인   fallacy 오류   prone to ~하는 경향이 있는   tale 이야기   statistician 통계학자
determine 결정하다   bullet 총알   commander 지휘관   reinforce 강화하다   destroy 파괴하다   calculation 계산

3 다음 글의 밑줄 친 부분 중, 어법상 틀린 것은?

Although instances occur in which partners start their relationship by telling everything about ① themselves to each other, such instances are rare. In most cases, the amount of disclosure increases over time. We begin relationships by revealing relatively little about ② ourselves; then if our first bits of self-disclosure are well received and bring on similar responses from ③ the other person, we're willing to reveal more. This principle is important to remember. It would usually be a mistake to assume that the way to build a strong relationship would be to reveal the most private details about ④ yourself when first making contact with another person. Unless the circumstances are unique, such baring of your soul would be likely to scare potential partners away rather than bring ⑤ themselves closer. [고2 3월]

4 (A), (B), (C)의 각 네모 안에서 어법에 맞는 표현으로 가장 적절한 것은?

Your story is what makes (A) you / yourself special. But the tricky part is showing how special you are without talking about yourself. Effective personal branding isn't about talking about yourself all the time. Although everyone would like to think that friends and family are eagerly waiting by their computers hoping to hear (B) a / some news about what you're doing, they're not. Actually, they're hoping you're sitting by your computer, waiting for news about them. The best way to build your personal brand is to talk more about other people, events, and ideas than you talk about yourself. By doing so, you promote (C) his / their victories and their ideas, and you become an influencer. You are seen as someone who is not only helpful, but is also a valuable resource. That helps your brand more than if you just talk about yourself over and over. [고2 6월]

	(A)	(B)	(C)
①	you	a	his
②	you	some	his
③	you	some	their
④	yourself	a	their
⑤	yourself	some	their

---

3 instance 사례   occur 발생하다   rare 드문   disclosure 드러냄   reveal 드러내다   relatively 비교적   principle 원칙   assume ~라고 생각하다   detail 세부 사항   circumstance 상황   unique 독특한   bare 드러내다   potential 잠재적인

4 tricky 까다로운   personal branding 퍼스널브랜딩   eagerly 열망하여   promote 홍보하다   influencer 영향력 있는 사람   resource 자원

1 다음 글을 읽고, 물음에 답하시오.

Two students met their teacher at the start of a track through a forest. He gave them instructions to follow the path to its end, in preparation for a test later in the week. The path split into two: (a) 하나는 막힌 것이 없고 평탄했고, 다른 하나는 쓰러진 통나무들과 다른 장애물들이 길을 막고 있었다. The student who chose the easy path finished first and felt proud of himself. The second student arrived at the finish feeling tired and regretting the path he had chosen. The teacher smiled at them both. He requested that they join him at a specific location in three days. When they arrived, (b) they could see a ravine that was a little meters wide. The students looked at their teacher and he said just one word. "Jump!" The first student looked at the distance and his heart sank. The student shrugged his shoulders and walked away, knowing he hadn't prepared adequately for greatness. The second student looked at the teacher and smiled. He knew now that the obstacles that had been placed in his path were part of his preparation. By choosing to overcome challenges, not avoid them, he was ready to make the leap. He ran as fast as he could and (c) 자신을 공중으로 내던졌다. He made it across!

[고1 9월 응용]

VOCA

2 instruction 지시
3 preparation 준비
  split 나누어지다

9 location 장소
10 ravine 협곡

12 sink 가라앉다(-sank-sunk)
  shrug (어깨를) 으쓱하다
14 adequately 적절하게
  greatness 위대함
16 overcome 극복하다
17 leap 도약
18 launch 내던지다

학교시험 서술형 단골 문제 감 잡기

어법+ 01
영작
밑줄 친 (a)와 같은 뜻이 되도록 주어진 단어들을 알맞은 순서로 배열하시오.

(one / the other / clear and smooth, / had / was / fallen logs and / in the way / other obstacles)

어법 02
파악
밑줄 친 (b)에서 어법상 틀린 부분을 찾아 바르게 고쳐 쓰고, 그 이유를 서술하시오.

어법+ 03
영작
밑줄 친 (c)를 다음 조건에 맞게 영작하시오.

〈조건〉 • launch, into를 포함하여 5단어로 쓸 것(필요하면 변형)

2 다음 글을 읽고, 물음에 답하시오.

We are the CEOs of our own lives. (a) <u>우리는 자신을 재촉하려고 열심히 노력한다</u> to get up and go to work and do what we must do day after day. We also try to encourage the people working for and with us, those who are doing business with us, and even those who regulate us. We do this in our personal lives, too: From a very young age, (b) <u>kids try to persuade their parents to do things for themselves</u> ("Dad, I'm too scared to do this!") with varying degrees of success. As adults, we try to encourage our significant others to do things for us ("Sweetie, I had such a stressful day today, can you please put the kids to bed and do the dishes?"). (c) <u>We attempt to get our kids to clean up their rooms.</u> We try to induce our neighbors to help out with a neighborhood party. Whatever our official job descriptions, we are all part-time motivators. [고2 9월]

3

6

9

12

✔ VOCA

1 urge 재촉하다

3 encourage 격려하다

4 regulate 통제하다

6 persuade 설득하다

7 varying 변화하는

8 significant other 배우자

10 attempt 시도하다

11 induce 유도하다

12 job description 직무 내용 설명서

13 motivator 동기 부여자

학교시험 서술형 단골 문제 감 잡기

어법+
영작 **O1** 밑줄 친 (a)를 다음 조건에 맞게 영작하시오.

〈조건〉 • work hard, urge를 포함하여 6단어로 쓸 것

어법
파악 **O2** 밑줄 친 (b)에서 어법상 틀린 부분을 찾아 바르게 고쳐 쓰고, 그 이유를 서술하시오.

어법+
해석 **O3** 밑줄 친 (c)를 우리말로 바르게 해석하시오.

UNIT 10 형용사와 부사

결정적 출제 어법

1 형용사 vs. 부사 `Point 1`

Personal / Personally blind spots are areas that are visible to others but not to you.

↖ 수식을 받는 말이 형용사의 수식을 받는지 부사의 수식을 받는지 파악해야 해.

2 주의해야 할 형용사 / 부사 `Point 3`

The left engine starts losing power and the right engine is near / **nearly** dead now.

↖ 형용사에 -ly가 붙으면 의미가 달라지는 부사에 유의해!

3 부정의 의미를 나타내는 부사 `Point 4`

The dogs never **bothered** / didn't bother the farmer's lambs again.

↖ never와 같이 부정의 의미를 나타내는 부사가 오면 뒤에 다른 부정어를 쓰지 않아.

형용사와 부사의 역할

- 형용사: 명사의 앞이나 뒤에서 명사를 수식하거나 문장에서 보어 역할을 하여, 사람이나 사물의 상태나 성질을 나타낸다.
- 부사: 동사, 형용사, 부사, 구, 절, 또는 문장 전체를 수식한다.

CHECK-UP 밑줄 친 부분이 형용사인지 부사인지 구분하고, 어떤 역할을 하고 있는지 쓰시오.

1 I saw fish with <u>various</u> colors in the aquarium.

2 Kites were flying <u>high</u> in the sky.

3 The writer wanted to write an <u>entirely</u> different story this time.

4 She feels <u>happy</u> when she sees her cat.

주의해야 할 형용사 / 부사

서술적 용법으로만 쓰이는 형용사	형용사와 부사의 형태가 같은 경우	형용사 → 부사의 뜻이 다른 경우
alive 살아 있는 alike 비슷한 afraid 두려워하는 alone 혼자의, 외로운 asleep 잠이 든 awake 깨어 있는	hard 형 단단한; 어려운 부 열심히, 심하게 fast 형 빠른 부 빠르게 early 형 이른 부 일찍 long 형 긴 부 오래 enough 형 충분한 (대개 앞에서 수식) 　　　　 부 충분히 (대개 형용사, 부사, 　　　　　　　동사 뒤에서 수식)	late 형 늦은 → lately 부 최근에 near 형 가까운 → nearly 부 거의, 대부분 hard 형 어려운 → hardly 부 거의 ~ 않다 high 형 높은 → highly 부 매우 most 형 대부분의 → mostly 부 주로 short 형 짧은 → shortly 부 곧; 간단히 deep 형 깊은 → deeply 부 진심으로, 　　　　　　　　　　　깊이

CHECK-UP 밑줄 친 부분의 우리말 뜻을 쓰고, 형용사인지 부사인지 구분하시오.

1 It has been raining <u>hard</u> this summer.

2 There was not <u>enough</u> space to park his car.

3 The students were <u>highly</u> motivated and learned a lot in the class.

4 We will have to arrive at the station <u>early</u> in the morning.

Point ❶ 수식어 - 형용사 / 부사

Crowdfunding is a new and more **collaborative** / collaboratively way to secure funding
형용사↶   명사
for projects.[1] [고2 11월]

She proud / **proudly** shows you a big red A at the bottom of her test paper.[2] [고2 6월]
부사↶   동사

- 한정적 용법으로 쓰이는 형용사: 명사의 앞이나 뒤에서 명사를 수식한다.
  -thing, -body, -one으로 끝나는 대명사는 뒤에서 수식한다.
- 한정적 용법으로만 쓰이는 형용사
  only(유일한), elder(손윗사람의), former(이전의), mere(겨우 ~의), main(주요한) 등
- 부사는 동사, 형용사, 부사, 구, 절, 또는 문장 전체를 수식한다. 부사가 형용사나 다른 부사를
  수식할 때는 대개 바로 앞에서 수식한다.
- 형용사와 부사의 형태가 같은 enough
  ┌ 형용사로 쓰이는 경우: 명사 앞에서 수식   *e.g.* enough money (충분한 돈)
  └ 부사로 쓰이는 경우: 형용사 뒤에서 수식   *e.g.* good enough (충분히 좋은)
- 빈도부사는 일반동사의 앞, be동사나 조동사의 뒤에 위치한다.
  always > usually > often > sometimes > seldom > rarely > never
  100%   90%   70%   50%   30%   10%   0%

> 형용사 + 명사 + 동사
> 명사 + 형용사 + 동사

> 동사
> 부사 + 형용사, 부사
>   구, 절, 문장 전체

Point ❷ 보어 역할을 하는 형용사

This division is culturally and historically **relative** / relatively.[3] [고2 6월]
be동사 부사   부사   주격보어 형용사

Repetition makes us more **confident** in our forecasts and more **efficient** / efficiently in
목적어   목적격보어1 형용사   목적격보어2 형용사
our actions.[4] [고2 11월]

- 서술적 용법으로 쓰이는 형용사: be동사 뒤에서 주어를 서술하는 주격보어,
  또는 목적어 뒤에서 목적어를 서술하는 목적격보어 역할을 한다.
- 서술적 용법으로만 쓰이는 형용사
  alive(살아 있는), alone(혼자의, 외로운), asleep(잠이 든),
  awake(깨어 있는), afraid (두려워하는), alike(비슷한) 등
- 부사는 보어 자리에 올 수 없다. be동사, become, seem 등 불완전 자동사 뒤의 보어 자리에 부사가 있으면, 뒤에 형용사가 있는지 잘 살핀다.
  In many ways, such treatment seems completely paradoxical.

> 명사 + 동사 + 주격보어 형용사
> 명사 + 동사 + 목적어 + 목적격보어 형용사

---

1 크라우드 펀딩은 프로젝트를 위한 자금을 확보하는 새롭고 더 협력적인 방법이다.   2 그녀는 당신에게 시험지 아래에 커다란 붉은색으로 쓴 A를 자랑스럽게 보여 준다.

3 이러한 구분은 문화적으로 그리고 역사적으로 상대적이다.   4 반복은 우리의 예측에 있어서 우리를 더 자신 있게 그리고 우리의 행동에 있어서 더 효율적으로 만든다.

다음 중 어법상 적절한 표현을 고르시오.

VOCA

1 The natural / naturally indigo dye used in the first jeans would stick only to the outside of the threads. [고2 9월 응용]

dye 염색, 염료; 염색하다
stick 달라붙다
thread 실, 섬유

2 A computer works quick / quickly and accurately; humans work relatively slowly and make mistakes. [고2 6월]

accurately 정확하게
relatively 비교적, 상대적으로

3 Shutting down to adventure means exact / exactly that — you are shut down. [고2 6월]

shut down 문을 닫다, 멈추다
adventure 모험

4 I thought to myself, 'Did I work hard enough / enough hard to outperform the other participants?' [고2 6월]

outperform ~보다 우수하다, 능가하다
participant 참가자

5 To derive the most useful information from multiple sources of evidence, you should always try to make these sources independent / independently of each other. [고2 6월]

derive 끌어내다, 도출하다
multiple 다수의
source 출처
evidence 증거
independent 독립적인

6 In addition to controlling temperatures when handling fresh produce, control of the atmosphere is important / importantly. [고2 3월]

in addition to ~에 더하여
handle 다루다, 관리하다
atmosphere 대기, 공기

7 Even better, our automatic, unconscious habits can keep us safe / safely even when our conscious mind is distracted. [고2 3월]

unconscious 무의식적인
distracted 산만한

8 He didn't even have time to figure out if he was live / alive or dead. [고2 9월]

figure out 파악하다, 알아내다

기출문장으로 *실전어법* 개념잡기

Point ❸ 주의해야 할 형용사 / 부사

The recency of events [high / **highly**] influences a supervisor's opinion during
　　　　　　　　　　　매우, 대단히　　동사
performance appraisals.[1] [고2 6월]

In such situations, [**most** / mostly] people end up quitting the option altogether.[2] [고2 6월]
　　　　　　　　대부분의　　명사

• 쓰임과 의미 파악에 유의해야 할 형용사와 부사

late	형 늦은 부 늦게	lately	부 최근에
hard	형 단단한; 어려운 부 열심히; 심하게	hardly	부 거의 ~ 않다
high	형 높은 부 높이	highly	부 매우, 대단히
near	형 가까운 부 가까이에	nearly	부 거의, 대부분
most	형 대부분의 부 가장	mostly	부 주로
short	형 짧은 부 짧게	shortly	부 곧, 간단히
deep	형 깊은 부 깊이	deeply	부 진심으로, 깊이

Point ❹ 부정의 의미를 나타내는 부사

He attended Columbia University, but he never officially [**graduated** / didn't graduate].[3]
　　　　　　　　　　　　　　　　　　　　　부정어　　　　　　　　　　　　　　　[고2 11월]

I can [hard / **hardly**] wait to take you home.[4] [고2 3월]
　　　　　부정어

• 부정의 의미를 나타내는 부사: 부정의 의미를 나타내는 부사는 not 등의 부정어와 중복하여 쓰지 않는다.
　never: 결코 ~ 않다
　hardly, scarcely, barely: 거의 ~ 않다
　rarely, seldom: 좀처럼 ~ 않다
• 부정의 의미를 나타내는 부사는 일반적으로 일반동사 앞, be동사나 조동사 뒤에 위치한다.
• 부정의 의미를 나타내는 부사가 문장 앞에 올 경우, 주어와 동사가 도치된다.

---

1 사건의 최신성은 직무 수행 평가 기간 동안 관리자의 의견에 크게 영향을 미친다.　　2 그런 상황에서 대부분의 사람들은 결국 선택권을 전적으로 포기한다.　　3 그는 콜롬비아 대학에
다녔지만, 공식적으로 졸업을 하지는 않았다.　　4 나는 너를 집에 데려가는 것을 기다릴 수가 없다.(나는 너를 정말로 집으로 데려가고 싶다.)

다음 중 어법상 적절한 표현을 고르시오.

1 Still, the probability of a hit in baseball does not increase just because a player has not had one | late / lately |. [고2 3월]

probability 확률; 가망

2 Imagine studying two hills while standing on a ten-thousand-foot- | high / highly | plateau. [고1 11월]

plateau 고원

3 It's | hard / hardly | to be grateful when all you can think about is what you don't have or think you should get. [고2 11월]

grateful 감사한

4 Freud noted that if the dog sat | near / nearly | the patient, the patient found it easier to relax. [고2 3월]

note 주목하다

5 You could cut the pie in many different ways, but it | never got / got never | any bigger. [고2 3월]

6 While these can be useful tools for improvement, they should hardly | occupy / not occupy | center stage. [고2 9월]

improvement 향상, 개선
occupy 차지하다

7 Tom clapped and cheered and looked like he | could / could not | barely keep himself from running up to hug and congratulate her.

[고2 3월]

clap 박수를 치다
congratulate 축하하다

8 People seldom | wanted / did not want | to extend much credit because they didn't trust that the future would be better than the present. [고2 3월 응용]

extend 연장하다

정답과 해설 **p. 52**

다음 중 어법상 적절한 표현을 고르시오.

✓ VOCA

1
고2 3월

However, there are personality traits and characteristics common / commonly associated with entrepreneurs.

trait 특성
associated 관련된, 연관된
entrepreneur 기업가

2
고2 9월

While jeans are probably the most / mostly versatile pants in your wardrobe, blue actually isn't a particularly neutral color.

versatile 활용도가 높은
wardrobe 옷장
neutral 무난한

3
고1 11월

Even if social scientists discover the procedures that could reasonably be followed to achieve social improvement, they are seldom in / not in a position to control social action.

procedure 절차
reasonably 마땅히
achieve 이루다, 성취하다

4
고2 6월

Anything silent / Silent anything or invisible we downgrade in our minds.

downgrade 평가절하하다

다음 밑줄 친 부분이 어법상 맞으면 ○표 하고, 틀리면 바르게 고치시오.

5
고2 6월

We create a picture of the world using the examples that most <u>easy</u> come to mind.

come to mind 생각이 떠오르다

6
고2 11월

In the United States, <u>nearly</u> 80 percent of respondents donated money to a charity, which was the highest among the six nations.

respondent 응답자
charity 자선 단체

7
고2 3월

In both cases, our goal of keeping ourselves alive and unburnt is served by our automatic, <u>unconsciously</u> habits.

unburnt 데지 않는

어법 TEST 2 | 짧은 지문 어법훈련하기

정답과 해설 **p. 53**

다음 글의 네모 안에서 어법상 적절한 표현을 고르시오.

✓ VOCA

1
고1 9월

It's (A) hard / hardly enough to stick with goals you want to accomplish, but sometimes we make goals we're not even thrilled about in the first place. We set resolutions based on what we're supposed to do, or what others think we're supposed to do, rather than what really matters to us. This makes it (B) near / nearly impossible to stick to the goal.

stick with ~을 계속하다
accomplish 성취하다, 완수하다
resolution 결의; 해결
be supposed to ~하기로 되어 있다

2
고1 9월
응용

Fast fashion refers to trendy clothes designed, created, and sold to consumers as quickly as possible at (A) extreme / extremely low prices. Fast fashion items may not cost you much at the cash register, but they come with a serious price: tens of millions of people in developing countries, some just children, work long hours in (B) dangerous / dangerously conditions to make them.

refer to ~을 나타내다
extremely 극도로; 매우
cash register 금전 등록기

다음 글의 밑줄 친 부분 중, 어법상 틀린 것을 고르시오.

3
고2 9월
응용

To be ① unable to distinguish a brother-in-law as the brother of one's wife or the husband of one's sister would seem ② confusing in many cultures. The Hawaiian language uses the ③ same term to refer to one's father and to the father's brother. People of Northern Burma have eighteen basic terms for describing their kin. None of them can be ④ direct translated into English.

distinguish 구별하다
confuse 혼란시키다
describe 묘사하다
kin 친족
translate 번역하다

1 (A), (B), (C)의 각 네모 안에서 어법에 맞는 표현으로 가장 적절한 것은?

The belief that humans have morality and animals don't is such a longstanding assumption that it could (A) good / well be called a habit 3 of mind, and bad habits, as we all know, are extremely hard to break. A lot of people have caved in to this assumption because it is easier to 6 deny morality to animals than to deal with the complex effects of the possibility that animals have moral behavior. The historical tendency, 9 framed in the outdated dualism of us versus them, is (B) strong enough / enough strong to make a lot of people cling to the status quo. 12 Denial of who animals are (C) convenience / conveniently allows for maintaining false stereotypes about the cognitive and emotional 15 capacities of animals. Clearly a major paradigm shift is needed, because the lazy acceptance of habits of mind has a strong influence on how 18 animals are understood and treated. [고1 11월]

	(A)		(B)		(C)
①	good	……	strong enough	……	conveniently
②	good	……	enough strong	……	conveniently
③	well	……	enough strong	……	convenience
④	well	……	strong enough	……	conveniently
⑤	well	……	strong enough	……	convenience

2 다음 글의 밑줄 친 부분 중, 어법상 **틀린** 것은?

Everyone knows a young person who is ① impressively "street smart" but does poorly in school. We think it is a waste that one who 3 is so ② intelligence about so many things in life seems unable to apply that intelligence to academic work. What we don't realize is 6 that schools and colleges might be at fault for missing the opportunity to draw such street smarts and guide them toward good academic 9 work. ③ Nor do we consider one of the major reasons why schools and colleges overlook the intellectual potential of street smarts: the fact 12 that we associate those street smarts with anti-intellectual concerns. We associate the educated life, the life of the mind, too ④ narrowly with 15 subjects and texts that we consider ⑤ inherently weighty and academic. [고1 11월]

---

1 morality 도덕, 도덕성   longstanding 오래된   assumption 가정, 추정   cave in to ~에 굴복하다   deny 부정하다   tendency 경향, 성향
outdated 시대에 뒤처진   dualism 이원론   cling to ~을 고수하다   status quo 현재 상태   cognitive 인지적인   capacity 능력   shift 변화, 전환

2 impressively 인상 깊게, 매우   overlook 간과하다, 못 보고 넘어가다   intellectual 지적인, 지성의   potential 잠재력   associate 연관시키다
anti-intellectual 반지성적인   inherently 본질적으로   weighty 중요한

3 다음 글의 밑줄 친 부분 중, 어법상 **틀린** 것은?

Cutting costs can improve profitability but only up to a point. If the manufacturer cuts costs so ① <u>deeply</u> that doing so harms the product's quality, then the increased profitability will be short-lived. A ② <u>better</u> approach is to improve productivity. If businesses can get more production from the same number of employees, they're ③ <u>basically</u> tapping into free money. They get more product to sell, and the price of each product falls. As long as the machinery or employee training needed for productivity improvements costs less than the value of the productivity gains, it's an easy investment for any business to make. Productivity improvements are as important to the economy as they are to the ④ <u>individually</u> business that's making them. Productivity improvements ⑤ <u>generally</u> raise the standard of living for everyone and are a good indication of a healthy economy. [고2 6월]

4 (A), (B), (C)의 각 네모 안에서 어법에 맞는 표현으로 가장 적절한 것은?

It might seem that praising your child's intelligence or talent would boost his self-esteem and motivate him. But it turns out that this sort of praise backfires. Carol Dweck and her colleagues have demonstrated the effect in a series of experimental studies: "When we praise kids for their ability, kids become more (A) cautious / cautiously . They avoid challenges." It's as if they are afraid to do anything that might make them fail and lose your (B) high / highly appraisal. Kids might also get the message that intelligence or talent is something that people either have or don't have. This leaves kids feeling (C) helpless / helplessly when they make mistakes. What's the point of trying to improve if your mistakes indicate that you lack intelligence? [고1 9월]

	(A)	(B)	(C)
①	cautious	high	helpless
②	cautious	highly	helpless
③	cautious	highly	helplessly
④	cautiously	high	helplessly
⑤	cautiously	high	helpless

3 profitability 수익성　manufacturer 제조사, 제조자　harm 해를 끼치다, 손상시키다　productivity 생산성　tap into ~을 활용하다
improvement 향상, 개선　investment 투자　standard 기준, 규범　indication 지표

4 praise 칭찬하다; 칭찬　boost 신장시키다, 북돋우다　self-esteem 자부심, 자존감　backfire 역효과를 낳다　colleague 동료
demonstrate 보여 주다, 입증하다　cautious 조심스러운, 신중한　appraisal 평가, 판단　helpless 무력한, 속수무책인　indicate 나타내다, 가리키다

1 다음 글을 읽고, 물음에 답하시오.

Dear Mr. Stanton:

We at the Future Music School have been providing music education to talented children for 10 years. We hold an (a) |annual / annually| festival to give our students a chance to share their music with the community and (b) <u>우리는 항상 유명한 음악가를 개막 행사에서 연주하도록 초청합니다</u> in the opening event. Your reputation as a world-class violinist precedes you and the students consider you the musician who has influenced them the most. That's why we want to ask you to perform at the opening event of the festival. It would be an honor for them to watch one of the most famous violinists of all time play at the show. It would make the festival more colorful and splendid. We look forward to receiving a (c) <u>positively</u> reply.

Sincerely,

Steven Forman

[고2 6월]

VOCA

3   talented 재능 있는
    annual 매년의, 연례의
5   community 지역 사회
    perform 연주하다
6   reputation 명성
7   precede ~에 앞서다

12 splendid 훌륭한
    look forward to ~을 기대하다

학교시험 서술형 단골 문제 감 잡기

어법 파악 01 (a)의 네모 안에서 어법상 적절한 표현을 고르시오.

어법+영작 02 밑줄 친 (b)와 같은 뜻이 되도록 주어진 단어들을 알맞은 순서로 배열하시오.

(musician / we / invite / always / a / to / famous / perform)

어법 파악 03 밑줄 친 (c)를 어법에 맞게 고쳐 쓰고, 그 이유를 서술하시오.

2 다음 글을 읽고, 물음에 답하시오.

It is not (a) <u>uncommonly</u> to hear talk about how lucky we are to live in this age of scientific and medical advancement where antibiotics and vaccinations keep us living longer, while our poor ³ ancient ancestors were lucky to live past the age of 35. Well, this is not quite true. At best, it oversimplifies a complex issue, and at worst, it is an obvious misrepresentation of statistics. Did ancient ⁶ humans really just drop dead as they were entering their prime, or (b) <u>어떤 사람들은 얼굴에 주름이 있는 것을 볼 수 있을 정도로 충분히 오래 살았을까?</u> It would appear that as time went on, conditions improved ⁹ and so did the length of people's live. But it is not so simple. What is commonly known as "average life expectancy" is technically "life expectancy at birth." But life expectancy at birth is an ¹² (c) ┃unhelpful / unhelpfully ┃ statistic if the goal is to compare the health and longevity of adults. That is because a major determinant of life expectancy at birth is the child mortality rate which, in our ¹⁵ ancient past, was (d) ┃extreme / extremely ┃ high, and this skews the life expectancy rate dramatically downward. [고2 9월]

⚙ VOCA

2 advancement 발달, 진보

3 antibiotic 항생제

　vaccination 예방 접종

5 oversimplify 지나치게 단순화하다

6 misrepresentation 잘못된 설명

　statistic 통계

7 prime 한창 때

11 average life expectancy 평균 기대 수명

　technically 엄밀히 말하면

14 longevity 장수

　determinant 결정 요인

15 mortality rate 사망률

16 skew 왜곡하다

17 downward 하향의

＼ 학교시험 서술형 단골 문제 감 잡기

어법 파악 01 밑줄 친 (a)를 어법에 맞게 고쳐 쓰고, 그 이유를 서술하시오.

＿＿＿＿＿＿＿＿＿＿＿＿＿＿＿＿＿＿＿＿＿＿＿＿＿＿＿＿＿＿＿

어법＋ 영작 02 밑줄 친 (b)와 같은 뜻이 되도록 주어진 단어들을 알맞은 순서로 배열하시오.

(enough / did / to see / a wrinkle / live / on their face? / some / long)

＿＿＿＿＿＿＿＿＿＿＿＿＿＿＿＿＿＿＿＿＿＿＿＿＿＿＿＿＿＿＿

어법 파악 03 (c)와 (d)의 네모 안에서 어법상 적절한 표현을 고르시오.

＿＿＿＿＿＿＿＿＿＿＿＿＿＿＿＿＿＿＿＿＿＿＿＿＿＿＿＿＿＿＿

네가
최고!

PART 5 | 기타구문

수능 모의고사
기출어법
항목별 빈도수

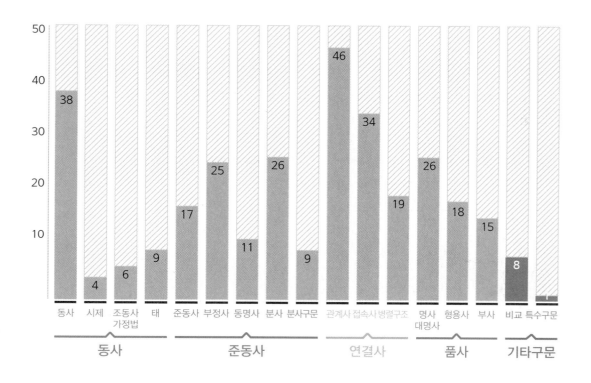

11 비교

결정적 출제 어법

1 도표 문제에 많이 쓰이는 비교 표현에 주의하라! `Point 1` + `Point 4`

The number in Oceania was little / **less** than a third of that in Africa.

↰ 비교급 + than + 분수 표현 + of + 대명사(the number)

2 비교급을 강조하는 수식어: much, even, still, far, a lot ... `Point 2`

It makes our lives very / **much** easier and better.

↰ very가 안 된다는 것 반드시 기억하기

3 비교 대상은 병렬구조 `Point 3`

When it comes to gold medals, Great Britain won more than China does / **did**.

↰ 두 비교 대상은 문법적 형태, 격, 수 등이 같아야 해.

비교구문

원급	as + 형용사/부사의 원급 + as	~만큼 …한/하게
비교급	형용사/부사의 비교급 + than	(둘 중) ~보다 더 …한/하게
최상급	the + 형용사/부사의 최상급 (+ in/of ~)	(~ 중에서) 가장 …한/하게

CHECK-UP   다음 문장에서 비교 표현에 밑줄을 긋고, 그 부분을 해석하시오.

1   Be as creative as you like, and write one short sentence about the selfie.

2   In 2011, Internet usage time by mobiles was shorter than that by desktops or laptops.

비교구문의 문장 구조

• 비교구문을 바르게 해석하기 위해서는 비교 표현이 형용사인지 부사인지 확인하고, 문장 구조를 살핀다.
  형용사는 명사를 수식하거나 문장에서 보어 역할을 한다. 부사는 동사를 수식한다.
• 문장이 길어지면 비교 표현이 사용된 부분이 무엇을 수식하고 있는지 혼동될 수 있으므로 주의한다.

CHECK-UP   다음 밑줄 친 부분을 해석하시오.

1   He turned and disappeared as quickly as he had come.

2   French is the least spoken language among the five in terms of the number of native speakers.

원급 / 비교급을 이용한 최상급 표현

원급 또는 비교급을 이용하여 최상급의 의미를 표현할 수 있다.

No (other) + 단수 명사 + is as + 원급 + as = Nothing is as + 원급 + as	그 어떤 것(명사)도 ~만큼 …하지 않다
No (other) + 단수 명사 + is + 비교급 + than = Nothing is + 비교급 + than	그 어떤 것(명사)도 ~보다 …하지 않다
비교급 + than any other + 단수 명사	다른 어떤 것(명사)보다 더 ~한
비교급 + than anything else	다른 무엇보다 더 ~한

CHECK-UP   다음 문장의 의미가 모두 같도록 빈칸에 알맞은 말을 쓰시오.

The most important to us is the satisfaction of our customers.

= Nothing is _____ important to us _____ the satisfaction of our customers.

= _____ is more important to us _____ the satisfaction of our customers.

= The satisfaction of our customers is more important to us than _____ _____.

기출문장으로 실전어법 개념잡기

Point ❶ 원급 vs. 비교급 vs. 최상급

However, most people settle for little / **less** than their best because they fail to start the
little의 비교급 + than
day off right.[1] [고1 9월]

The number of natural disasters in Asia was the large / **largest** of all five regions and
the　*large의 최상급*　*~ 중에서*
accounted for 36 percent.[2] [고2 3월]

The internet usage rate of males in the Arab States was **the same** **as** / than that of
the same as　*(= the internet usage rate)*
males in Asia Pacific.[3] [고2 6월]

• 비교구문의 기본 형태

원급	as + 원급 + as	~만큼 …한/하게
비교급	비교급 + than	~보다 더 …한/하게
최상급	the + 최상급 (+ in/of ~)	(~ 중에서) 가장 …한/하게

as + 원급 + as

비교급 + than

(the) + 최상급 + in/of

• the same as(~와 같은)로 원급 비교구문을 표현하기도 한다.
• compared to(with)로 비교급 비교구문을 표현하기도 한다.
• 동일 인물/사물을 비교할 경우 또는 부사의 최상급에서는 the 없이 최상급을 쓸 수 있다.

Point ❷ 비교구문의 강조 표현

You look more / **much** older now than you did a few years ago.[4] [고1 9월]
비교급 강조 much + 형용사의 비교급

Even / Very more surprisingly, the ones with a smaller selection purchased jam 31% of
비교급 강조 even + 부사의 비교급
the time.[5] [고2 6월]

And more importantly, you'll end up knowing very / **far** more over your lifetime.[6] [고2 6월]
비교급 강조 far + much의 비교급

• 원급을 강조하는 수식어: very, almost …
• 비교급을 강조하는 수식어: much, even, still, far, a lot …
• 최상급을 강조하는 수식어: quite, the very, by far …

---

1 하지만, 대부분의 사람들은 그들이 하루를 제대로 시작하지 못하기 때문에 그들의 최선보다 덜한 것에 안주한다. 　2 다섯 지역 중 아시아의 자연재해 횟수가 가장 많았으며 36%를 차지했다. 　3 아랍 국가들의 남성 인터넷 사용 비율은 아시아 태평양의 남성의 그것(인터넷 사용 비율)과 같았다. 　4 너는 지금 몇 년 전보다 훨씬 더 나이 들어 보인다. 　5 훨씬 더 놀랍게도, 더 적은 선택 사항을 가진 사람들 중에서 그 당시의 31%에서 잼을 구매했다. 　6 그리고 더 중요하게는, 당신은 결국 인생을 살아가면서 훨씬 더 많은 것을 알게 될 것이다.

다음 중 어법상 적절한 표현을 고르시오.

1 Your mission is to become |better / best| today than you were yesterday. [고2 3월]

mission 임무

2 When it comes to taking care of children when they're sick, the percentage of "mother does more" households is the same |as / than| that of "share equally" households. [고2 9월]

when it comes to ~에 관한 한
household 가정

3 The injury rate of Thursday games was the |lowest / lower| in 2014 and the highest in 2017. [고2 3월]

injury 부상

4 He allowed her to tell as |much / most| of the story as she could and helped to fill in the details. [고2 3월]

detail 세부 사항

5 He said, "My dear friends, Kubelik played the Paganini concerto tonight as |splendid / splendidly| as ever he did." [고2 3월]

concerto 협주곡

6 The apple is |very / much| small, and doesn't have much mass, so its pull on the Sun is absolutely tiny, certainly |very / much| smaller than the pull of all the planets. [고2 9월]

mass 질량
absolutely 절대적으로
pull 인력

7 You are |far / too| more likely to eat what you can see in plain view. [고2 3월]

plain 분명한

8 It's hard to develop new things in big organizations, and it's |very / even| harder to do it by yourself. [고2 9월]

organization 조직
by oneself 혼자 힘으로

기출문장으로 *실전어법* 개념잡기

Point ❸ 비교구문의 병렬구조

We eat much more when a variety of good-tasting foods are available than having /
　　　　비교급　　　　　비교 대상 1: when+S+V　　　　　　　　　　　　　　　　than

when only one or two types of food are available.[1] [고2 3월]
　　비교 대상 2: when+S+V

───
　　　　　　　　　　　　　　　　　　　　　　　　　　　　소유대명사 (= her need)

An old woman gave me the whole loaf saying my need was greater than her / **hers**.[2]
　주어　　　　　　　　　　　　　　　　　비교 대상 1　　비교급　than　비교 대상 2
　　　　　　　　　　　　　　　　　　　　　　　　　　　　　　　　　[고2 11월 응용]

- 비교구문에서 비교되는 두 대상은 서로 문법적 형태가 같아야 한다.
- 「소유격 + 명사」의 경우 소유대명사로 쓸 수 있고, 명사의 경우 대명사 that / those 등이 대신할 수 있다.

$$A + \begin{array}{c} as + 원급 + as \\ 비교급 + than \end{array} + A'$$

Point ❹ 비교구문의 관용 표현

The number of natural disasters in Asia was the largest of all five regions and accounted

for 36 percent, which was more than two / **twice** the percentage of Europe.[3] [고2 3월]
　　　　　　　　　　　　　　　　　~의 비율의 두 배보다 더 많은

───

The number of natural disasters in Oceania was the smallest and less than a three /

a third of that in Africa.[4] [고2 3월]
　　　　　　3분의 1보다 더 적은

───

In the Netherlands, the electric car stock was more than three times large / **larger** in
　　　　　　　　　　　　　　　　　　　　　　　　　세 배보다 더 많은

2016 than in 2014.[5] [고2 6월]

- 비교구문의 관용 표현

as + 원급 + as possible = as + 원급 + as + 주어 + can	가능한 한 ~한/하게
배수사(twice, three times ...) + as + 원급 + as	~보다 몇 배 …한/하게
the + 비교급 ~, the + 비교급 …	~하면 할수록 더 …한/하게
비교급 + and + 비교급	점점 더 ~한/하게
one of the + 최상급 + 복수 명사	가장 ~한 … 중 하나
more/less than + 배수사	몇 배보다 더 많은(이상)/적은(미만)
more/less than + 분수 표현	몇 분의 몇보다 더 많은(이상)/적은(미만)
no less than	무려 ~만큼이나
no(nothing) more than	겨우 ~에 불과한

1 우리는 단지 한 가지 또는 두 가지 음식을 먹을 수 있을 때보다 다양한 맛있는 음식을 먹을 수 있을 때 훨씬 더 많이 먹는다.　　2 한 노파가 나의 궁핍이 그녀의 궁핍보다 더 크다고 말하며 그 빵 덩어리 전부를 저에게 주었다.　　3 다섯 지역 중 아시아의 자연재해 횟수가 가장 많았으며, 유럽의 비율의 두 배가 넘는 36%를 차지했다.　　4 오세아니아의 자연재해 횟수가 가장 적었으며 아프리카의 자연재해 횟수의 3분의 1도 안 되었다.　　5 네덜란드에서, 전기차 재고량은 2016년에 2014년보다 세 배 이상 더 많았다.

다음 중 어법상 적절한 표현을 고르시오.

1 We are often taught to put more value in actions than say words / words , and for good reason. [고1 9월]

2 Both the total number of trips and the total expenditures were higher in 2017 compared to that / those in 2015. [고1 11월]

expenditure 지출, 비용
compared to ~와 비교하여

3 As a consequence, in many regions of the world there are as many types of dances as there are community / communities with distinct identities. [고1 11월]

as a consequence 결과적으로
distinct 뚜렷한
identity 정체성

4 In Australia, the percentage of people who donated money to a charity was more than two time / twice that of those who helped a stranger. [고2 11월]

donate 기부하다
charity 자선 단체

5 The impala is one of the more / most graceful four-legged animals. [고2 6월]

graceful 우아한

6 Therefore they tend to move as little as / than possible — and when they do move, they often look as though they're in slow motion. [고2 3월]

therefore 그러므로
slow motion 슬로 모션

7 Imagine that your body is a battery and the more energy this battery can store, the more / most energy you will be able to have within a day. [고1 11월]

store 저장하다

8 For health science invention, the percentage of female respondents was two / twice as high / highly as that of male respondents. [고1 9월]

respondent 응답자

정답과 해설 **p. 57**

다음 중 어법상 적절한 표현을 고르시오.

◆ VOCA

1
고2 6월

Some people are good / better actors than others.

2
고2 6월

In our relations with others of similar status, the reciprocity norm compels us to give (in favors, gifts, or social invitations) about as much / more as we receive.

status 지위
reciprocity 상호 관계
norm 표준, 규범
compel 강요하다

3
고2 6월

However, there is always the possibility that in the future other scientists will discover a(n) very / even older model of the same invention in a different part of the world.

possibility 가능성

4
고2 3월

One of the best way / ways to promote this type of integration is to help retell the story of the frightening or painful experience.

promote 촉진하다
integration 통합

다음 밑줄 친 부분이 어법상 맞으면 ○표 하고, 틀리면 바르게 고치시오.

5
고2 3월

If a food contains <u>much</u> sugar than any other ingredient, government regulations require that sugar be listed first on the label.

ingredient 성분
regulation 규정

6
고2 3월

We may enable a child to overcome their painful, frightening experience by having them repeat as much of the painful story <u>than</u> possible.

overcome 극복하다

7
고2 6월

Early clocks were nothing <u>most</u> than a weight tied to a rope wrapped around a revolving drum.

weight (저울의) 추
revolve 회전하다

정답과 해설 p. 58

다음 글의 네모 안에서 어법상 적절한 표현을 고르시오.

1
고1 9월

Recent progress in telecommunications technologies is not more revolutionary (A) as / than what happened in the late nineteenth century in relative terms. Moreover, in terms of the consequent economic and social changes, the Internet revolution has not been just as (B) important / importantly as the washing machine and other household appliances.

telecommunication 통신
revolutionary 혁명적인
relative 상대적인
consequent 결과적으로 일어나는
household appliance 가전제품

2
고1 9월

In 2012, the percentage of the 6-8 age group was twice as large as (A) that / those of the 15-17 age group. In 2014, the percentage of the 6-8 age group was (B) very / even larger than the combined percentage of the two age groups 12-14 and 15-17. The gap in the percentages between 2012 and 2014 was the (C) small / smallest in the 12-14 age group.

combined 결합한
gap 차이, 격차

다음 글의 밑줄 친 부분 중, 어법상 틀린 것을 고르시오.

3
고2 9월
응용

The older the age group was, ① the lowest the percentage of those who listened to both traditional format music and downloaded music. In ages 25 to 34, the percentage point gap between listeners of traditional formats only and downloaded music only was ② a lot narrower than in any other age group. In ages 45 to 54, those who only listened to traditional formats outnumbered music listeners of the other types, taking up ③ more than 60 percent. ④ Far more than 70 percent of the 55 to 64 age group listened to traditional formats only.

format 형식
narrow 좁은
outnumber ~보다 수적으로 우세하다
take up 차지하다

1 (A), (B), (C)의 각 네모 안에서 어법에 맞는 표현으로 가장 적절한 것은?

The two pie charts above show the number of natural disasters and the amount of damage by region in 2014. The number of natural disasters 3 in Asia was the largest of all five regions and accounted for 36 percent, which was (A) much / more than twice the percentage of Europe. 6 Americas had the second largest number of natural disasters, taking up 23 percent. The number of natural disasters in Oceania was the 9 smallest and less than a third of (B) that / those in Africa. The amount of damage in Asia was the largest and more than the combined amount of 12 Americas and Europe. Africa had the (C) less / least amount of damage even though it ranked third in the number of natural disasters. [고2 3월] 15

	(A)		(B)		(C)
①	much	·····	that	·····	less
②	much	·····	that	·····	least
③	more	·····	that	·····	least
④	more	·····	those	·····	less
⑤	more	·····	those	·····	least

2 다음 글의 밑줄 친 부분 중, 어법상 틀린 것은?

The above graph shows the global internet usage rate in 2017, sorted by gender and region. Among the five regions, both male and female 3 internet usage rate in Europe was higher than ① any other country, accounting for 83% and 76% respectively. In each region, the male 6 internet usage rate was ② higher than the female internet usage rate except for in the Americas. The percentage point gap of internet 9 usage between males and females was the highest in the Arab States. The internet usage rate of males in the Arab States was ③ the 12 same as ④ those of males in Asia Pacific. The percentage of female internet usage in Africa was ⑤ the lowest among the five regions, but 15 it was higher than half that of female internet usage in Asia Pacific. [고2 6월]

---

1 pie chart 원 그래프   natural disaster 자연재해   damage 피해   account for 차지하다, 설명하다   take up 차지하다   rank (순위를) 차지하다

2 global 전 세계의   usage 사용   gender 성, 성별   region 지역   male 남성   female 여성   respectively 각각, 제각기
except for ~을 제외하고

3 다음 글의 밑줄 친 부분 중, 어법상 **틀린** 것은?

You know that forks don't fly off to the Moon and that neither apples nor anything else on Earth cause the Sun to crash down on us. The ³ reason these things don't happen is that the strength of gravity's pull depends on two things. The first is the mass of the object. The apple ⁶ is very small, and doesn't have much mass, so its pull on the Sun is absolutely tiny, certainly ① much smaller than the pull of all the planets. ⁹ The Earth has ② more mass than tables, trees, or apples, so almost everything in the world is pulled towards the Earth. That's why apples ¹² fall from trees. Now, you might know that the Sun is a great deal ③ biggest than Earth and has ④ much more mass. So why don't apples fly ¹⁵ off towards the Sun? The reason is that the pull of gravity also depends on the distance to the object doing the pulling. Although the Sun has ¹⁸ much more mass than the Earth, we are ⑤ much closer to the Earth, so we feel its gravity more.

[고2 9월 응용]

4 (A), (B), (C)의 각 네모 안에서 어법에 맞는 표현으로 가장 적절한 것은?

We create a picture of the world using the examples that most (A) easy / easily come to mind. This is foolish, of course, because in ³ reality, things don't happen more frequently just because we can imagine them more easily. Thanks to this prejudice, we travel through life ⁶ with an incorrect risk map in our heads. Thus, we overestimate the risk of being the victims of a plane crash, a car accident, or a murder. ⁹ And we underestimate the risk of dying from less spectacular means, such as diabetes or stomach cancer. The chances of bomb attacks ¹² are (B) very / much rarer than we think, and the chances of suffering depression are much higher. We attach too much likelihood to ¹⁵ spectacular, flashy, or loud outcomes. Anything silent or invisible we downgrade in our minds. Our brains imagine impressive outcomes more ¹⁸ readily than ordinary (C) one / ones . [고2 6월]

	(A)	(B)	(C)
①	easy	very	one
②	easy	very	ones
③	easily	much	ones
④	easily	very	ones
⑤	easily	much	one

---

3 crash down 추락하다　gravity 중력　mass 질량　object 사물　pull 인력; 끌어당기다　absolutely 절대적으로　planet 행성　distance 거리

4 prejudice 편견　overestimate 과대평가하다　victim 희생자　underestimate 과소평가하다　spectacular 극적인　diabetes 당뇨병　stomach cancer 위암　suffer ~로 고통 받다　depression 우울증　likelihood 가능성　flashy 현란한　downgrade 평가절하하다　impressive 인상적인　readily 손쉽게, 순조롭게

1 다음 글을 읽고, 물음에 답하시오.

The graph above shows the amount of the electric car stock in five countries in 2014 and 2016. (a) <u>All five countries had more electric car stock in 2016 than in 2014.</u> In 2014, the electric car stock of the United States ranked first among the five countries, followed by that of China. However, China showed the biggest increase of electric car stock from 2014 to 2016, surpassing the United States in electric car stock in 2016. Between 2014 and 2016, the increase in electric car stock in Japan was less than (b) | that / those | in Norway. (c) <u>네덜란드에서, 전기차 재고량은 2016년에 2014년보다 세 배 이상 더 많았다.</u> [고2 6월]

VOCA

1 amount 총계
  electric car 전기차
  stock 재고
4 rank (순위를) 차지하다
5 increase 증가
6 surpass 능가하다, 뛰어넘다

학교시험 서술형 단골 문제 감 잡기

어법+ **01** 밑줄 친 (a)를 우리말로 바르게 해석하시오.
해석

어법 **02** (b)의 네모 안에서 어법상 알맞은 것을 고르고, 그 이유를 서술하시오.
파악

어법+ **03** 밑줄 친 (c)를 다음 조건에 맞게 완성하시오.
영작

〈조건〉 • 「비교급 + 배수사」를 사용할 것
• more, large를 포함하여 7단어로 쓸 것(필요하면 변형)

In the Netherlands, the electric car stock was _____

than in 2014.

2 다음 글을 읽고, 물음에 답하시오.

The graph above shows the division of labor in households where both parents work full-time in 2015. (a) <u>The percentage of "mother does more" households in every category is high than those of "father does more" households.</u> While the category with the highest percentage of "mother does more" households is "Managing children's schedules/activities," the category with the highest percentage of "father does more" households is "Disciplining children." When it comes to taking care of children when they're sick, (b) <u>'엄마가 더 많이 하는' 가정의 비율은 '똑같이 나누는' 가정의 그것(비율)과 같다.</u> The percentage of "share equally" households is (c) <u>over two times higher</u> than that of "mother does more" households in three categories. The category that shows the highest percentage of "share equally" households is "Playing or doing activities with children," followed by the category "Disciplining children." [고2 9월]

3

6

9

12

✔ VOCA

1 division 분담, 분배
   labor 노동
   household 가정
3 category 범주
5 manage 관리하다

7 discipline 훈육하다
8 when it comes to ~에 관해
   말하자면

학교시험 서술형 단골 문제 감 잡기

어법
파악
01 밑줄 친 (a)에서 어법상 틀린 부분을 두 군데 찾아 바르게 고치시오.

어법+
영작
02 밑줄 친 (b)와 같은 뜻이 되도록 주어진 단어들을 알맞은 순서로 배열하시오.

(of / the percentage / "share equally" households / "mother does more" households / as / the same / of / that / is)

어법+
해석
03 밑줄 친 (c)를 우리말로 바르게 해석하시오.

UNIT 12 특수구문

결정적 출제 어법

1 강조하는 방법들 `Point 1`

He does / **did** clean the room yesterday.

↳ 「It ~ that」뿐만 아니라 조동사 do를 사용해서도 강조할 수 있다.

2 부분부정 vs. 전체부정 `Point 3`

Not all of the children went to the zoo.
No / **None** of the children went to the zoo.

↳ 부분부정과 전체부정의 의미 차이를 확실히 알아두기

3 간접의문문의 어순 `Point 4`

Tell me **what you did** / what did you do last weekend.

↳ 간접의문문의 어순은 「의문사 + 주어 + 동사」!

강조, 도치, 부정, 간접의문문

• **강조**: 문장의 특정 부분 강조

| 「It ~ that」 강조구문에 의한 강조 | It was evening **that** I landed in Kuching, Malaysia. |
| 조동사 do를 통한 동사의 강조 | Asians **do** show great care for each other. |

• **도치**: 강조하고자 하는 어구를 문장의 맨 앞에 두어 문장의 어순을 바꾸는 것((조)동사 + 주어)

| 부사(구)/보어 도치 | **Only recently have humans created** various languages. |
| 부정어(구) 도치 | **Not only does it become** easier, but so do other things as well. |

• **부정**: 부분부정(모두/항상/둘 다 ~인 것은 아니다) vs. 전체부정(모두/전혀 ~ 아니다)

| 부분부정 | I do **not** know **both** of them. |
| 전체부정 | You're **not** allowed to change its colors in **any** way. |

• **간접의문문**: 문장 안에 포함된 의문문의 형태

| 의문사가 있는 간접의문문 | You are free to choose **what you want to make of your life**. |
| 의문사가 없는 간접의문문 | I am not sure **whether it is possible**. |

CHECK-UP 괄호 안의 조건에 맞게 빈칸에 알맞은 말을 쓰시오.

1 Tom met Mary in the park. → It _____ _____ _____ Tom met in the park.

(강조구문)

2 I wonder. / What is it like to live abroad?

→ I wonder _____ _____ _____ like to live abroad. (간접의문문)

동격, 삽입, 생략

• **동격**: 명사 또는 명사구의 뒤에 다른 명사 상당어구를 추가하여 보충 설명하는 것

| 단어와 동격 | *Mr. Kim*, **the lawyer**, is my friend's father. |
| 구 및 절과 동격 | *His only wish*, **to see his mother once again**, came true. 〈to부정사구〉 |

• **삽입**: 부가적인 설명을 위해 단어, 구, 절 등을 문장 가운데 추가하는 것

| 단어의 삽입 | She is, **indeed**, a hard-working person. |
| 구 및 절의 삽입 | My mother, **who is a writer**, wrote a number of best sellers. 〈형용사절〉 |

• **생략**: 문장을 간결하게 하기 위해 반복되거나 문맥을 통해 유추 가능한 정보를 삭제하는 것

| 반복을 피할 때 | You can come with us if you want to (**come with us**). |
| 부사절의 「주어+동사」 생략 | When (**he was**) young, he lived with his grandparents. |

기출문장으로 *실전어법* 개념잡기

Point ❶ 강조

It is not only beliefs, attitudes, and values what / **that** are subjective.¹ [고2 9월]
It + be동사   that 강조구문

We **do** / does need at least five participants to hold classes!² [고2 3월]
주어 we의 수에 맞게

- 「It ~ that」 강조구문은 주로 명사(구)나 부사(구)를 강조할 때 사용하며, 「It + be동사」와
  that 사이에 강조하고자 하는 어구를 넣는다. that은 강조되는 어구에 따라 who,
  whom, which, when, where 등으로 바꾸어 쓸 수 있다.
- 「It ~ that」 강조구문 vs. 「가주어-진주어」 구문: It is와 that을 생략했을 때 나머지로
  문장이 성립하면 강조구문
  - (It is) tomorrow (that) he will take the exam.
    → He will take the exam tomorrow. (문장이 성립 → 「It ~ that」 강조구문)
  - (It is) certain (that) he will pass the exam.
    → He will pass the exam certain. (문장이 성립× → 「가주어-진주어」 구문)
- 동사를 강조하기 위해 「do + 동사원형」을 사용하며, 이때 do는 주어의 수와 본동사의
  시제에 일치시켜 do/does/did로 쓴다.

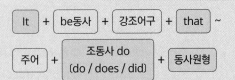

Point ❷ 도치

On the tree a cat was / **On the tree was a cat** meowing for help.³
부사구 도치: 부사구 + (조)동사 + 주어

Lucky are those / Lucky those are who find true friends in this fake world.⁴
보어 도치: 보어 + (조)동사 + 주어

Never before have I / Never before I have seen such a masterpiece.⁵
부정어구 도치: 부정어구 + (조)동사 + 주어

- 도치구문의 어순: 강조 어구 + (조)동사 + 주어
- 관용적 도치구문

| 강조 부사(구), 보어, 부정어(구) | + | (조)동사 | + | 주어 |

  - so + 동사 + 주어: ~도 그렇다
    I love peanuts, and **so does my wife**.
  - neither(nor) + 동사 + 주어: ~도 그렇지 않다
    I'm not hungry. – **Neither am I**.
- 도치구문으로 자주 쓰이는 부정어 포함 어구: not only A but (also) B / no sooner A than B / not A until B ...
  Not only did he teach English, **but** he **also** taught art.
  No sooner had I arrived at the station **than** the train came.

---

1 주관적인 것은 믿음, 태도, 가치뿐만이 아니다.　　2 수업이 열리려면 최소 다섯 명의 참가자가 꼭 필요합니다!　　3 나무 위에서 고양이가 도와달라고 야옹거리고 있었다.

4 이런 거짓된 세상에서 진정한 친구를 찾는 사람들은 운이 좋다.　　5 나는 이런 걸작을 전에 본 적이 없다.

다음 중 어법상 적절한 표현을 고르시오.

✓ VOCA

1 It is this fact of plants' immobility | what / that | causes them to make chemicals. [고1 11월]

immobility 부동성
cause A to B A로 하여금 B하게 하다
chemical 화학 물질

2 Unlike coins and dice, humans have memories and | do / does | care about wins and losses. [고2 3월]

dice 주사위(*pl.*)

3 It's only through practice and action | that / how | you will achieve your desired goal. [고2 11월 응용]

achieve 성취하다
desire 바라다

4 The dances composed by famous composers from Bach to Chopin originally | do / did | indeed accompany dancing. [고2 6월]

compose 작곡하다
indeed 사실상
accompany 동반하다

5 Less well known at the time | was the fact / the fact was | that Freud had found out how helpful his pet dog Jofi was to his patients. [고2 3월 응용]

patient 환자

6 A baseball player who had four outs in a row is not due for a hit, | nor a player is / nor is a player | who made four hits in a row due for an out. [고2 3월]

in a row 연달아
due ~할 예정인

7 Standing behind them | Kathy was / was Kathy |, a beautiful five-year-old with long shiny brown hair and dark flashing eyes. [고2 9월]

flashing 반짝이는

8 It would appear that as time went on, conditions improved and | so did the length / so the length did | of people's lives. [고2 9월]

appear ~인 것 같다
conditions 환경(*pl.*)

기출문장으로 실전어법 개념잡기

Point ③ 부정

Shakespeare did | **not** / neither | **always** write alone.[1] [고1 3월 응용]
부분부정을 나타내는 not + always

| **No** / **None** | of those lies convinced the king that he had listened to the best one.[2] [고2 3월]
전체부정을 나타내는 none

부분부정	모두/항상/둘 다 ~인 것은 아니다	not + all / every / always / both ...
전체부정	모두/전혀 ~ 아니다	not + any / either, no, none, never, neither ...
이중부정	강한 긍정 의미	not(never) ~ without -ing = whenever + S + V ~, S + V ~

| 부분부정 | not | + | all / every / always / both |
| 전체부정 | | not + any / either, no, none, never, neither |

Point ④ 간접의문문

Let them know honestly | **how you are** / how are you | feeling.[3] [고2 6월]
의문사 + 주어 + 동사

Can you tell me | who this bought / **who bought this** | ?[4]
의문사(주어) + 동사

The tricky part is showing | **how special you are** / how you are special | without talking

about yourself.[5] [고2 6월 응용]
의문사 how + 형용사 + 주어 + 동사

| Do you think what / **What do you think** | we will be doing in 10 years?[6]
의문사 + do you think   + 주어 + 동사

Participants were asked whether | **it would be** / would it be | more moral for them to sacrifice

one passenger rather than kill 10 pedestrians.[7] [고2 9월]
whether + 주어 + 동사

- 간접의문문의 기본 어순: 의문사 + 주어 + 동사
- 의문사가 주어일 때: 의문사(주어) + 동사
- 의문사 how 바로 뒤에 형용사/부사가 올 때: 하나의 의문사로 취급
- 주절의 동사가 생각이나 추측을 나타낼 때: 의문사 + do you think(believe/guess/suppose ...) + 주어 + 동사
- 의문사가 없는 간접의문문: if(whether) + 주어 + 동사

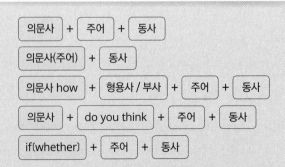

의문사	+	주어	+	동사
의문사(주어)	+	동사
의문사 how	+	형용사 / 부사	+	주어	+	동사
의문사	+	do you think	+	주어	+	동사
if(whether)	+	주어	+	동사

---

1 셰익스피어가 늘 혼자 작품을 썼던 것은 아니다.   2 그 거짓말 중 어떤 것도 왕이 최고의 것을 들었다는 확신을 주지 않았다.   3 당신이 어떤 느낌이 드는지를 상대방에게 솔직하게 알려라.   4 누가 이것을 샀는지 말씀해 주시겠습니까?   5 힘든 부분은 당신에 대해 말하지 않으면서 당신이 얼마나 특별한지 보여 주는 것이다.   6 우리가 10년 후에 무엇을 할 거라고 생각하니?   7 참가자들은 그것들이 열 명의 보행자를 죽이는 대신 한 명의 승객을 희생하는 것이 더 도덕적인지를 질문 받았다.

다음 중 어법상 적절한 표현을 고르시오.

✔ VOCA

1 People are | always not / not always | defined by their behavior.

[고1 9월]

define 정의하다
behavior 행동

2 It is mandatory that even in this global firm all the executives do not schedule | any / all | travel that will conflict with the meeting.

[고1 9월 응용]

mandatory 의무적인
executive 임원
conflict 충돌하다

3 Our focus should instead be on making sure we | not / never | fail to give our youth an education that is going to arm them to save humanity. [고2 9월 응용]

arm 무장시키다
humanity 인류

4 The staff member there did not know enough sign language to ask her why | was she / she was | crying. [고2 9월]

staff 직원
sign language 수화

5 It is not clear just where coffee originated or | who first discovered it / who it discovered first |. [고1 11월]

originate 유래하다
discover 발견하다

6 Now, out of the four blocks, which do you think | we should / should we | give up first? [교과서 응용]

give up 포기하다

7 We can control our temperature in lots of ways: we can change our clothing, the way we behave and | how active we are / how we are active |. [고2 6월]

temperature 체온
behave 행동하다
active 활동적인

8 They determine | whether do / whether | we see each other's faces or instead know each other only by name. [고2 11월]

determine 결정하다

정답과 해설 p. 62

다음 중 어법상 적절한 표현을 고르시오.

🔵 **VOCA**

1
고2 3월

Therefore they tend to move as little as possible — and when they do / does / did move, they often look as though they're in slow motion.

as though 마치 ~처럼
slow motion 슬로 모션

2
고1 11월

Never before these subjects had / had these subjects been considered appropriate for artists.

subject 대상
appropriate 적절한

3
고2 6월
응용

If any scouts disagree on where should the colony / the colony should build its next hive, they argue their case the civilized way.

scout 정찰병
colony 군집
hive 벌집
civilized 문명화된

4
고2 6월

And through her tears, she said, "You have no idea how this means much / how much this means to me."

다음 밑줄 친 부분이 어법상 맞으면 ○표 하고, 틀리면 바르게 고치시오.

5
고2 11월

Please let me know at your earliest convenience <u>if this is</u> possible.

convenience 편의

6
고2 11월

Only when you can instantly recall what you understand, and practice using your remembered understanding, <u>you do</u> achieve mastery.

recall 기억해 내다
achieve 성취하다
mastery 숙달, 통달

7
고2 9월

<u>Would you guess who has</u> the larger hippocampus: the taxi driver or bus driver? The answer is the taxi driver.

hippocampus 해마

다음 글의 네모 안에서 어법상 적절한 표현을 고르시오.

VOCA

1
고2 6월

It's what goes on inside your head (A) that / who makes all the difference in (B) how you will well / how well you will convert what you hear into something you learn. Listening is never enough.

difference 차이
convert 전환시키다
enough 충분한

2
고2 11월
응용

Thomas Edison was indeed a creative genius, but (A) not / no until he discovered some of the principles of marketing (B) he did / did he find increased success. One of his first inventions was, although much needed, a failure.

indeed 정말
creative 창의적인
genius 천재
principle 원칙
invention 발명(품)
failure 실패

다음 글의 밑줄 친 부분 중, 어법상 틀린 것을 고르시오.

3
고2 11월

Inside the envelope ① a letter was that lectured me all about how important ② old friendships are at all ages and that I absolutely "must ③ attend my 50th reunion since it is a once in a lifetime event." ④ Included within was a round-trip airline ticket to and from Syracuse and ⑤ roughly $200 cash.

envelope 봉투
lecture 설교하다
reunion 동창회
round-trip 왕복
roughly 대략

1 (A), (B), (C)의 각 네모 안에서 어법에 맞는 표현으로 가장 적절한 것은?

Although humans have been drinking coffee for centuries, it is not clear just (A) where coffee originated / where did coffee originate or who 3 first discovered it. However, the predominant legend has it that a goatherd discovered coffee in the Ethiopian highlands. Various dates for 6 this legend include 900 BC, 300 AD, and 800 AD. Regardless of the actual date, it is said that Kaldi, the goatherd, noticed that (B) none / no 9 of his goats slept at night after eating berries from what would later be known as a coffee tree. When Kaldi reported his observation 12 to the local monastery, the abbot became the first person to brew a pot of coffee and note its flavor and alerting effect when he drank it. 15 Word of the awakening effects and the pleasant taste of this new beverage soon spread beyond the monastery. The story of Kaldi might be 18 more fable than fact, but at least some historical evidence indicates that coffee (C) do / did originate in the Ethiopian highlands. [고1 11월 응용] 21

	(A)		(B)		(C)
①	where coffee originated	⋯⋯	none	⋯⋯	do
②	where coffee originated	⋯⋯	none	⋯⋯	did
③	where did coffee originate	⋯⋯	no	⋯⋯	do
④	where did coffee originate	⋯⋯	no	⋯⋯	did
⑤	where did coffee originate	⋯⋯	none	⋯⋯	did

2 다음 글의 밑줄 친 부분 중, 어법상 틀린 것은?

Plants are nature's alchemists; they are expert at ① transforming water, soil, and sunlight into an array of precious substances. Many of these 3 substances are beyond the ability of human beings to conceive. While we were perfecting consciousness and ② learning to walk on two 6 feet, they were, by the same process of natural selection, inventing photosynthesis and perfecting organic chemistry. As it turns out, many of the 9 plants' discoveries in chemistry and physics have served us well. From plants ③ chemical compounds come that nourish and heal and 12 delight the senses. Why would they go to all this trouble? Why should plants bother to devise the recipes for so many complex molecules and 15 then expend the energy needed to manufacture them? Plants can't move, ④ which means they can't escape the creatures that feed on them. It 18 is this fact of plants' immobility ⑤ that causes them to make chemicals. [고1 11월 응용]

---

1 originate 유래하다 predominant 유력한 goatherd 염소지기 highland 고산지 regardless of ~에 상관없이 monastery 수도원
abbot 수도원장 brew 끓이다 alert 주의를 환기하다 pleasant 기분 좋은 beverage 음료 evidence 증거 indicate 나타내다

2 alchemist 연금술사 transform 바꾸다 array 집합체 substance 물질 conceive 상상하다 consciousness 의식 process 과정
photosynthesis 광합성 compound 혼합물 nourish 영양분을 공급하다 devise 고안하다 molecule 분자 immobility 부동성

3 다음 글의 밑줄 친 부분 중, 어법상 틀린 것은?

A dramatic example of ① how can culture influence our biological processes ② was provided by anthropologist Clyde Kluckhohn, who spent much of his career in the American Southwest studying the Navajo culture. Kluckhohn tells of a non-Navajo woman he knew in Arizona who took a somewhat perverse pleasure in causing a cultural response to food. At luncheon parties she often served sandwiches filled with a light meat that resembled tuna or chicken but had a distinctive taste. Only after everyone had finished lunch ③ would the hostess inform her guests that what they had just eaten was neither tuna salad nor chicken salad but rather rattlesnake salad. Invariably, someone would vomit upon learning what they had eaten. ④ Here, then, is an excellent example of how the biological process of digestion was influenced by a cultural idea. ⑤ Not only was the process influenced, it was reversed: the culturally based *idea* that rattlesnake meat is a disgusting thing to eat triggered a violent reversal of the normal digestive process. [고2 3월]

4 (A), (B), (C)의 각 네모 안에서 어법에 맞는 표현으로 가장 적절한 것은?

The online world is an artificial universe — entirely human-made and designed. The design of the underlying system shapes how we appear and what we see of other people. It determines the structure of conversations and who (A) has access / access has to what information. Architects of physical cities determine the paths people will take and the sights they will see. They affect people's mood by creating cathedrals that inspire awe and schools that encourage playfulness. Architects, however, do not control (B) how do / how the residents of those buildings present themselves or see each other — but the designers of virtual spaces do, and they have far greater influence on the social experience of their users. They determine (C) whether we / whether do we see each other's faces or instead know each other only by name. They can reveal the size and makeup of an audience, or provide the impression that one is writing intimately to only a few, even if millions are in fact reading. [고2 11월]

	(A)	(B)	(C)
①	has access	how do	whether we
②	access has	how	whether do we
③	access has	how do	whether do we
④	has access	how	whether we
⑤	has access	how do	whether do we

---

3 influence 영향을 주다   anthropologist 인류학자   perverse 비뚤어진   response 반응   resemble 유사하다   distinctive 독특한
hostess 여주인   rattlesnake 방울뱀   invariably 예외 없이   disgusting 역겨운   trigger 촉발시키다   reversal 반전

4 underlying 근본적인   determine 결정하다   have access to ~에 접근할 수 있다   architect 건축가   cathedral 대성당   inspire 불어넣다
awe 경외감   encourage 격려하다   virtual 가상의   reveal 드러내다   impression 인상   intimately 친밀히

1 다음 글을 읽고, 물음에 답하시오.

It's reasonable to assume that every adult alive today has, at some point in their life, expressed or heard from someone else a variation of the following: "Where did all the time go?" While different on the surface, the sentiment behind these phrases is the same: time (a) do / does feel like it moves faster as we get older. According to psychologist Robert Ornstein, the speed of time and our perception of it is heavily influenced by (b) 새로운 정보가 얼마나 많이 있는가 for our minds to absorb and process. In essence, the more new information we take in, the slower time feels. This theory could explain in part (c) why does time feel slower for children. Assigned the enormous task of absorbing and processing all this new perceptual and sensory information around them, their brains are continuously alert and attentive. Why? Because everything is unfamiliar.

3

6

9

12

[고1 9월 응용]

VOCA

1 reasonable 온당한
  assume 추정하다
2 variation 변형
4 surface 표면
  sentiment 정서, 감정
6 perception 지각, 자각

8 absorb 흡수하다
9 theory 이론
10 enormous 막대한
11 perceptual 지각(력)의
12 sensory 감각의
13 alert 기민한
  attentive 주의를 기울이는

\ 학교시험 서술형 단골 문제 감 잡기

어법
파악

01 (a)의 네모 안에서 어법상 알맞은 것을 고르고, 그 이유를 서술하시오.

어법+
영작

02 밑줄 친 (b)와 같은 뜻이 되도록 주어진 단어들을 알맞은 순서로 배열하시오.

(much / is / new / available / information / how)

어법
파악

03 밑줄 친 (c)에서 어법상 틀린 부분을 찾아 바르게 고쳐 다시 쓰시오.

2 다음 글을 읽고, 물음에 답하시오.

In the late 1990s, a family visited the public elementary school where I taught deaf students. (a) <u>Standing behind her parents was Kathy</u>, a beautiful five-year-old with long shiny brown hair. The whole time her parents were there, she didn't make any sound or use sign language, even when her parents prompted her. After a few weeks, I was able to engage her in a variety of learning activities, but writing was a constant struggle. One day, Kathy got off her bus and stood in front of the school crying. The staff member there did not know enough sign language to ask her (b) <u>그녀가 왜 울고 있는지</u>. Finally, the staff member took Kathy into the office where she handed Kathy a pen and notepad. Kathy wrote: "PAC BAK." Immediately she realized the girl left her backpack on the bus. She called the bus back to school, and soon Kathy was reunited with her backpack. Only then (c) <u>Kathy는 펜의 힘을 발견하였다</u>. [고2 9월 응용]

3

6

9

12

VOCA

2 deaf 청각 장애가 있는

5 prompt 유도하다
6 engage 참여하게 하다
  variety 여러 가지
7 constant 끊임없는
  struggle 분투, 투쟁

11 hand 건네주다

13 reunite 재회시키다

학교시험 서술형 단골 문제 감 잡기

어법+ **01** 밑줄 친 (a)를 우리말로 바르게 해석하시오.
해석

어법+ **02** 밑줄 친 우리말 (b)를 다음 조건에 맞게 영작하시오.
영작
〈조건〉• 진행형을 사용할 것
  • cry를 포함하여 4단어로 쓸 것 (필요하면 변형)

어법+ **03** 밑줄 친 (c)와 같은 뜻이 되도록 주어진 단어들을 알맞은 순서로 배열하시오.
영작
(the pen / Kathy / the power / discover / of / did)

웃어라!
온세상이 너와
함께
웃으리

중학부터 수능까지 필수 어휘를
단계별로 마스터하는
바로 VOCA

예비중~중3 ──────────────○ **예비고~고1**

중학 기본	중학 실력	중학 완성	고교 기본	수능 필수

중학 기본 800	반복 어휘 300	반복 어휘 300	반복 어휘 500	반복 어휘 1,000
	신출 어휘 900	신출 어휘 600	신출 어휘 1,000	신출 어휘 1,000
	누적 어휘 1,700	누적 어휘 2,300	누적 어휘 3,300	누적 어휘 4,300

바로 VOCA

- ▶ 최빈출 핵심 어휘는 단계별로 반복되도록 체계적으로 구성
- ▶ 교과서, 모의고사, 수능 기출문제에서 뽑은 실전 예문으로 구성
- ▶ QR코드로 연결되는 바로 듣기 앱
  (3가지 버전 표제어 MP3 파일 제공: 단어만/단어+뜻/단어+예문)
- ▶ 암기 테스트용 어휘 출제 프로그램 제공 (book.chunjae.co.kr)

특별부록
암기하기 편하다!
바로 확인하는
휴대용 암기카드

#차원이_다른_클라쓰
#강의전문교재
#고등교재

수학 교재

● **쉬운 개념서**
짤강수학 예비고~고3
수학(상), 수학(하), 수학Ⅰ, 수학Ⅱ, 확률과통계, 미적분

● **쉬운 입문서**
수학입문 예비고~고3
수학(상), 수학(하), 수학Ⅰ, 수학Ⅱ

● **수학 기본서**
수학의 힘 알파 고1~고3
수학(상), 수학(하), 수학Ⅰ, 수학Ⅱ, 확률과통계, 미적분

● **문제 유형서**
수학의 힘 베타 고1~고3
수학(상), 수학(하), 수학Ⅰ, 수학Ⅱ, 확률과통계, 미적분

● **4주 집중학습 기출문제집**
내신 꼭 고1~고3
고등수학, 수학Ⅰ, 수학Ⅱ

영어 교재

● **종합 기본서**
체크체크 고등영어 예비고~고1

● **고등 영어의 시작**
처음 만나는 수능 구문 예비고~고2
Starter, Basic

● **고등 영어의 시작**
처음 만나는 수능 어법 예비고~고2
Starter, Basic

● **필수 어휘 총 정리서**
바로 VOCA 예비고~고1
고교기본, 수능필수

기출지문으로 공략하는

처음 만나는 수능

어법

Basic

| 정답과 해설 |

기본

CHUNJAE
EDUCATION, INC.

정답과 해설
포인트 **3**가지

▶ 혼자서도 이해할 수 있는 친절한 문제 풀이

▶ 필수 어법 Point 중심 자세한 문제 분석

▶ 전 지문 문장구조 분석 및 직독직해 수록

기출지문으로 공략하는

처음 만나는 수능 어법

Basic

정답과 해설

기본

Unit 01 주어 동사 수 일치

어법 기본 다지는 *Basic Grammar* p. 15

주어 역할을 하는 것 1 Exercising twice a week / 동명사구
2 To win the first prize in the contest / to부정사구
3 Whether she is telling the truth or not / 접속사 whether
가 이끄는 명사절 4 That the Earth revolves around the
Sun / 접속사 that이 이끄는 명사절 5 Who you hang out
with / 의문사 who가 이끄는 명사절
주어와 동사의 수 일치 1 Children / were 2 Peanut
butter and jelly / taste 3 The paintings / were
4 What Dr. Kim did / sets

기출문장으로 *실전어법* 개념잡기 1, 2 p. 17

1 is 2 is 3 enhances 4 is
5 does 6 is 7 ○ 8 impacts

1 여러분 자신을 다른 사람들과 비교하는 것은 사실 불필요한 방해일
뿐이다.
  ▶ 주어는 comparing yourself to others(여러분 자신을 다른 사
    람들과 비교하는 것)로 동명사구이다. 동명사구 주어는 단수 취급
    하므로 단수 동사 is를 써야 한다. 바로 앞의 others를 주어로 착
    각하지 않도록 유의한다.

2 컴퓨터가 여러분의 글을 읽는 것을 듣는 것은 여러분이 그것을 직접
읽는 것과는 아주 다른 경험이다.
  ▶ 주어는 to hear the computer read your writing(컴퓨터가
    여러분의 글을 읽는 것을 듣는 것)이다. to부정사구 주어는 단수
    취급하므로 단수 동사 is를 써야 한다.

3 당신의 소셜 미디어 계정상의 많은 팔로워 수를 갖는 것은 당신이
실제 생활에서 하고 있는 모든 일을 향상시킨다.
  ▶ 주어는 having ~ accounts(여러분의 소셜 미디어 계정상의 많
    은 팔로워 수를 갖는 것)이다. 동명사구 주어는 단수 취급하므로
    단수 동사 enhances를 써야 한다.

4 선별적인 필기의 기술을 발달시키는 것이 흔히 더 효율적이다.
  ▶ 주어는 to develop ~ note-taking(선별적인 필기의 기술을 발
    달시키는 것)이다. to부정사구 주어는 단수 취급하므로 단수 동사
    is를 써야 한다.

5 당신이 차, 커피, 청바지 혹은 전화기를 사고 싶어 하는가의 여부는
중요하지 않다.
  ▶ 명사절인 whether절 주어는 단수 취급하므로 단수 동사인 does
    로 고쳐야 한다.

6 장려금이 시행될 때 사람들의 행동이 얼마나 빠르게, 그리고 급격하
게 변화하는가 하는 것은 주목할 만하다.
  ▶ 명사절인 의문사절 주어는 단수 취급하므로 단수 동사인 is로 고쳐
    야 한다.

7 우리는 내부로 관심을 돌려 우리의 몸이 우리에게 늘 말하고 있는 것
을 다시 듣는 방법을 배우는 것이 꼭 필요하다.
  ▶ 명사절인 that절 주어가 길어져 가주어 it을 앞에 오게 했다. it은
    3인칭 단수이고, 단수 동사인 is가 바르게 쓰였다.

8 한 사람이 하루를 어떻게 접근하는가는 그 사람의 삶의 다른 모든 부
분에 영향을 끼친다.
  ▶ how a person approaches the day(한 사람이 하루를 어떻
    게 접근하는가)가 주어로 쓰였다. 「의문사 + 주어 + 동사」의 의문
    사절이 주어로 쓰일 경우, 단수 취급하므로 impacts로 고쳐야 한다.

기출문장으로 *실전어법* 개념잡기 3, 4 p. 19

1 is 2 creates 3 have 4 are
5 stands 6 have 7 is 8 has

1 출판사에 원고를 팔려는 경쟁은 치열하다.
  ▶ to부정사구 to sell manuscripts to publishers의 수식을 받
    는 the competition이 핵심 주어이므로, 단수 동사 is를 써야 한다.

2 완벽성, 혹은 그 자질을 개인들에게 귀속하는 것은 일반 대중들이
관련지을 수 없는 인지된 거리감을 만든다.
  ▶ 주어는 perfection이고, or the attribution of that quality
    to individuals가 콤마 다음에 삽입 형태로 쓰였다. 따라서 단수
    동사 creates가 적절하다.

3 내용 지식에 대한 직접 평가와 관련된 테스트 전략은 여전히 탐구 주
도형 교실에서 그 가치를 지닌다.
  ▶ testing ~ knowledge(내용 지식에 대한 직접 평가와 관련된 테
    스트 전략)이 주어 부분이고, 핵심 주어는 testing strategies
    로, 현재분사구 relating to direct assessment of content
    knowledge의 수식을 받는다. 술부의 their value를 확인하여
    testing을 주어로 혼동하지 않도록 한다.

4 그 논리에 기초한 그의 계산은 오늘날에도 여전히 사용되며, 그것은
많은 조종사들의 목숨을 구했다.
  ▶ 과거분사구 based on that logic의 수식을 받는 his
    calculations가 주어이므로 복수 동사 are를 써야 한다. 과거분
    사구 앞에 which are가 생략된 형태이다.

5 오류를 포함하는 어떤 원고도 출판을 위해 받아들여질 가능성이 거
의 없다.
  ▶ 핵심 주어는 any manuscript이고 that contains errors는 주
    어를 수식하는 주격 관계대명사절이다. 주어가 단수이므로 단수
    동사 stands로 고쳐야 한다.

6 Jinghpaw 언어로 사고하는 Northern Burma의 사람들은 그들
의 친족을 묘사하기 위한 18개의 기본 용어를 가지고 있다.
  ▶ 콤마 뒤에 관계대명사절 who think in the Jinghpaw
    language가 삽입된 형태로, 핵심 주어는 people이다. 따라서
    복수 동사 have로 고쳐야 한다.

7 개인의 선택이나 취향의 차이에 의해 만들어진 행복의 불평등은 허용 가능하다.
  ▶ 핵심 주어는 inequality of well-being이고 that ~ tastes는 주어를 수식하는 주격 관계대명사절이다. 따라서 단수 동사 is로 고쳐야 한다.

8 투자를 위한 자금을 빌릴 수 있는 자본 시장의 자유화는 세계화 속도에 중요한 기여 요인이었다.
  ▶ 주어는 the liberalization of capital markets이고 관계부사절이 삽입되어 있는 문장이다. 전치사구 of capital markets의 수식을 받는 the liberalization이 핵심 주어이므로 단수 동사 has로 고쳐야 한다.

기출문장으로 *실전어법* 개념잡기 5, 6   p. 21

1 is	**2** increases	**3** is	**4** were
5 is	**6** become	**7** are	**8** was

1 두뇌의 이러한 영역은 성년기까지 계속 변화하고 성숙해진다.
  ▶ 「부분 표현 + of + 명사」가 주어로 쓰인 경우, 뒤에 오는 명사의 수에 동사의 수를 일치시킨다. the brain이 단수 주어이므로 단수 동사 is가 적절하다.

2 각각의 새로운 기술은 새로운 가공품을 생산하기 위해 다른 기술에 의해 쓰일 수 있는 이용 가능한 도구와 자원의 비축을 늘린다.
  ▶ 「each of + 복수 명사」가 주어로 쓰인 경우, '각각의 ~'이라는 뜻이 되어 항상 단수형으로 받는다.

3 우연과 연구자의 협업에 대해 잘 알려진 예들 중 하나는 페니실린의 발명이다.
  ▶ 「one of + 복수 명사」는 '~ 중 하나'라는 뜻으로, 항상 단수 취급하므로 is를 써야 한다.

4 그의 풍경화들 중 대부분은 검은 색조였지만 일부에는 엷은 색이 더해지기도 했다.
  ▶ 부분 표현 most of 뒤의 명사의 수에 동사의 수를 일치시킨다. his landscapes가 복수 명사이므로 복수 동사 were를 써야 한다.

5 모든 인간들의 상호 작용은 다른 신호와 단서들로 이어지는 일련의 신호와 단서들이다.
  ▶ 부분 표현 all of 뒤의 명사의 수에 동사의 수를 일치시킨다. human interaction이 단수 명사이므로 단수 동사 is를 써야 한다.

6 어릴적부터 여러분이 배운 것들 중 일부는 또한 내재적 기억들이 된다.
  ▶ 부분 표현 some of 뒤의 명사의 수에 동사의 수를 일치시킨다. the things가 복수 명사이므로 복수 동사 become을 써야 한다. the things는 뒤에서 관계사 that이 생략된 관계사절의 수식을 받는다.

7 우연히 만들어진 과학적 발명의 예들은 셀 수 없이 많다.
  ▶ 유도부사 there이 문장의 앞에 온 도치 문장은 「there + 동사 + 주어」의 어순으로 쓴다. 주어가 countless examples of scientific inventions이므로 주어의 수에 맞춰 복수 동사 are를 써야 한다.

8 왕이 서거한 후에야 그의 통치 실록이 발간되었다.

  ▶ only after a king died가 강조되어 문장의 맨 앞에 와서 주어와 동사가 도치된 형태이다. 주어가 the *Sillok* of his reign이므로 주어의 수에 맞춰 단수 동사 was를 써야 한다.

어법 TEST 1 *문장* 어법훈련하기   p. 22

1 has, is	**2** was	**3** was	**4** makes
5 is	**6** doesn't	**7** ○	

1 녹음기를 사용하는 것은 일부 단점이 있으며 항상 최고의 해결책은 아니다.
  ▶ 동명사구 주어는 단수 취급하므로 단수 동사를 써야 한다. 등위접속사 and에 의해 동사 has와 is가 병렬구조를 이루고 있다.

2 봉투 안에는 Syracuse 왕복 항공권이 포함되어 있었다.
  ▶ 도치 문장의 어순은 「강조어구 + 동사 + 주어」이다. 핵심 주어는 a round-trip airline ticket이므로 주어의 수에 맞춰 was를 써야 한다.

3 아시아의 자연재해 수가 다섯 지역 모두 중 가장 많았으며, 유럽의 비율의 2배가 넘는 36%를 차지했다.
  ▶ the number of natural disasters in Asia에서 핵심 주어는 the number이므로 단수 동사가 와야 한다. 뒤의 명사 disasters의 수와 혼동하지 않도록 유의한다.

4 블록체인의 탈중개화되어 있고 초국가적인 특성이 그 기술을 통제하기 어렵게 만든다.
  ▶ the disintermediated and transnational nature of blockchains(블록체인의 탈중개화되어 있고 초국가적인 특성)에서 핵심 주어는 nature이므로 단수 동사 makes를 써야 한다.

5 계획에 없던 휴식을 취하는 것은 일을 미루는 덫에 빠지게 하는 확실한 방법이다.
  ▶ to부정사구 주어는 단수 취급하므로 단수 동사 is로 고쳐야 한다.

6 12음계를 듣는 것으로 고정된 뇌는 그 음악에 대한 개념을 가지고 있지 않다.
  ▶ a brain that's been wired by listening to twelve-tone scales(12음계를 듣는 것으로 고정된 뇌)에서 핵심 주어는 a brain으로 관계사절이 주어를 수식하고 있다. 따라서 단수 동사 doesn't로 고쳐야 한다.

7 출판사에 보내진 자료 중 1% 미만이 출판된다.
  ▶ less than one percent of는 비율을 나타내는 부분 표현이므로 뒤에 오는 명사의 수에 동사의 수를 일치시킨다. 즉, 단수 명사 the material의 수에 맞춰 단수 동사 is가 바르게 쓰였다. sent to the publishers는 주어 the material을 수식하는 과거분사구이다.

1 (A) has (B) makes   **2** (A) is (B) is

3 ①

---

1 나의 삶의 모든 면에 회복 시간을 도입하는 것이 나의 전반적인 경험을 바꾸어 놓았다. 한 시간 반 동안의 활동을 네 번이나 다섯 번 집중적으로 하는 것에서, 각각 적어도 15분의 회복 시간이 뒤따르는 것이 내가 전에 하루 12시간 쉬지 않고(마라톤하듯) 일한 그 정도만큼의 일을 해낸다. 매주 하루를 종일 쉬면 나는 덜 생산적인 것이 아니라 오히려 전반적으로 더 생산적이게 된다.

▶ (A) 동명사구 주어 introducing은 단수 취급하므로 단수 동사를 써야 한다.

(B) 동명사구 주어 taking은 단수 취급하므로 단수 동사를 써야 한다.

2 '가사일을 동일하게 분담하는' 가정의 비율은 '엄마가 더 많은 가사일을 하는' 가정의 비율보다 세 개의 항목에서 두 배가 더 넘게 높다. '가사일을 동일하게 분담하는' 가정의 가장 높은 비율을 보여 주는 항목은 '아이들과 함께 놀아주거나 활동하기'이고 그 다음이 '아이들을 훈육하기'이다.

▶ (A) the percentage of "share equally" households ('가사일을 동일하게 분담하는' 가정의 비율)에서 핵심 주어는 the percentage로, 전치사구(of 이하)가 주어를 수식하고 있는 구조이다. 따라서 단수 동사 is를 써야 한다.

(B) the category that shows the highest percentage of "share equally" households ('가사일을 동일하게 분담하는' 가정의 가장 높은 비율을 보여 주는 항목)에서 핵심 주어는 the category로, 관계사절(that 이하)이 주어를 수식하고 있는 구조이다. 따라서 단수 동사 is를 써야 한다.

3 이러한 발달상의 변화가 논리적으로 암시하는 바는 부모가 그 과정에 따라 양육 방법을 변화시킬 필요가 있다는 것이다. 다시 말해서, 아이들이 성장하고 변화함에 따라 명심해야 할 하나의 전략은 그들의 새로운 발달적 필요와 능력을 충족시키기 위해 당신 또한 변화해야 한다는 것이다.

▶ ① → is / a logical implication of these developmental changes(이러한 발달상의 변화의 논리적인 암시)에서 핵심 주어는 a logical implication이므로 단수 동사 is로 고쳐야 한다.

---

1 ④   **2** ④   **3** ①   **4** ②

---

1. 구문분석 및 직독직해

❶ A good many scientists and artists / have noticed / the
상당한 수의 과학자들과 예술가들이 / 주목해 왔다
주어 / 현재완료(계속)
universality of creativity.
창의성의 보편성에 대해

❷ At the Sixteenth Nobel Conference, (Vheld in 1980,)
제16차 노벨 회의에서 / 1980년에 열린
└ 삽입
(which was)

the scientists, musicians, and philosophers all / agreed, (to quote
과학자들, 음악가들 그리고 철학자들은 모두 / 동의했다   Freeman
삽입
Freeman Dyson,) [that "the analogies between science and
Dyson의 말을 인용하여   과학과 예술 사이의 유사성은
명사절 접속사(agreed의 목적절)   between A and B: A와 B 사이에
art / are very good / as long as you are talking / about the
매우 높습니다   여러분이 이야기하고 있는 한   ~하는 한
동사
creation and the performance].
창조와 행위에 관해

❸ The creation is certainly very analogous.
창조는 분명 매우 유사합니다

❹ The aesthetic pleasure of the craftsmanship of performance /
미적 쾌감은   행위의 솜씨에서 나오는
주어   └ 전치사구   └ 전치사구
is also very strong / in science."
또한 매우 큽니다   과학에서
동사

❺ A few years later, / at another multidisciplinary conference, /
몇 년 후,   또 다른 여러 학문 분야에 걸친 회의에서
a few+셀 수 있는 명사
physicist Murray Gell-Mann found [that "everybody agrees /
물리학자인 Murray Gell-Mann은 알아냈다   모두가 동의합니다
명사절 접속사(found의 목적절)
on {where ideas come from}].
아이디어가 어디에서 오는지에 대해
의문사가 이끄는 명사절(의문사+주어+동사)

❻ We had a seminar here, / about ten years ago, / including
우리는 이곳에서 세미나를 했습니다   약 10년 전   ~을 포함하여
several painters, a poet, a couple of writers, and the physicists.
몇 명의 화가, 시인 한 명, 두세 명의 작가 그리고 물리학자들을
A,   B,   C, a couple of+복수 명사   and D

❼ Everybody agrees on [how it works].
모두가 동의합니다   그것이 어떻게 진행되는지에 대해
everybody+단수 동사   의문사가 이끄는 명사절(의문사+주어+동사)

❽ All of these people, [whether they are doing artistic work
이 사람들 모두는   자신들이 예술적인 일을 하고 있든 과학적인 일을 하고
all of+복수 명사   삽입절(whether A or B)   A
or scientific work], are trying to solve a problem."
있든   문제를 해결하려고 노력하고 있습니다
B   복수 동사   try+to부정사: ~하려고 노력하다

해석 상당한 수의 과학자들과 예술가들이 창의성의 보편성에 대해 주목해 왔다. 1980년에 열린 제16차 노벨 회의에서 과학자들, 음악가들 그리고 철학자들은 Freeman Dyson의 말을 인용하여 "여러분이 창조와 행위에 관해 이야기하고 있는 한 과학과 예술 사이의 유사성은 매우 높습니다. 창조는 분명 매우 유사합니다. 행위의 솜씨에서 나오는 미적 쾌감은 과학에서도 매우 큽니다."라는 것에 모두 동의했다. 몇 년 후, 또 다른 여러 학문 분야에 걸친 회의에서 물리학자인 Murray Gell-Mann은 "모두가 아이디어가 어디에서 오는지에 대해 동의합니다. 우리는 몇 명의 화가, 시인 한 명, 두세 명의 작가 그리고 물리학자들을 포함하여 약 10년 전 이곳에서 세미나를 했습니다. 모두가 그것이 어떻게 진행되는지에 대해 동의합니다. 이 사람들 모두는 자신들이 예술적인 일을 하든 과학적인 일을 하든 문제를 해결하려고 노력하고 있습니다."라는 것을 알아냈다.

해설 (A) the analogies between science and art에서 핵심 주어는 the analogies로, 전치사구가 수식하고 있는 구조이므로 복수 동사 are가 적절하다.

(B) 주어가 the aesthetic pleasure로, 전치사구(of 이하)의 수식을 받고 있다. 따라서 주어의 수에 맞춰 단수 동사 is를 써야

한다.

(C) 부분 표현이 있는 「all of + 명사」가 주어인 경우, 뒤의 명사의 수에 동사의 수를 일치시킨다. 따라서 these people에 맞춰 복수 동사 are가 온다.

2. 구문분석 및 직독직해

❶ You may be wondering [why people / prefer to prioritize /
당신은 궁금해할지도 모른다　왜 사람들이　우선시하는 것을 선호하는지
조동사+진행시제　　의문사 명사절(목적어)

internal disposition / over external situations / when seeking /
내적 기질을　　　　외적 상황보다는　　　　찾을 때
　　　　　　　　　　　　　　　　　　　　접속사+분사구문

causes to explain behaviour].
행동을 설명하기 위한 원인을

❷ One answer is simplicity.
한 가지 답은 단순함이다

❸ Thinking of an internal cause / for a person's behaviour / is
내적 원인을 생각해 내는 것은　　한 사람의 행동에 대한
동명사 주어　　　　　　　　　↳ 전치사구 수식어　　　단수 동사

easy — / the strict teacher is a stubborn person, / the devoted
쉽다　　엄격한 선생님은 완고한 사람이며,　　　헌신적인

parents just love their kids.
부모는 단지 아이들을 사랑하는 것이다

❹ In contrast, / situational explanations / can be complex.
반대로　　　　상황적 설명은　　　　　　복잡할 수 있다
　　　　　　　　　　　　　　　　　　조동사+동사원형

❺ Perhaps the teacher appears stubborn / because she's
아마 그 선생님은 완고하게 보일 것이다　　왜냐하면 그녀는
　　　주어　　　동사1(2형식 자동사)+형용사　　현재완료

seen the consequences / of not trying hard / in generations of
결과를 보아 왔다　　　열심히 노력하지 않는 것의　여러 세대의 학생들에서
　　　　　　　　　↳ 전치사구 수식어

students / and wants to develop self-discipline in them.
　　　　그리고 그들이 자신을 단련하는 방법을 발전시키기를 원하기 때문에
　　　　병렬구조 동사2　　　　　　　　　　　　= students

❻ Perhaps the parents [who're boasting of the achievements
아마도　부모들은　자녀들의 성취를 뽐내는
　　　　주어　　↳ 관계사절 수식어

of their children] are anxious about their failures, / and ∨conscious
그들의 실패에 대해 걱정한다　　　　　그리고 의식하고 있
　　　　　　　　동사　　　　　　　　　병렬구조

of / the cost of their school fees.
을 것이다　수업료의 가격을

❼ These situational factors require / knowledge, insight, and
이러한 상황적 요소들은　　필요로 한다　지식, 통찰, 그리고
　주어　　　　　　　　　동사

time to think through.
곰곰이 생각할 시간을
　　↳ to부정사의 형용사적 용법(앞의 명사 수식)

❽ Whereas, / jumping to a dispositional attribution / is far
반면에　　기질적 속성으로 넘어가는 것은　　　　훨씬 더 쉽다
　　　　　동명사 주어　　　　　　　　　　　　단수 동사

easier.
far+비교급

해석 당신은 행동을 설명하기 위한 원인을 찾을 때 사람들이 왜 외적 상황보다는 내적 기질을 우선시하기를 좋아하는지를 궁금해할 것이다. 한 가지 답은 단순함이다. 한 사람의 행동에 대한 내적 원인을 생각해 내는 것은 쉽다 — 엄격한 선생님은 완고한 사람이며, 헌신적인 부모는 단지 아이들을 사랑하는 것이다. 반대로, 상황적 설명은 복잡할 수 있다. 아마 그 선생님은 여러 세대의 학생들이 열심히 노력하지 않는 것의 결과를 보아 왔고, 학생들이 자신을

단련하는 방법을 발전시키기를 원하기 때문에 완고하게 보일 것이다. 아마도 자녀들의 성취를 뽐내는 부모들은 그들의 실패에 대해 걱정하고 수업료를 의식하고 있을 것이다. 이러한 상황적 요소들은 지식, 통찰, 그리고 곰곰이 생각할 시간을 필요로 한다. 반면에, 기질적 속성으로 넘어가는 것은 훨씬 더 쉽다.

해설 ④ → are / 주어는 the parents로, 관계사절 who're ~ children이 주어를 수식하고 있다. 따라서 주어의 수에 맞춰 are로 고쳐야 한다.

3. 구문분석 및 직독직해

❶ There has been a general belief [that sport is a way / of
일반적인 믿음이 있어 왔다　　　　　스포츠가 방법이라는
there+동사+주어(도치)　　　　　　└ = 동격절

reducing violence].
폭력을 감소시키는
전치사+동명사

❷ Richard Sipes [who is an anthropologist] tests this notion /
Richard Sipes　　인류학자인　　　　　　이 개념을 검증한다
　　　　　　└ 주격 관계대명사　　　　　　동사

in a classic study / of the relationship / between sport and violence.
고전적인 연구에서　　관계에 대한　　　　스포츠와 폭력의
　　　　　　　　└ 전치사구　　　　　　between A and B: A와 B 사이에

❸ Focusing on [what he calls "combative sports,"] those sports
~에 초점을 맞추며　그가 '전투적인 스포츠'라고 부르는 것　그러한 스포츠
분사구문　　　　관계대명사절: on의 목적절(명사절)　　└ {이어지는 내용}

{including actual body contact / between opponents or simulated
실제 신체 접촉을 포함하는　　　　상대방 간의　　　　　모의 전투를
전치사(including) A　　　　　　　　　　　　　　　or B
　　　　　　　　　　　┌ 조건절
warfare}, he hypothesizes [that if sport is an alternative to
그는 가설을 세운다　만약 스포츠가 폭력에 대한 대체물이라면
　　주어　　동사　　목적절을 이끄는 접속사

violence, / then one would expect / to find an inverse correlation
어떤 사람은 기대한다고　　　　　역 상관관계를 찾기를
　　　　　주절　　　　　　　　　to부정사(expect의 목적어)

between the popularity of combative sports and the frequency
전투적인 스포츠의 인기와 전투의 빈도 및 강도 사이에
└ 전치사구 between A　　　　　　　　　　and B

and intensity of warfare].

❹ In other words, / the more combative sports (e.g., football,
다시 말해서　　　　전투적인 스포츠(예를 들면, 축구, 권투)가 더 많을수록
　　　　　　　　　the+비교급,

boxing) the less likely warfare.
전투는 덜 일어난다
the+비교급: ~하면 할수록 더 …하다

❺ Using the Human Relations Area Files and a sample of 20
Human Relations Area Files와 20개 사회의 샘플을 사용하여
분사구문

societies, / Sipes tests the hypothesis and / discovers a significant
Sipes는 그 가설을 검증하고　　　　　발견한다
　　　　동사1　　　　　　　　　　　동사2

relationship / between combative sports and violence, / but a
중요한 관련성을 전투적인 스포츠와 폭력 사이의
└ 전치사구 between A and B: A와 B 사이에

direct one, / not the inverse correlation of his hypothesis.
그가 가정한 역 상관관계가 아닌 직접적인 상관관계를
부정대명사 (= correlation)

해석 스포츠가 폭력을 감소시키는 방법이라는 일반적인 믿음이 있어 왔다. 인류학자인 Richard Sipes는 스포츠와 폭력의 관계에 대한 고전적인 연구에서 이 개념을 검증한다. 상대방 간의 실제 신체 접촉이나 모의 전투를 포함하는 그러한 스포츠, 그가 '전투적인 스포츠'라고 부르는 것에 초점을 맞추며, 그는 만약 스포츠가

폭력에 대한 대체물이라면, 어떤 사람은 '전투적인 스포츠'의 인기와 전투의 빈도 및 강도 사이에 역 상관관계를 찾기 기대한다고 가설을 세운다. 다시 말해서, 전투적인 스포츠(예를 들면, 축구, 권투)가 더 많을수록 전투는 덜 일어난다. Human Relations Area Files와 20개 사회의 샘플을 사용하여, Sipes는 그 가설을 검증하고 전투적인 스포츠와 폭력 사이의 중요한 관련성, 그가 가정한 역 상관관계가 아닌 직접적인 상관관계를 발견한다.

해설 ① → has been / there 도치 문장의 어순은 「there + 동사 + 주어」이다. 주어는 a general belief이므로 주어의 수에 맞춰 has been으로 고쳐야 한다.

4. 구문분석 및 직독직해

❶ In this world, / being smart or competent / isn't enough.
이 세상에서　　똑똑하거나 능력이 있는 것만으로는　　충분하지 않다
　　　　　　　　동명사 주어　　　　　　　　　　단수 동사

❷ People sometimes don't recognize talent / when they
사람들은 때때로 재능을 알아차리지 못한다　　　　　그들이
　　　　　　　　　　　　　　　　　　　시간의 접속사〈부사절〉

see it.
그것을 볼 때
(= talent)
　　　　　　　　　　　　　　　　　　　　　┌ (that)
❸ Their vision is clouded / by the first impression [V we give]
그들의 시야는 가려진다　　첫인상에 의해　　우리가 주는
　　　　　　수동태 현재　　　　　　　목적격 관계대명사 생략
　　　　　　　　　　　　　┌ (that)
and that can lose us / the job [V we want], or the relationship
그리고 그것은 잃게 할 수 있다　우리가 원하는 일을　　또는 관계를
　지시대명사(앞 문장)
┌ (that)
[V we want].
우리가 원하는
　　　　┌ 관계부사 how)
❹ The way [V we present ourselves] can speak more eloquently /
방식은　우리가 스스로를 보여 주는　　더 설득력 있게 말해 줄 수 있다
　　　　┌ (that)　　　　┌ 조건절
of the skills [Vwe bring to the table], if we actively cultivate /
기술에 대해　우리가 기여할　　만약 우리가 적극적으로 계발한다면
　　　　　　bring to the table: 기여하다, 제공하다

that presentation.
그러한 보여 주기를

❺ Nobody likes to / be crossed off the list / before being
어느 누구도 좋아하지 않는다 목록에서 지워지는 것을
부정문을 이끄는 부정주어 to부정사의 수동태　　　전치사+동명사
　　　　　　　　　　　　　　　　　┌ 간접의문문
given the opportunity / to show others [who they are].
기회를 제공받기 전에　　다른 사람들에게 보여 줄 자신이 누구인지를
수동태　　　　　　　　↳ to부정사 show 간접목적어 직접목적어

　　　　　　　　　　　　　　　　　(관계부사 when)
❻ Being able to tell / your story / from the moment / [Vyou
말할 수 있는 것은　당신의 이야기를 그 순간부터　　　당신이
동명사 주어

meet other people] is a skill [that must be actively cultivated],
다른 사람들을 만나는　기술이다　적극적으로 계발되어야만 하는
　　　　　　　　　　　단수 동사 ↳ 주격 관계대명사
　　　　　　　　　　　　　　　　　조동사의 수동태

in order to send the message [that you're someone to be
메시지를 전달하기 위해서　　　당신은 고려되어야 할 누군가이다
(= so as to)　　　　　　　　└ = ┘동격의 that 보어1 to부정사의 수동태

considered / and the right person for the position].
　　　　　그리고 그 자리에 적합한 사람이라는
　　　　　병렬구조 보어2
　　　　　　　　　　　　　　　　　　learn의 목적어1
❼ For that reason, / it's important [that we all learn {how to
그러한 이유로　　　중요하다　　　우리 모두는 배우는 것이
　　　　　　　　　가주어 it　　　[　] 진주어 that절 ┌ (how)
say the appropriate things / in the right way / andVto present
적절한 것들을 말하는 방법을　　올바른 방식으로　　그리고 우리 스스로로
　　　　　　　　　　　　　　　　　　　　　　목적어2
ourselves / in a way 〈that appeals to other people〉}] — tailoring /
보여 주는 방법을　방식으로 다른 사람들에게 매력적인　　재단하는 것
　　　　　　선행사 ↳ 주격 관계대명사　　　　　　　　동명사

---

a great first impression.
훌륭한 첫인상을

해석 이 세상에서 똑똑하거나 능력이 있는 것만으로는 충분하지 않다. 사람들은 때때로 재능을 볼 때 그것을 알아차리지 못한다. 그들의 시야는 우리가 주는 첫인상에 의해 가려지고 그것은 우리가 원하는 일 또는 우리가 원하는 관계를 잃게 할 수 있다. 만약 우리가 그러한 보여 주기를 적극적으로 계발한다면, 우리가 자기 자신을 보여 주는 방식은 우리가 기여할 기술들에 대해 더 설득력 있게 말해 줄 수 있다. 어느 누구도 다른 사람들에게 자신이 누구인지를 보여 줄 기회를 제공받기 전에 목록에서 지워지는 것을 좋아하지 않는다. 당신이 다른 사람들을 만나는 그 순간부터 자신의 이야기를 말할 수 있는 것은, 당신이 고려되어야 할 누군가이고 그 자리에 적합한 사람이라는 메시지를 전달하기 위해서 적극적으로 계발되어야만 하는 기술이다. 그러한 이유로, 우리 모두는 올바른 방식으로 적절한 것들을 말하는 방법과 다른 사람들에게 매력적인 방식으로 우리 스스로를 보여 주는 방법을 배우는 것이 중요하다 — 훌륭한 첫인상을 재단하는 것이다.

해설 (A) -body로 끝나는 명사는 단수 취급하므로 단수 동사 likes를 써야 한다.
(B) 동명사구 주어(being)는 단수 취급하므로 단수 동사 is를 써야 한다.
(C) 관계사절의 동사를 찾는 문제로, 관계대명사 that의 선행사는 a way이므로 단수 동사 appeals를 써야 한다.

어법 TEST 4 ┆ 서술형 내신 어법훈련하기
pp. 26~27

1　01 was → were / 아마도 더 충격적인 것은, 그들이 맞았다고 '가장' 확신했던 사람들이 대체로 그 주제에 대해 가장 적게 알았던 사람들이었다.　02 Part of the answer lies in the way our brains are wired.　03 confirms / 주격 관계대명사 that 앞에 나온 선행사 information의 수에 맞춰 단수 동사 confirms가 와야 한다.

2　01 is / 문장의 주어는 동명사 judging이므로 단수 동사 is가 적절하다.　02 그러나 문화 상대주의에는 내재적인 논리적 모순이 존재한다.　03 the boundaries of logic make cultural relativism impossible

1. 구문분석 및 직독직해

❶ In 2000, / James Kuklinski of the University of Illinois / led
2000년에　Illinois 대학의 James Kuklinski가　　　　　이끌었다
과거를 나타내는 부사구

an influential experiment [in which more than 1,000 Illinois
영향력 있는 실험을　　　　　　　1,000명이 넘는 Illinois의
　　　　　　선행사　　　전치사+관계대명사

residents / were asked questions about welfare].
거주자들이　복지에 관한 질문을 받는
　　　　　수동태 과거
　　　　　　　　　　　　　　　　명사절 접속사 ┐
❷ More than half indicated [that they were confident {that
절반이 넘는 응답자들이　말했다　그들은 확신한다고
　　　　주어　　　　　　　동사　　명사절 접속사〈목적절〉

their answers were correct}] — but in fact, / only three percent
그들의 답이 맞다는 것을　　　　　그러나 사실은　　오직 그 사람들의 3퍼센트

of the people / got more than half of the questions right.
만이　　　질문의 답을 절반 넘게 맞혔다
　　　　　　5형식 get + 목적어　　　　　+목적격보어

❸ Perhaps more disturbingly, / the ones [who were the *most*
아마도 더 충격적인 것은　　　사람들이　'가장' 확신했던
　　　　　　　　　　　　　　복수 대명사 ↳ 관계사절　　최상급

　　　┌ (that)
confident {Vthey were right}] were generally the ones [who knew
그들이 맞았다고　　　대체로 사람들이었다　　가장 적게 알았던
confident that: ~라고 확신하다　복수 동사　　보어(복수 대명사) ↳ 관계사절

the least / about the topic].
　　　　　그 주제에 대해
최상급

　　　　　　　　　┌ 명사절 접속사(implies의 목적어)
❹ "It implies not only [that most people will resist correcting /
그것은 의미한다 뿐만 아니라　대부분의 사람들이 고치는 것에 저항할
　　　　　　not only A　　　　　　　　　동명사(목적어)

their factual beliefs,]" (Kuklinski wrote,) "but also [that the very people
그들의 사실적 믿음을　　(Kuklinski는 썼다)　또한　　바로 그 사람이
삽입　　　　　　　　　but also B　　주어

{who most need to correct them} will be least likely to do so]."
그것들을 가장 고쳐야 할 필요가 있는　　그렇게 할 가능성이 가장 적다는 것을
↳ 주격 관계대명사　　　　　　　　　　동사

❺ How can we have things so wrong / and be so sure [that
어떻게 우리는 그렇게 틀리고도　　그리고 그렇게 확신할 수 있을까
　　　　　동사1　　　　　　　　　동사2　sure의 목적절

we're right]?
우리가 맞다고

　　　　　　　　　　　　　　┌ (관계부사 how)
❻ Part of the answer / lies in the way [Vyour brains are wired].
정답의 일부는　　　방식에 있다　　　우리의 뇌가 고정되는
부분 표현+of+단수 명사　단수 동사　　　　수동태 현재

❼ Generally, / people tend / to seek consistency.
일반적으로　사람들은 경향이 있다 일관성을 추구하는
　　　　　　　　　　　　　　　to부정사(목적어)

❽ There is a substantial body / of psychological research /
~이 있다　상당한 양의　　심리학적인 연구
there+동사+주어(도치)

　　　　┌ 접속사(show의 목적절)
showing [that people tend to interpret information / with an
보여주는　사람들은 정보를 해석하는 경향이 있다는 것을　　시각으로
↳ 현재분사

eye / toward reinforcing / their preexisting views].
강화하는 쪽을 향한　기존의 견해들을
전치사+동명사　　　현재분사 ↳

❾ If we believe something / about the world, / we are more
만약 우리가 무언가를 믿는다면 세상에 대해　　우리는 더 ~하는 경향이
if 조건절
　　　　　　　　　accept A as B (길어진 A가 후치됨)

likely / to passively accept / as truth / any information [that
있다　수동적으로 받아들이는　사실로　어떠한 정보라도
be likely+to부정사: ~하는 경향이 있다　　　　　　주격 관계대명사

confirms our beliefs].
우리의 믿음을 확인해 주는

해석 2000년에, Illinois 대학의 James Kuklinski가 1,000명이 넘는 Illinois의 거주자들에게 복지에 대한 질문을 하는 영향력 있는 실험을 이끌었다. 절반이 넘는 응답자들이 그들의 답이 맞다고 확신한다고 말했지만, 사실은 오직 그 사람들의 3퍼센트만이 질문의 답을 절반 넘게 맞혔다. 아마도 더 충격적인 것은, 그들이 맞았다고 '가장' 확신했던 사람들이 대체로 그 주제에 대해 가장 적게 알았던 사람들이었다. Kuklinski는 "그것은 대부분의 사람들이 그들의 사실적 믿음을 고치는 것에 저항할 뿐만 아니라 또한 그것들(자기가 믿고 있는 사실들)을 가장 고쳐야 할 필요가 있는 바로 그 사람들이 그렇게 할 가능성이 가장 적다는 것을 의미한다."라고 썼다. 어떻게 우리는 그렇게 틀리고도 우리가 맞다고 그렇게 확신할 수 있을까? 정답의 일부는 우리의 뇌가 고정되는 방식에 있다. 일반적으로, 사람들은 일관성을 추구하는 경향이 있다. 사람들은 기존의 견해들을 강화하는 쪽으로의 시각을 가지고 정보를 해석하는 경향이 있다는 것을 보여 주는 상당한 양의 심리학적

인 연구가 있다. 만약 우리가 세상에 대해 무언가를 믿는다면, 우리는 수동적으로 우리의 믿음을 확인해 주는 어떠한 정보라도 사실로 받아들이는 경향이 더 있다.

해설 01 the ones who were the *most* confident they were right(그들이 맞았다고 '가장' 확신했던 사람들)에서 핵심 주어는 복수 대명사 the ones이므로 동사 was를 were로 고쳐야 한다.

02 '정답의 일부'는 「부분 표현 + of + 명사」 형태를 사용하여 part of the answer로 쓴다. 동사는 부분 표현 뒤에 오는 주어의 수에 일치시켜 단수 동사 lies로 쓴다.

03 주격 관계대명사절의 동사는 선행사의 수에 일치시킨다.

2. 구문분석 및 직독직해

❶ Ethical and moral systems / are different / for every culture.
윤리적 그리고 도덕적 체계는　　다르다　　모든 문화마다
주어　　　　　　　　　　　　동사 보어(형용사)

❷ According to cultural relativism, / all of these systems / are
문화 상대주의에 따르면　　　　　이 모든 체계는
~에 따르면

equally valid, / and no system is / better than another.
똑같이 타당하며　그리고 어떠한 체계도　다른 체계보다 우수하지 않다
　　　　　　　　　　　　　비교급을 이용한 원급 비교

❸ The basis of cultural relativism / is the notion [that no true
문화 상대주의의 기본은　　　　개념이다
　　　　　　　　　　　　　　　　　└ = ┘ 동격의 that

standards of good and evil / actually exist].
선과 악의 진정한 기준이　　　실제로 존재하지 않는다는
　　　　　　　　　　　　　자동사

❹ Therefore, / judging [whether something is right or wrong]
그러므로　판단하는 것은 무언가가 옳은지 또는 그른지를
　　　　　　동명사 주어　whether가 이끄는 목적절

is based / on individual societies' beliefs, / and any moral or
근거한다　개별 사회의 신념에　　　　　　그리고 도덕적 또는
단수 동사 be based on: ~에 근거하다

ethical opinions / are affected / by an individual's cultural
윤리적 견해는　　　영향을 받는다　개인의 문화적 관점에 의해
　　　　　　　　　수동태 현재

perspective.

❺ There exists / an inherent logical inconsistency / in cultural
존재한다　　내재적인 논리적 모순이　　　　문화 상대주의에는
there+2형식 동사+주어

relativism, / however.
　　　　　그러나
　　　　　접속부사
　　　　　　　　　　　┌ 명사절 접속사
❻ If one accepts / the idea [that there is no right or wrong],
만일 받아들이면　생각을　옳고 그름이 없다는
if 조건절　　　　　　　└ = ┘ 동격

then there exists / no way / to make judgments / in the first
존재하지 않는다 방법이　판단할　　　　애초에
there+동사+주어(도치) ↳ to부정사의 형용사적 용법(앞의 명사 수식)

place.

❼ To deal with this inconsistency, / cultural relativism creates /
이 모순을 해결하기 위해　　　　　문화 상대주의는 만들어낸다
to부정사의 부사적 용법(목적)

"tolerance."
'관용'을

　　　　　　　　　　┌「전치사+명사」강조+동사+주어 (도치)
❽ However, with tolerance comes / intolerance, [which means
그러나　관용에는 따른다　　　불관용이　　그것은 의미한다
접속부사　전치사+명사　　동사　　주어　　계속적 용법의 관계대명사

{that tolerance must imply / some sort of ultimate good}].
관용이 내포하고 있음에 틀림없다는 것을　일종의 궁극적인 선을
명사절 접속사(means의 목적절)

❾ Thus, / tolerance also goes / against the very notion / of
따라서   관용 또한 반하는 것이다   바로 그 개념에
                                        the very+명사: 바로 그 ~

cultural relativism, / and the boundaries of logic / make cultural
문화 상대주의의   그리고 논리의 영역이   문화 상대주의를 불가능하게 만든다
                                        5형식 make + 목적어

relativism impossible.
└─────── + 목적격보어(형용사)

해석 윤리적 그리고 도덕적 체계는 모든 문화마다 다르다. 문화 상대주의에 따르면, 이 모든 체계는 똑같이 타당하며 어떠한 체계도 다른 체계보다 우수하지 않다. 문화 상대주의의 기본은 선과 악의 진정한 기준이 실제로 존재하지 않는다는 개념이다. 그러므로 무언가가 옳은지 또는 그른지를 판단하는 것은 개별 사회의 신념에 근거하며, 도덕적 또는 윤리적 견해는 개인의 문화적 관점에 의해 영향을 받는다. 그러나 문화 상대주의에는 내재적인 논리적 모순이 존재한다. 만일 옳고 그름이 없다는 생각을 받아들이면, 애초에 판단할 방법이 존재하지 않는다. 이 모순을 해결하기 위해 문화 상대주의는 '관용'을 만들어 낸다. 그러나 관용에는 불관용이 따르며, 그것은 관용이 일종의 궁극적인 선을 내포하고 있음에 틀림없다는 것을 의미한다. 따라서 관용 또한 문화 상대주의의 바로 그 개념에 반하는 것이며, 논리의 영역이 문화 상대주의를 불가능하게 만든다.

해설 01 동명사(구) 주어는 단수 취급한다.
02 there 다음에 주어와 동사가 도치되어 동사 exists 뒤에 주어가 있음에 유의하여 해석한다.
03 핵심 주어는 the boundaries이므로 주어의 수에 맞춰 makes를 복수 동사 make로 고쳐 써야 한다.

어법 기본 다지는 *Basic Grammar*   p. 29

시제 **1** will be working / 미래진행 시제
2 have experienced / 현재완료 시제
3 realized / 과거시제, had misspelled / 과거완료 시제 (대과거)

기출문장으로 *실전어법* 개념잡기 1, 2   p. 31

1 wants   **2** identified   **3** will greatly improve
4 was slowly rising   **5** ask   **6** grows up   **7** makes
8 apply

1 그는 아버지가 원하는 방식으로 그것들을 보고 들어야 한다.
▶ 감정을 나타내는 동사 want는 진행형을 쓸 수 없다. 따라서 wants가 적절하다.

2 독일의 수학자인 David Hilbert는 1900년에 23개의 풀리지 않는 문제를 규정했다.
▶ 「in + 연도」와 함께 과거의 역사적 사실을 나타내고 있으므로 단순 과거시제가 되어야 한다. 따라서 identified가 적절하다.

3 나는 이러한 요청에 대한 당신의 승인이 우리 아이들의 안전을 크게 향상시켜 줄 것이라고 기대한다.
▶ anticipate(기대하다) 등의 말로 보아, 문맥상 요청에 대한 당신의 승인이 '크게 향상시켜 줄 것이다'라는 뜻이 되어야 자연스럽다. 따라서 미래시제 will greatly improve를 써야 한다.

4 나는 멀리 떨어진 교회에서 부드럽게 일곱 번 울려 퍼지는 시계 소리에 잠이 깼고 해가 서서히 떠오르고 있는 것을 알아차렸다.
▶ '해가 서서히 떠오르고 있었다'라는 뜻으로, 과거의 어느 시점에서 진행 중이던 동작을 나타낸다. 따라서 과거진행 시제 was slowly rising이 적절하다.

5 역설적이게도, 당신이 기본적인 질문을 할 때, 당신은 다른 사람들에게 더 똑똑하다고 인식될 가능성이 높다.
▶ 시간을 나타내는 접속사 when이 이끄는 부사절에서는 현재시제가 미래시제를 대신하므로 ask를 써야 한다.

6 어쩌면 그는 자라서 조류학자가 될지도 모른다.
▶ 시간을 나타내는 접속사 when이 이끄는 부사절에서는 현재시제가 미래시제를 대신하므로 grows up을 써야 한다.

7 인지된 평균 혹은 평균 이하의 능력을 가진 사람이 실수를 저지른다면, 그 또는 그녀는 다른 사람들에게 덜 매력적이고 호감을 덜 주게 될 것이다.
▶ 조건을 나타내는 접속사 if가 이끄는 부사절에서는 현재시제가 미래시제를 대신하므로 makes가 적절하다.

8 만약 여러분의 모든 여윳돈을 반드시 일어날 일에 대비하여 저축하지 않고 빚을 갚는 데 다 쓴다면, 여러분은 어떤 일이 실제로 발생할 때 실패했다고 느낄 것이다.
▶ 조건을 나타내는 접속사 if가 이끄는 부사절에서는 현재시제가 미래시제를 대신하므로 apply가 적절하다.

기출문장으로 *실전어법* 개념잡기 3, 4　　p. 33

> **1** has been　**2** lost　**3** learned　**4** have recognized
> **5** had sat　**6** have heard　**7** had found
> **8** abandoned

1 1970년대 이후로 국경을 넘나드는 더 자유로운 자본 흐름을 향한 추세가 있어 왔다.
▶ 「since + 특정 과거 시점」으로 보아, 과거에 일어난 일이 현재에 영향을 미칠 때 쓰는 현재완료 has been이 적절하다.

2 Cassatt은 70세의 나이에 시력을 잃었고, 슬프게도, 노년에는 그림을 그릴 수 없었다.
▶ at the age of seventy(70세의 나이에)로 과거의 명확한 시점을 밝히고 있으므로 과거시제 lost가 적절하다.

3 1만 년 전 즈음에, 인간은 식물을 경작하고 동물을 길들이는 방법을 배웠다.
▶ ago는 '~ 전에'라는 뜻으로, 과거의 명확한 시점을 나타내고 있으므로 과거시제 learned가 적절하다.

4 여러 해 동안 과학자들은 화학적 독소(예를 들어 담배)와 같은 다른 환경적 요인들이 유전자에 작용하여 암의 원인이 될 수 있다는 것을 인정해 왔다.
▶ 「for + 기간」과 함께 쓰여 과거에 일어난 일이 현재까지 계속되고 있으므로 현재완료 have recognized가 적절하다.

5 비디오를 본 후에 조용히 앉아 있었던 참가자들은 평균 6개의 회상 장면을 경험했다.
▶ 6개의 회상 장면을 '경험했다'라는 과거 시점보다 비디오를 본 후에 조용히 '앉아 있었던' 것이 먼저 일어난 일이므로, 대과거 had sat이 적절하다.

6 나는 여러분이 "만약 충분히 오랫동안 열심히 노력하기만 한다면, 여러분이 원하는 것은 무엇이든 할 수 있다."와 같은 말을 들어본 적이 있을 거라고 확신한다.
▶ 현재 시점에서 현재까지의 경험에 대해 서술하고 있으므로 「have + p.p.」 형태의 현재완료로 써야 한다. 따라서 have learned가 적절하다.

7 고고학자들은 자신들이 모든 서유럽의 지식 문화에서 가장 중요한 장소들 중 한 곳을 발견했음을 곧 깨달았다.
▶ that 이하를 깨달은 것보다 장소를 '발견한' 것이 먼저 일어난 일이므로, 과거시제보다 앞선 대과거가 와야 한다. 따라서 had found가 적절하다.

8 그가 어렸을 때 그의 아버지는 가족을 저버렸고, A. Y.는 12살 때 그의 형제와 자매를 부양하는 것을 돕기 위해 일을 해야 했다.
▶ when 부사절에 과거시제가 쓰였으므로, 주절의 시제도 과거시제로 일치시켜야 한다. 따라서 abandoned가 적절하다.

어법 TEST 1 *문장* 어법훈련하기　　p. 34

> **1** have used　**2** was spreading　**3** are　**4** visited
> **5** ○　**6** had sampled　**7** begins

1 그렇다 해도 화가들이 모든 색을 동시에 사용하는 것은 아닌데, 사실 많은 화가들은 눈에 띄게 제한적으로 색을 선택하여 사용해 왔다.
▶ 앞에 현재시제가 쓰였고, 과거에 일어난 일이 현재까지 계속되고 있음을 나타내는 현재완료 have used가 적절하다.

2 그들이 도착했을 때, 맹렬히 타오르는 불길이 건물 전체로 퍼지고 있었다.
▶ 종속절인 when절이 과거시제이므로 주절의 시제도 일치시켜 과거진행 was spreading이 적절하다.

3 여러분이 감정적으로 억눌리고 끊임없이 여러분 자신의 의지에 반하는 일들을 할 때, 여러분의 스트레스가 셋까지 셀 수 있는 것보다 더 빠르게 여러분을 잡아먹을 것이다.
▶ 시간을 나타내는 접속사 when이 이끄는 부사절에서는 현재시제가 미래시제를 대신하므로 are가 적절하다.

4 수년 전에 나는 한 큰 금융 회사의 최고 운용 책임자를 방문했는데, 그는 ABC Motor Company의 주식에 수천만 달러 상당의 돈을 투자했었다.
▶ 내가 수년 전에 '방문한' 금융 회사 책임자가 그보다 더 이전에 돈을 주식에 '투자했던' 것이므로, 투자한 것은 대과거(과거완료), 방문한 것은 과거시제 visited로 표현할 수 있다. ago(~ 전에)는 과거시제와 함께 쓰인다.

5 저희 Future Music School에서는 십 년 동안 재능 있는 아이들에게 음악 교육을 제공해 오고 있습니다.
▶ 부사구 for 10 years로 보아, 과거에 일어난 일이 현재까지 계속되고 있음을 강조할 때 쓰는 현재완료 진행이 바르게 쓰였다.

6 작은 단위 모음을 시식했던 사람들 중 30퍼센트가 잼을 사기로 결정했다.
▶ 잼을 사기로 결정한 것보다 '시식한' 것이 먼저 일어난 일이므로 대과거(과거완료) had sampled로 고쳐 써야 한다.

7 만약 어떤 사람이 그의 하루를 좋은 기분으로 시작한다면, 그는 직장에서 계속 행복하게 지낼 가능성이 있고, 그것은 흔히 직장에서의 더 생산적인 하루로 이어질 것이다.
▶ 조건을 나타내는 접속사 if가 이끄는 부사절에서는 현재시제가 미래시제를 대신하므로 begins로 고쳐 써야 한다.

어법 TEST 2 *짧은 지문* 어법훈련하기　　p. 35

> **1** (A) have been　(B) had never let　**2** (A) have lived
> (B) is　**3** ④

1 저는 귀사의 커피 머신을 수년 동안 사용해 왔습니다. 귀사의 제품은 여태껏 저를 실망시킨 적이 없었기 때문에 저는 5월 18일에 귀사의 온라인 상점으로부터 귀사의 신제품인 Morning Maker를 구매했습니다. 하지만 안타깝게도, 이 제품은 잘 작동하지 않았습니다.

▶ (A) 부사구「for + 기간」과 함께 쓰여 과거부터 현재까지 계속 사용 중임을 나타내야 하므로 현재완료 진행을 이루는 have been 이 적절하다.

(B) 제품을 구매한 것보다 '실망시킨 적이 없었던' 것이 먼저 일어난 일이므로 과거완료 had never let이 적절하다.

2 제 아내와 저는 지난 12년 동안 Spruce Apartments에서 살고 있습니다. 아시는 것처럼, 저희는 최근에 한 해 더 살 계획으로 임대 계약을 갱신하였습니다. 최근 몇 주 동안에 제 아내의 건강이 급격하게 악화되었고, 그녀가 필요로 하는 도움을 받을 수 있는 생활 보조 시설로 저희가 이사를 해야 한다는 사실이 이제 분명합니다.

▶ (A) 부사구「for + 기간」과 함께 쓰여 지난 12년 동안 계속 '살아 왔다'고 했으므로 현재완료 have lived가 적절하다.

(B) 앞에 has taken으로 현재완료가 쓰였고, that 이하의 상황이 현재(now) '분명하다'는 내용이므로 현재시제 is가 적절하다.

3 우리는 제조업체로부터 똑같은 대체품을 주문했고, 그 배송이 2주 안에 이뤄질 것으로 예상합니다. 우리는 그 책상이 도착하자마자, 당신에게 바로 전화해서 편리한 배송 시간을 정할 것입니다.

▶ ④ → arrives / 시간을 나타내는 접속사(as soon as)가 이끄는 부사절에서는 현재시제가 미래시제를 대신하므로 will arrive를 arrives로 고쳐야 한다.

어법 TEST 3 기출 유형 어법훈련하기 pp. 36~37

1 ② **2** ① **3** ② **4** ⑤

1. 구문분석 및 직독직해

❶ In 1944 / the German rocket-bomb attacks / on London /
1944년   독일군의 로켓포 공격이   런던에 대한
과거 부사구:「in+연도」

suddenly escalated.
갑자기 증가했다.
        과거시제

❷ Over two thousand V-1 flying bombs fell / on the city, /
2,000개가 넘는 V-1 비행 폭탄이 떨어져   도시에

killing more than five thousand people / and wounding many
5,000명이 넘는 사람들의 목숨을 앗아 갔으며   그리고 그보다 더 많은
분사구문1   병렬구조 분사구문2

more.
사람들에게 부상을 입혔다

❸ Somehow, / however, / the Germans consistently missed /
왜 그런지   하지만   독일군은 계속해서 빗맞혔다

their targets.
자신의 목표물을

❹ Bombs [that were intended for Tower Bridge, or Piccadilly],
폭탄은   Tower Bridge나 Piccadilly로 의도된
         ⌐ 주격 관계대명사

would fall / well short of the city, / landing in the less populated
떨어지곤 했다 도시에 한참 못 미쳐서   사람이 더 적게 거주하는 교외에 떨어지며
조동사(과거의 습관)   분사구문

suburbs.
                     ⌐ 전치사+동명사
❺ This was / because, (in fixing their targets,) the Germans
이것은 ~이었다   목표물을 정하면서   독일군이
                     삽입

relied on secret agents [Vthey had planted in England]. (관계대명사 that)
비밀 요원들에게 의지했기 때문에 그들이 영국에 심어 놓은
                          대과거

❻ They did not know [that these agents / had been
그들은 몰랐다   이 비밀 요원들이
                    명사절 접속사(know의 목적절1)

discovered], and [that in their place, / English-controlled agents
발각되었고,   그리고   대신   영국의 지휘하에 있는 요원들이
과거완료 수동태   명사절 접속사(know의 목적절2)

were giving / them / subtly deceptive information].
제공하고 있었다는 그들에게 교묘하게 거짓 정보를
과거진행   give+간접목적어(= the Germans) + 직접목적어(4형식)

❼ The bombs would hit / farther and farther / from their
폭탄은 맞곤 했다   점점 더 먼 곳을   목표물에서
조동사(과거의 습관)   비교급+and+비교급: 점점 더 ~한
                  ⌐ (when)
targets / every time [Vthey fell].
떨어질 때마다 언제나
          관계부사 생략

❽ By the end of the attack / they were landing / on cows / in
공격이 끝날 무렵에   폭탄은 떨어지고 있었다   암소 위로
                          (= the bombs) 과거진행

the country.
시골에 있는

❾ By feeding / the enemy wrong information, / the English
제공함으로써   적에게   잘못된 정보를   영국군은 얻었다
by+-ing: ~함으로써 feed+간접목적어+직접목적어 (4형식)

army gained / a strong advantage.
큰 이득을

해석 1944년 런던에 대한 독일군의 로켓포 공격이 갑자기 증가했다. 2,000개가 넘는 V-1 비행 폭탄이 도시에 떨어져, 5,000명이 넘는 사람들의 목숨을 앗아 갔고, 그보다 더 많은 사람들에게 부상을 입혔다. 하지만 왜 그런지 독일군은 계속해서 자신의 목표물을 빗맞혔다. Tower Bridge나 Piccadilly로 의도된 폭탄은 도시에 한참 못 미쳐서, 사람이 더 적게 거주하는 교외에 떨어지곤 했다. 이것은 독일군이 목표물을 정할 때, 그들이 영국에 심어 놓은 비밀 요원들에게 의지했기 때문이었다. 그들은 이 비밀 요원들이 발각되었고, 대신 영국의 지휘하에 있는 요원들이 독일군에게 교묘하게 거짓 정보를 제공하고 있다는 사실을 몰랐다. 폭탄은 떨어질 때마다 목표물에서 점점 더 먼 곳을 맞히곤 했다. 공격이 끝날 무렵에 폭탄은 시골에 있는 암소 위로 떨어지고 있었다. 적에게 잘못된 정보를 제공함으로써 영국군은 큰 이득을 얻었다.

해설 (A) 독일군이 비밀 요원들을 '심어 놓은' 것이 비밀 요원들에게 의지한 것보다 먼저 일어난 일이므로 대과거 had planted가 적절하다.

(B) 비밀 요원들이 '발각된' 것이 독일군이 그 사실을 모른 것보다 먼저 일어난 일이므로 과거완료 수동태(had been + p.p.)를 이루는 had been이 적절하다.

(C) 과거 사실에 대한 진술이므로 과거진행 were giving이 적절하다.

2. 구문분석 및 직독직해

                              관계대명사(선행사 포함) ⌐
❶ Trade will not occur / unless both parties want [what the
거래는 발생하지 않을 것이다 양쪽 모두가 원하지 않으면
                         조건의 접속사가 이끄는 부사절(현재시제가 미래시제를 대신)

other party has to offer].
상대방이 제공하는 것을
              ⌐ 전치사
❷ This is referred to / as the double coincidence of wants.
이것은 ~라고 불린다   필요의 이중의 일치로
be referred to: ~라고 불린다
                    ⌐ 접속사 that
❸ Suppose [Va farmer wants to trade eggs / with a baker / for
가정해 보자   농부가 계란을 거래하기를 원한다고   제빵사와

a loaf of bread].
빵 한 덩어리를 얻기 위해
a loaf of+셀 수 없는 명사

❹ If the baker has no need or desire / for eggs, / then the
만약 제빵사가 필요나 욕구가 없다면 　　　계란에 대한 　　　그러면
　　if 조건절

farmer is out of luck / and does not get / any bread.
농부는 운이 없으며 　　그리고 얻지 못한다 　　아무 빵도
　　동사1 　　　　병렬구조 동사2

❺ However, / if the farmer is enterprising / and utilizes / his
그러나 　　만약에 농부가 사업성이 좋다면 　　그리고 활용한다면
　　　　　　if 조건절 　　동사1 　　병렬구조 동사2

network of village friends, / he might discover [that the baker is
마을 친구들의 네트워크를 　　그는 발견할 것이다 　　제빵사가
　　　　　　　　　　　　　　명사절 접속사(discover의 목적절)

in need of some new cast-iron trivets / for cooling his bread],
새 무쇠 주철 삼각 거치대를 필요로 한다는 것을 　　그의 빵을 식힐

and it just so happens [that the blacksmith needs / a new
그리고 때마침 상황이 발생한다 　　대장장이는 필요로 한다
　　it 가주어 　　　that 진주어

lamb's wool sweater].
새로운 양털 스웨터를

❻ Upon further investigation, / the farmer discovers [that the
조금 더 조사한다면 　　　　　그 농부는 발견한다
　　　　　　　　　　　　　　명사절 접속사(discover의 목적절)

weaver has been wanting / an omelet / for the past week].
직조공이 원하고 있었다는 것을 　　오믈렛을 　　지난주 내내
현재완료 진행 　　　　　　trade A for B: A를 B와 거래하다

❼ The farmer will then trade the eggs / for the sweater, /
그 농부는 그러면 계란을 거래할 것이다 　　스웨터와
　　　　　　　　　　　　A 　　　　　　　B

┌ (trade) 　　　　　　　　┌ (trade)
Vthe sweater for the trivets, / andVthe trivets for his fresh-baked
그 스웨터를 　　삼각 거치대와 　　그리고 그 삼각 거치대와 　제빵사의 갓 구운
A′ 　　　　　B′ 　　　　　　　A″ 　　　　　　B″

loaf of bread.
빵 한 덩어리를

해석 양쪽 모두가 상대방이 제공하는 것을 원하지 않으면 거래는 발생하지 않는다. 이것은 필요의 이중적 일치라고 불린다. 농부가 계란과 제빵사의 빵 한 덩어리를 거래하기를 원한다고 가정해 보자. 만약 제빵사가 계란에 대한 필요나 욕구가 없다면, 농부는 운이 없으며 아무 빵도 얻지 못한다. 그러나 만약에 농부가 사업성이 좋고 마을 친구들의 네트워크를 활용한다면, 그는 제빵사가 그의 빵을 식힐 새 무쇠 주철 삼각 거치대를 필요로 한다는 것을 발견할 것이고, 때마침 대장장이는 새로운 양털 스웨터를 필요로 한다. 조금 더 조사한다면, 그 농부는 직조공이 지난주 내내 오믈렛을 원하고 있었다는 것을 알 것이다. 그 농부는 그러면 계란을 스웨터와, 그 스웨터를 삼각 거치대와, 그 삼각 거치대를 제빵사가 갓 구운 빵 한 덩어리와 거래할 것이다.

해설 ① → want / 조건을 나타내는 접속사 unless가 이끄는 부사절에서는 현재시제가 미래시제를 대신하므로 want로 고쳐야 한다.

3. 구문분석 및 직독직해

❶ Many years ago / I visited / the chief investment officer / of
수년 전에 　　나는 방문했다 　　최고 운용 책임자를
ago: ~ 전에 　　과거시제
　　　　　　　　　　　　　　┌→ 과거완료(대과거)
a large financial firm, [who had just invested / some tens of
큰 금융 회사의 　　　　　　그는 투자했다 　　수천만 달러 상당의 돈을
　　　　　　　계속적 용법의 관계대명사

millions of dollars / in the stock of the ABC Motor Company].
수천만 달러 상당의 돈을 　　ABC Motor Company의 주식에
　　　　　　　　　　┌→ 과거완료(대과거)
❷ When I asked [how he had made that decision], he replied
내가 묻자 　　어떻게 그가 그러한 결정을 하게 되었는지를 　그는 대답했다
시간의 부사절 　　간접의문문(의문사+주어+동사)

[that he had recently attended / an automobile show / and had
그가 최근에 참석했다는 것을 　　한 자동차 쇼에 　　그리고
접속사(replied의 목적절) 과거완료(대과거) 　　　　병렬구조

been impressed].
깊은 인상을 받았다
과거완료 수동태: had been+p.p. 　　do+동사원형(강조의 do)
❸ He said, / "Boy, they do know / how to make a car!"
그는 말했다 　　오, 그들은 알더라니까 　　자동차를 만드는 방법을
　　　　　　　　　　┌→ 가목적어 　　~하는 방법
❹ His response made it very clear [that he trusted his gut
그의 반응은 매우 분명히 했다 　　　그가 자신의 직감을 믿는다는 것을
　　　　　5형식 make + 목적어 + 목적격보어(형용사) 진목적어 that

feeling / and was satisfied / with himself / and with his decision].
그리고 만족한다는 것을 　　자기 자신에 　　그리고 자신의 결정에
　　　　　be satisfied with: ~에 만족하다
　　가목적어 　　　　진목적어
❺ I found it remarkable [that he had apparently not considered /
나는 그것을 놀랍다고 생각했다 　　그가 명백히 고려하지 않았다는 것이
5형식 find + 목적어 + 목적격보어(형용사) 　　　　과거완료(대과거)
　　　　　　　　　　┌→ 목적격 관계대명사
the one question {that an economist would call relevant}]: Is
한 가지 질문을 　　경제학자들이 적절하다고 부를 만한
　　　　　5형식 call+목적어(the one question)+목적격보어(relevant)

the ABC stock currently underpriced?
ABC 주식이 현재 저평가되었는가
　　　　　　　　수동태 의문문
❻ Instead, / he had listened to his intuition; / he liked the
대신에 　　그는 그의 직감을 믿었다 　　그는 자동차를
　　　　　　과거완료 　　　　　　　A

cars, / he liked the company, / and he liked the idea of owning
좋아하고 그는 그 회사를 좋아하며 　　그리고 그는 그 회사의 주식을 소유한다는
　　　　　B 　　　　　　　　　　　　and C (병렬구조)

its stock.
생각이 좋다
❼ From [what we know / about the accuracy of stock picking],
우리가 알고 있는 것에 비추어 볼 때 　　주식 선택의 정확성에 대해
관계대명사 what 　　　　┌→ 명사절 접속사(believe의 목적절)
it is reasonable / to believe [that he did not know {what he
그것은 당연하다 　　믿는 것이 　　그가 몰랐다고 　　　자신이
가주어 it 　　　진주어 to부정사 　　　　　관계대명사(선행사 포함)

was doing}].
있는 일을

해석 수년 전에 나는 한 큰 금융 회사의 최고 운용 책임자를 방문했는데, 그는 ABC Motor Company의 주식에 수천만 달러 상당의 돈을 투자했었다. 어떻게 그가 그러한 결정을 하게 되었는지를 내가 묻자, 그는 최근에 한 자동차 쇼에 참석했고 깊은 인상을 받았다고 대답했다. 그는 "오, 그들은 자동차를 만드는 방법을 알더라니까!"라고 말했다. 그의 반응은 그가 자신의 직감을 믿으며, 자기 자신과 자신의 결정에 만족한다는 것을 매우 분명히 했다. 나는 그가 경제학자들이 적절하다고 할 만한 (다음과 같은) 한 가지 질문을 명백히 고려하지 않았다는 것이 놀랍다고 생각했다: ABC 주식이 현재 저평가되었는가? 대신, 그는 그의 직감을 믿었다; 그는 자동차를 좋아하고, 그 회사를 좋아하며, 그 회사의 주식을 소유한다는 생각이 좋았다. 주식 선택의 정확성에 대해 우리가 알고 있는 것에 비추어 볼 때, 그가 자신이 하고 있는 일을 알지 못했다고 믿는 것이 당연하다.

해설 ② → had made / 내가 질문한 시점보다 그가 '결정을 한' 시점이 더 앞서므로 대과거 had made로 고쳐야 한다.

4. 구문분석 및 직독직해

❶ Dear Mr. Spencer,
Spencer 씨께

❷ I will have lived / in this apartment / for ten years / as of this
저는 살게 됩니다 　　이 아파트에 　　10년 동안 　　~ 현재로
미래완료: will have+p.p. 　　「for+기간」 　　~ 현재로

coming April.
오는 4월이면

❸ I have enjoyed living here / and hope to continue doing so.
<small>→ continue+동명사</small>
저는 이곳에서 즐겁게 살아 왔으며 그리고 계속해서 살기를 희망합니다
<small>현재완료　　　 enjoy+동명사　　　 hope+to부정사: ~하기를 희망하다</small>

❹ When I first moved into the Greenfield Apartments, / I was told
제가 처음 Greenfield 아파트에 이사를 왔을 때 / 들었습니다
<small>시간의 접속사가 이끄는 부사절　　　　　　　　 수동태 과거</small>

[that the apartment had been recently painted].
최근에 아파트 도색 작업을 했다고
<small>명사절 접속사　　　 과거완료 수동태: had been+p.p.</small>

❺ Since that time, / I have never touched / the walls or the
그때 이후로 / 저는 단 한 번도 손을 댄 적이 없습니다 / 벽이나
<small>since+특정 과거 시점　 현재완료</small>

ceiling.
천장에

❻ Looking around / over the past month / has made me realize
<small>　　　　　　　　　　　　　　　　　　　　 → 현재완료</small>
둘러보면서 / 지난 한 달 동안 / 저는 깨닫게 되었습니다
<small>분사구문　　　 　　　　　　　　 사역동사 make+목적어+목적격보어(동사원형)</small>
<small>（how）</small>

[how old and √dull the paint has become].
페인트가 얼마나 오래되고 흐려졌는지를
<small>간접의문문 how old and how dull+주어+동사</small>

❼ I would like to update the apartment / with a new coat of
저는 아파트를 새롭게 하고 싶습니다 / 새 페인트칠로
<small>would like+to부정사: ~하고 싶다</small>

paint.
<small>　　　　　　　 → 명사절 접속사</small>
❽ I understand [that this would be / at my own expense], and
저는 알고 있습니다 / 이 작업이 / 자비 부담이라는 것을 / 그리고
<small>　　　　　　 명사절 접속사　　 목적절1</small>

<small>→ 명사절 접속사</small>
[that I must get permission to do so / as per the lease
작업에 허락을 받아야 한다는 것을 / 임대차 계약에 따라
<small>목적절2　　　　　　　　　　　 ~에 따라</small>

agreement].

❾ Please advise / at your earliest convenience.
알려 주시기 바랍니다 / 형편이 되는 대로 빨리

❿ Sincerely,
Howard James 올림

Howard James

해석 Spencer 씨께,
저는 오는 4월이면 이 아파트에 10년째 살게 됩니다. 저는 이곳에서 즐겁게 살아 왔으며 계속해서 살기를 희망합니다. 제가 처음 Greenfield 아파트에 이사를 왔을 때, 최근에 아파트 도색 작업을 했다고 들었습니다. 그때 이후로 저는 단 한 번도 벽이나 천장에 손을 댄 적이 없습니다. 지난 한 달 동안 둘러보면서 저는 페인트가 얼마나 오래되고 흐려졌는지를 깨닫게 되었습니다. 저는 새 페인트칠로 아파트를 새롭게 하고 싶습니다. 저는 이 작업이 자비 부담이라는 것과 임대차 계약에 따라 허락을 받아야 한다는 것을 알고 있습니다. 형편이 되는 대로 빨리 알려 주시기 바랍니다.
Howard James 올림

해설 (A) for ten years as of this coming April(오는 4월이면 10년째)로 보아, 미래완료 will have lived가 적절하다.
(B) 내가 that 이하의 이야기를 들은 시점보다 페인트가 '칠해진' 시점이 더 이전이므로 과거완료 수동태를 이루는 had been이 적절하다.
(C) 인지를 나타내는 동사 understand는 일반적으로 진행형을 쓰지 않는다.

어법 TEST 4 *서술형 내신* **어법훈련하기**

pp. 38~39

1 **01** When they arrived, they could see a ravine that was a few meters wide. / 주절이 과거시제 could see 이므로 시간의 부사절도 과거시제가 되어야 한다. **02** had not prepared **03** He knew now that the obstacles that had been placed in his path were part of his preparation.

2 **01** ① has been → was / 부사구 six months ago가 과거의 명확한 시점을 나타내고 있으므로 현재완료가 아니라 과거시제가 되어야 한다. **02** had been searching **03** Darling의 반지가 그의 컵에 빠졌던 그 운명의 날 이후로, Harris의 인생은 완전히 달라졌다.

1. 구문분석 및 직독직해

❶ Two students met / their teacher / at the start of a track /
두 제자는 만났다 / 그들의 스승을 / 길의 출발선에서
through a forest.
숲을 가로지르는

❷ The path split into two: / one was clear and smooth, / the
길은 두 갈래로 갈라졌는데 / 하나는 막힌 것이 없고 평탄했지만 / (둘 중) 하나는
other had / fallen logs and other obstacles / in the way.
다른 하나는 가지고 있었다 / 쓰러진 통나무들과 다른 장애물들을 / 길에
다른 하나는

❸ One student chose / to avoid the obstacles, / taking the
한 제자는 선택했다 / 그 장애물들을 피하기로 / 분사구문
<small>　　　　　　　　　　 to부정사의 명사적 용법</small>
easier path / to the end.
더 쉬운 길을 가면서 / 끝까지

❹ The second student chose / to tackle the obstacles, / battling
두 번째 제자는 골랐다 / 장애물들에 덤벼들기로 / 싸우며
<small>　　　　　　　　　　　 to부정사의 명사적 용법　　 분사구문</small>
through every challenge / in his path.
모든 어려움을 통과해 / 그의 길에 있는

❺ When they arrived, / they could see / a ravine [that was a
그들이 도착했을 때 / 그들은 볼 수 있었다 / 몇 미터 너비의 계곡을
<small>시간의 접속사(부사절)　　　　　　 → 주격 관계대명사</small>
few meters wide].

❻ The students looked at their teacher / and he said just
제자들은 그들의 스승을 보았다 / 그리고 스승은 말했다
one word. / "Jump!"
딱 한 마디를 / 뛰어라!

❼ The first student looked at the distance / and his
첫 번째 제자는 그 거리를 보았다 / 그리고
heart sank.
가슴이 내려앉았다

❽ The teacher looked at him.
스승은 그를 보았다

❾ "What's wrong? This is the leap / to greatness.
뭐가 문제인가? / 이것은 도약이다 / 위대함을 위한

<small>　　　　　　　　　 → 현재완료</small>
❿ Everything [that you've done / until now] should have
모든 것이 / 네가 해 온 / 지금까지 / 너를 준비시켰어야 했다
<small>　　　 → 목적격 관계대명사　　　　　 should have p.p.: ~했어야 했다</small>
<small>　　　　　　　　　　　　　　　　　　 (과거에 대한 유감)</small>
prepared you / for this moment."
너를 준비시켰어야 했다 / 이 순간을 위해

⓫ The student shrugged his shoulders / and walked away, /
그 제자는 그의 어깨를 으쓱했다 / 그리고 떠나 버렸다

knowing he hadn't prepared adequately / for greatness.
자신이 적절하게 준비하지 못했다는 것을 알고　위대함을 위해
분사구문　과거완료(대과거)

⑫ The second student looked at the teacher / and smiled.
두 번째 제자는 스승을 보았다　그리고 미소를 지었다

⑬ He knew now [that the obstacles {that had been placed /
그는 이제 알았다　　명사절 접속사(knew의 목적절)　주어　과거완료 수동태
　　　　명사절 접속사(knew의 목적절)　주격 관계대명사

in his path} were / part of his preparation].
그의 길 위에　동사　그의 준비의 일부였다는 것을
　　　　동사

⑭ By choosing / to overcome challenges,/ not ∨avoid them, /
선택함으로써　어려움들을 극복하는 것을　(to)　피하는 것이 아니라
by+-ing: ~함으로써　to부정사의 명사적 용법　(= challenges)

he was ready to make the leap.
그는 도약할 준비가 되어 있었다
be ready+to부정사: ~할 준비가 되다

해석 두 제자는 숲을 가로지르는 길의 출발선에서 그들의 스승과 만났
다. 길은 두 갈래로 갈라졌는데, 하나는 막힌 것이 없고 평탄했지
만, 다른 하나는 쓰러진 통나무들과 다른 장애물들이 놓여 있었
다. 한 제자는 그 장애물들을 피하기를 선택했고, 끝까지 더 쉬운
길을 갔다. 두 번째 제자는 그의 길에 있는 모든 어려움을 통과해
싸우며, 장애물들에 덤벼들기를 골랐다. 그들이 도착했을 때, 그
들은 몇 미터 너비의 계곡을 볼 수 있었다. 제자들은 그들의 스승
을 보았고, 스승은 딱 한 마디의 말을 했다. "뛰어라!" 첫 번째 제
자는 그 거리를 보고 가슴이 내려앉았다. 스승은 그를 보았다.
"뭐가 문제인가? 이것은 위대함을 위한 도약이다. 네가 지금까지
해 온 모든 것이 이 순간을 위해 너를 준비시켰어야 했다." 그 제
자는 그의 어깨를 으쓱하고는 자신이 위대함을 위해 적절하게 준
비하지 못했다는 것을 알고 떠나 버렸다. 두 번째 제자는 스승을
보고 미소를 지었다. 그는 이제 그의 길 위에 놓여 있던 장애물들
이 그의 준비의 일부였다는 것을 알았다. 그는 어려움들을 피하는
것이 아니라, 극복하는 것을 선택함으로써 도약할 준비가 되어 있
었다.

해설 01 주절과 종속절(when이 이끄는 부사절)이 시제 일치되어야
한다.
02 문맥상 첫 번째 학생은 쉬운 길을 선택했고 충분히 준비하지
않았다고 했으므로 '준비하지 못했다'라는 의미가 되어야 한
다. 그가 '준비하지 못한' 시점이 그것을 알게 된 시점보다 먼
저이므로 과거완료(대과거) had not prepared로 쓴다.
03 '그는 이제 알았다 + (그의 길 위에 놓여 있던) 장애물들이 그
의 준비의 일부였다는 것을'이라는 구조를 파악한 후, 단어
들을 배열한다. 목적절을 이끄는 접속사 that과, obstacles
를 선행사로 하는 주격 관계대명사 that의 위치를 파악한다.
장애물들이 길 위에 '놓여 있던' 시점이 먼저이므로 과거완료
수동태 had been placed로 쓰는 것에 유의한다.

2. 구문분석 및 직독직해

❶ Six months ago, / 55-year-old Billy Ray Harris / was homeless.
6개월 전에　55세의 Billy Ray Harris는　노숙자였다
ago: ~ 전에　　과거시제

❷ But then, one day, / his life changed.
그러나 그러던 어느 날　그의 인생이 바뀌었다
(과거의) 어느 날　　과거시제

❸ In February, / Sarah Darling passed Harris / at his usual spot /
2월에　Sarah Darling이 Harris를 지나갔다 항상 그 자리에 있던

and dropped some change / into his cup.
그리고 약간의 잔돈을 떨어뜨렸다　그의 컵에

❹ But she also accidentally dropped in / her engagement ring.
그러나 그녀는 또한 우연히도 떨어뜨렸다　그녀의 약혼반지까지

❺ Though Harris considered / selling the ring / a few days
비록 Harris가 생각했지만　그 반지를 파는 것에 대해　며칠 후
양보의 접속사(부사절)　　a few+셀 수 있는 명사

later, / he returned the ring / to Darling.
그는 그 반지를 돌려주었다　Darling에게

❻ As a way to say thank you, / Darling gave Harris / all the
고맙다는 말을 하는 한 가지 방법으로　Darling은 Harris에게 주었다　현금
　　　to부정사의 형용사적 용법

cash [∨she had with her].
전부를　그녀가 지니고 있던
(that)　목적격 관계대명사 생략

❼ Then her husband, / Bill Krejci, / launched a Give Forward
그리고 나서 그녀의 남편 Bill Krejci가　Give Forward 페이지를 시작하였다
동격의 콤마(,)

page / to collect money / for Harris.
돈을 모금하기 위해　Harris를 위한
to부정사의 부사적 용법(목적)

❽ As of mid-morning Tuesday, / close to $152,000 had been
화요일 오전 중간쯤에　거의 152,000달러가 기부되었다
~ 현재로, ~ 일자로

donated.
과거완료 수동태　　5형식 help(준사역동사)+목적어+목적격보어(동사원형)

❾ Harris talked to a lawyer, / who helped him put the
Harris는 변호사와 이야기했다　그 변호사는 그가 그 돈을 넣도록 도와 주었다
　　　계속적 용법의 관계대명사

money / in a trust.
신탁에

❿ Since then, / he's been able to buy a car / and even put
그때 이후로　그는 차를 살 수 있게 되었다　그리고 심지어 돈(보증금)을
「since+특정 과거 시점」　현재완료
　　be able+to부정사(= can)

money down / on a house, / which he's fixing up himself.
걸어　집에　그 집을 그가 직접 고치고 있다
　　　계속적 용법의 관계대명사　재귀대명사
　　　　　　　　　강조용법

⑪ And that's not all: / After he appeared on TV, / his family
그리고 그것이 전부가 아니다 그가 TV에 출연하고 난 후　가족들이
　　　시간의 접속사(부사절)

members [who had been searching for him / for 16 years] were
그를 찾고 있었던　　16년 동안
주어　주격 관계대명사　과거완료진행: had been+-ing

able to find him.
그를 찾을 수 있었다

⑫ Since the fateful day [that Darling's ring landed / in his
그 운명의 날 이후로　Darling의 반지가 빠졌던　그의 컵에
전치사+명사구　관계부사

cup], Harris's life has turned / completely around.
Harris의 인생은 달라졌다　완전히
현재완료　부사　turn around: 방향을 바꾸다

해석 6개월 전, 55세의 Billy Ray Harris는 노숙자였다. 그러나 그러
던 어느 날 그의 인생이 바뀌었다. 2월에 Sarah Darling이 항상
그 자리에 있던 Harris를 지나갔고 약간의 잔돈을 그의 컵에 떨
어뜨렸다. 그러나 그녀는 또한 우연히도 그녀의 약혼반지까지 떨
어뜨렸다. 비록 Harris가 그 반지를 파는 것에 대해 생각했지만
며칠 후, 그는 그 반지를 Darling에게 돌려주었다. 고맙다는 말
을 하는 한 가지 방법으로 Darling은 Harris에게 그녀가 지니고
있던 현금 전부를 주었다. 그리고 나서 그녀의 남편 Bill Krejci가
Harris를 위한 돈을 모금하기 위해 Give Forward 페이지를 시
작하였다. 화요일 오전 중간쯤에 거의 152,000달러가 기부되었
다. Harris는 변호사와 이야기하였는데, 그 변호사는 그가 그 돈
을 신탁에 넣도록 도와주었다. 그때 이후로, 그는 차를 살 수 있게
되었고, 집에 돈(보증금)을 걸어 그 집을 그가 직접 고치고 있다.
그리고 그것이 전부가 아니다: 그가 TV에 출연하고 난 후, 16년
동안 그를 찾고 있었던 가족들이 그를 찾을 수 있었다. Darling
의 반지가 그의 컵에 빠졌던 그 운명의 날 이후로, Harris의 인생
은 완전히 달라졌다.

해설 01 ago는 과거시제와 함께 쓰이는 표현이다.

02 그의 가족들이 그를 찾을 수 있었던 것보다 16년 동안 그를 '찾고 있었던' 것이 먼저이므로 과거완료진행 시제(had been + -ing)로 써야 한다.

03 since는 '~ 이후로'라는 뜻의 전치사로, 현재완료와 자주 쓰인다. 선행사 the fateful day(그 운명의 날)에 이어지는 that은 관계부사로, 'Darling의 반지가 그의 컵에 빠졌던 그 운명의 날'로 해석한다.

Unit 03 조동사와 가정법

어법 기본 다지는 *Basic Grammar* p. 41

조동사 / 가정법 **1** would / 가정법 과거에서 현재 사실에 반대되는 일을 가정(~할 텐데) **2** will / 조건문에서 미래(~할 것이다) **3** should / 평서문에서 의무, 당위(~해야 한다) **4** could / 가정법 과거완료에서 과거 사실에 반대되는 일을 가정(~할 수 있었을 텐데)

기출문장으로 *실전어법* 개념잡기 1, 2 p. 43

1 be **2** be **3** wear **4** be **5** would have landed **6** could have spent **7** cannot write **8** couldn't help overhearing

1 오후 행사에 귀하가 초청 연사가 되어줄 것을 요청하기 위해 저는 이 편지를 쓰고 있습니다.
▶ 요구의 동사 request 뒤에 오는 that절의 내용이 '초청 연사가 되어주다'라는 의미로 당위성을 나타내므로 should가 생략된 동사원형 be가 적절하다.

2 Dworkin의 관점에서, 정의는 한 사람의 운명이 운이 아닌 그 사람의 통제 내에 있는 것들에 의해 결정되는 것을 요구한다.
▶ 요구의 동사 require 뒤에 오는 that절의 내용이 '한 사람의 운명이 ~에 의해 결정된다'라는 의미로 당위성을 나타내므로 「(should) 동사원형」형태로 써야 한다. 따라서 be가 적절하다.

3 어깨와 무릎을 가리는 옷을 입는 것이 필수입니다.
▶ 형용사 essential 뒤에 오는 that절의 내용이 '어깨와 무릎을 가리는 옷을 입어야 한다'라는 의미로 당위성을 나타내므로 should가 생략된 동사원형 wear이 적절하다.

4 오랫동안 살아온 거주자로서, 저는 새로운 임대 계약의 해지를 요청하고자 글을 쓰고 있습니다.
▶ 요구의 동사 ask 뒤에 오는 that절의 내용이 당위성을 나타낼 때는 「(should) 동사원형」형태로 써야 하므로 should가 생략된 동사원형 be가 적절하다.

5 Voltaire는 속표지에서 자신의 이름을 지웠는데, 만약 그렇지 않았다면 그 책의 출판은 종교적 신념을 조롱한 이유로 다시 그를 감옥에 갇히게 했을 것이다.
▶ 문맥상 '그 책의 출판은 종교적 신념을 조롱한 이유로 다시 그를 감옥에 갇히게 했을 것이다'라는 의미가 되어야 자연스러우므로 would have landed가 적절하다.

6 기록을 하기 위해 의사가 사용하는 시간은 그들이 환자를 진료하면서 보낼 수 있었던 시간이다.
▶ 문맥상 '~했을 수도 있다'라는 의미로 가능성을 나타내는 could

have p.p. 형태가 와야 한다. 따라서 could have spent가 적절하다.

7 콘텐츠 파일을 즐기기 위해 USB 장치를 프로젝터의 USB 포트에 연결하십시오. 당신은 USB 장치에서 데이터를 쓰거나 지울 수 없습니다.
▶ 문맥상 'USB 장치에서 데이터를 쓰거나 지울 수 없다'라는 의미가 되어야 자연스러우므로 불가능을 뜻하는 「cannot + 동사원형」 형태가 와야 한다. 따라서 cannot write가 적절하다. cannot have p.p.는 '~했을 리가 없다'라는 의미로 부정 추측을 나타낸다.

8 그녀는 그 여인에게 다가가서 "실례합니다만, 당신이 계산원에게 했던 말을 엿듣게 되었어요."라고 말했다.
▶ '~하지 않을 수 없다'라는 의미는 「cannot help + -ing」 형태로 쓴다. 따라서 couldn't help overhearing이 적절하다.

기출문장으로 *실전어법* 개념잡기 3, 4 p. 45

1 would have been 2 Without 3 could 4 would
5 as if 6 wish 7 though 8 could

1 트럭이 더 가까이 있었다면, 재앙이었을 것이다.
▶ '트럭이 더 가까이 있었다면'이라는 뜻으로, 과거 사실에 반대되는 일을 가정하는 가정법 과거완료 문장이다. 주절의 동사는 「조동사의 과거형 + have p.p.」 형태로 쓰므로 would have been이 적절하다.

2 돈이 없다면, 사람들은 물물 교환만 할 수 있을 것이다.
▶ 'Without ~' 가정법 과거는 '만약 ~이 없다면'이라는 의미로, 'If we didn't have ~'로 바꿔 쓸 수 있다. Unless는 접속사로, 뒤에 「주어 + 동사」가 온다.

3 만약 여러 분의 뇌가 하룻밤 사이에 완전히 변할 수 있다면 여러분은 불안정해질 것이다.
▶ '만약 여러분의 뇌가 하룻밤 사이에 완전히 변할 수 있다면'이라는 뜻으로, 현재 사실에 반대되는 일을 가정하는 가정법 과거 문장이다. if절의 동사는 동사의 과거형이 와야 하므로 could가 적절하다.

4 의회가 의견 불일치를 같은 방법으로 해결한다면 멋질 것이다.
▶ if절이 뒤에 쓰인 가정법 과거 문장으로, 「주어 + 조동사의 과거형 + 동사원형 + if + 주어 + 동사의 과거형」 형태가 되어야 하므로 would가 적절하다.

5 내가 어렸을 때, 부모님은 의사들이 마치 신과 같은 재능을 지닌 뛰어난 존재인 것처럼 그들을 우러러보았다.
▶ '마치 ~인 것처럼 …한다'라는 뜻은 「as if(though) + 가정법 과거」로 쓸 수 있다.

6 네가 자전거 여행에 함께할 수 있었으면 해.
▶ could join으로 보아, 「I wish + 가정법 과거」 문장임을 알 수 있다.

7 마치 하늘 전체가 어둡게 변했던 것처럼 보였다.
▶ 「as if(though) + 가정법 과거완료」 문장이다. 주절의 동사가 appeared로 과거형이고, as though 뒤의 동사가 had p.p. 형태의 had turned로 쓰였다. '(과거보다 이전에) 마치 하늘 전체

가 어둡게 변했던 것처럼 (과거에) 보였다'라는 뜻이다.

8 내가 발 마사지를 받았더라면 좋으련만.
▶ I wish 다음에 가정법 과거완료를 이루는 동사 could have gotten이 온 문장이다. '(과거에) 발 마사지를 받았더라면 (지금) 좋으련만'이라는 뜻이다.

어법 TEST 1 *문장* 어법훈련하기 p. 46

1 feeling 2 would be 3 had better 4 must have been 5 (should) go 6 ○ 7 (should) install

1 아이들은 실수할 때 무기력함을 느끼지 않을 수 없다.
▶ '~하지 않을 수 없다'라는 의미가 되도록 「cannot help + -ing」 형태로 쓴다. 따라서 feeling이 적절하다.

2 만약 당신이 로봇이라면, 당신은 결정하느라 애쓰면서 하루 종일 여기에 매여 있을 것이다.
▶ '만약 당신이 로봇이라면, ~ 매여 있을 것이다'라는 뜻으로, 실현 가능성이 없는 일을 상상할 때 쓰는 가정법 과거 문장이다. 주절의 동사가 「조동사의 과거형 + 동사원형」 형태가 되어야 하므로 would be가 적절하다.

3 여러분은 그들을 낙인 찍고 영원히 차단해 버리기 전에 다시 한번 기회를 주는 것이 좋겠다.
▶ '~하는 편이 낫다(좋다)'는 「had better + 동사원형」으로 쓴다.

4 당신이 의도적으로 만들지 않은 많은 습관에 대해서, 그 특정한 행동을 하게 된 것에는 어떤 가치가 있었음에 틀림없다.
▶ 문맥상 '~했음에 틀림없다'라는 의미로 강한 추측을 나타내는 must have p.p.가 와야 한다. 따라서 must have been이 적절하다.

5 스웨덴 법은 시민 세금과 시로부터의 기부금이 힘겨워하는 신문사를 돕기 위해 투입되어야 한다고 요구하고 있다.
▶ 요청의 동사 require 뒤에 오는 that절의 내용이 당위성을 나타낼 때는 「(should) 동사원형」 형태로 써야 하므로 should go 또는 go로 고쳐야 한다.

6 불행하게도, 그가 떠났을 때 방화범들이 그가 지켰어야 할 장소에 들어와 불을 질렀다.
▶ '~했어야 한다'라는 의미로 유감이나 후회를 나타내는 should have p.p.가 바르게 쓰였다.

7 이러한 이유로, 우리는 Pine Street에 과속 방지턱을 설치해 줄 것을 요청합니다.
▶ 요구의 동사 request 뒤에 오는 that절의 내용이 당위성을 나타낼 때는 「(should) 동사원형」 형태로 써야 하므로 should install 또는 install로 고쳐야 한다.

1 (A) have (B) should　2 (A) would blame (B) as　3 ③

1 물리학에서, 상대성 이론은 물리 법칙들을 설명하는 모든 방정식이 관성좌표계에 관계없이 동일한 형태를 가져야 한다고 요구한다. 그 공식들은 두 관찰자와 다른 시공간에 있는 같은 관찰자에게 동일하게 보여야 한다.
▶ (A) 요구의 동사 require 뒤에 오는 that절의 내용이 당위성을 나타낼 때는 「(should) 동사원형」 형태로 써야 하므로 should가 생략된 동사원형 have가 적절하다.
(B) 문맥상 '동일하게 보여야 한다'라는 뜻이 되어야 자연스러우므로 당위의 should가 적절하다.

2 소아시아를 통과하는 진군 중에, Alexander 대왕은 위독해졌다. 그의 의사들은 만약 성공하지 못한다면 군대가 그들을 비난할 것이기에 그를 치료하기를 두려워했다. 단 한 명, Philip만이 그가 왕과의 우정과 자신의 약에 확신을 갖고 있었기 때문에 기꺼이 위험을 감수했다.
▶ (A) 현재 사실에 반대되는 일을 가정할 때 쓰는 가정법 과거가 쓰인 문장이다. 따라서 주절의 동사는 「조동사의 과거형 + 동사원형」 형태인 would blame이 적절하다.
(B) 문맥상 '~ 때문에'라는 뜻의 이유의 접속사 as가 적절하다. 「as if + 가정법 과거」는 '마치 ~인 것처럼 …한다'라는 뜻으로, 의미가 통하지 않는다.

3 1928년, 스코틀랜드 생물학자 Alexander Fleming은 배양균들 중 하나에서 곰팡이를 발견했는데, 그 주변에는 박테리아가 없었다. 전문적 지식이 없는 사람에게는 박테리아가 사라진 부분이 그리 중요하지 않았겠지만, Fleming은 그 곰팡이의 마법 같은 작용을 이해했다. 그 결과는 페니실린 — 지구의 수많은 사람들을 구한 약 — 이었다.
▶ ③ → would not have had / '그리 중요하지 않았을 것이다' 라는 뜻이므로 과거 사실에 대한 부정 추측인 would not have p.p. 형태가 되어야 한다. 따라서 won't have를 would not have had로 고쳐야 한다.

1 ⑤　2 ①　3 ④　4 ②

1. 구문분석 및 직독직해

❶ Without money, / people could only barter.
　돈이 없다면　　사람들은 물물 교환만 할 수 있을 것이다
　without ~ 가정법 과거(= But for)　조동사의 과거형+동사원형

❷ Many of us / barter to a small extent, / when we return
　우리들 대다수는　작은 규모로 물물 교환을 한다　　우리가 호의에 보답할 때
　주어　　　　동사　　　　　　　시간의 접속사(부사절)
favors.

❸ A man might offer to mend / his neighbor's broken door /
　한 사람은 수리해 주겠다고 제안할지도 모른다　이웃의 고장 난 문을
　　추측의 조동사+동사원형
in return / for a few hours of babysitting, / for instance.
　보답으로　몇 시간 동안 아기를 돌봐 준 것에 대한　　예를 들어
　　　　　a few+셀 수 있는 명사

❹ Yet it is hard to imagine these personal exchanges working /
　그러나 상상하기는 어렵다　이러한 개인적인 교환들이　작동하는 것을
　가주어(it)　　진주어(to부정사) 5형식 동사+목적어+목적격보어(현재분사)
on a larger scale.
　더 큰 규모로

❺ What would happen / if you wanted a loaf of bread / and
　어떤 일이 일어날까?　만약 당신이 빵 한 덩어리를 원한다면　그리고
　　　　　가정법 과거(주어+조동사의 과거형+동사원형+if+주어+동사의 과거형 ~)
　　┌ (관계대명사 that)
[all {Vyou had} to trade] was your new car?
　교환하기 위해 당신이 가지고 있는 전부가 새 자동차라면
　주어 [ ]　　　to부정사의 부사적 용법(목적) 동사

❻ Barter depends on / the double coincidence / of wants,
　물물 교환은 ~에 달려있다　이중의 우연의 일치에　　원하는 바의
　　　　depend on: ~에 달려 있다　　　　　선행사
[where not only does the other person happen to have {what
　그런데 그것은 다른 사람이 우연히 가지고 있을 뿐만 아니라　　　내가
　관계부사(계속적 용법) not only+do동사+주어+본동사 (도치)　관계대명사
　　　　　　　　　　　　┌ 관계대명사
I want}, but I also have {what he wants}].
　원하는 것을 또한 나도 가지고 있는 경우이다　그가 원하는 것을
　　　　　but also ~　　not only A but (also) B: A뿐만 아니라 B도(또한)

❼ Money solves / all these problems.
　돈은 해결한다　이러한 모든 문제를
　　　　　┌ to부정사의 형용사적 용법
❽ There is no need / to find someone [who wants {what you
　~할 필요가 없다　누군가를 찾을　　원하는　　당신이 가지고
　there+is+단수 명사(도치)　　주격 관계대명사　관계대명사
have} to trade; / you simply pay for / your goods / with money.
　있는 것을 교환하기 위해 당신은 단순히 지불하면 된다　물건 값을 돈으로
　　to부정사의 부사적 용법(목적)

❾ The seller can then take the money / andVbuy from
　그러면 판매자는 돈을 받고　　　　　다른 누군가로부터 구매할
　　　　　조동사+　동사원형1　　　　병렬구조 동사원형2
someone else.
　수 있다

❿ Money is transferable and deferrable — the seller can hold
　돈은 이동 가능하고 (지불을) 미룰 수 있다　판매자는 그것을 쥐고 있을 수 있다
　　┌ (can)　　　┌ 시간의 접속사(부사절)　　조동사+동사원형1
on to it / and buy / when the time is right.
　그리고 구매할 수 있다　시기가 적절한 때에
　병렬구조　동사원형2

해석 돈이 없다면, 사람들은 물물 교환만 할 수 있을 것이다. 우리들 대다수는 호의에 보답할 때, 작은 규모로 물물 교환을 한다. 예를 들어, 한 사람은 몇 시간 동안 아기를 돌봐 준 것에 대한 보답으로 이웃의 고장 난 문을 수리해 주겠다고 제안할지도 모른다. 그러나 이러한 개인적인 교환들이 더 큰 규모로 작동하는 것을 상상하기는 어렵다. 만약 당신이 빵 한 덩어리를 원하는데 그와 교환하기 위해 가지고 있는 전부가 새 자동차라면 어떤 일이 일어날까? 물물 교환은 원하는 바의 이중의 우연의 일치에 달려있는데, 다른 사람이 내가 원하는 것을 우연히 가지고 있을 뿐만 아니라 또한 나도 그가 원하는 것을 가지고 있는 경우이다. 돈은 이러한 모든 문제를 해결한다. 당신은 교환을 위해 당신이 가지고 있는 것을 원하는 누군가를 찾을 필요가 없다; 당신은 단순히 돈으로 물건 값을 지불하면 된다. 그러면 판매자는 돈을 받고 다른 누군가로부터 구매할 수 있다. 돈은 이동 가능하고 지불을 미룰 수 있다 — 판매자는 그것을 쥐고 있다가 시기가 적절한 때에 살 수 있다.

해설 (A) 문맥상 '만약 ~이 없다면'이라는 뜻의 without이 적절하다. if 없이 쓰인 가정법 문장으로, without은 but for로 바꿔 쓸 수 있다.
(B) if절에 동사의 과거형(wanted)이 쓰인 것으로 보아, 가정법 과거 문장이다. 따라서 주절의 동사는 「조동사의 과거형 + 동사원형」이 되어야 하므로 would가 적절하다.
(C) 문맥상 '~할 수 있다'라는 뜻의 가능을 나타내는 조동사 can

이 적절하다. must는 '~해야 한다'라는 뜻으로, 의무를 나타내는 조동사이다.

2. 구문분석 및 직독직해

❶ Benjamin Franklin once suggested [that a newcomer / to
Benjamin Franklin은 예전에 제안했다　　　　　　새로 온 사람은
　　　　요구의 동사 suggest that+주어+(should) 동사원형

　　　　　　　　　┌ (should)
a neighborhood /∨ask a new neighbor to do him or her a
동네에　　　　　새 이웃에게 도움을 요청해야 한다고
　　　　　　동사원형 5형식 ask+목적어+목적격보어(to부정사)
　　　　　　　　　do+목적어+a favor: ~에게 도움을 베풀다

favor, / citing an old maxim: / He [that has once done you a
　　　　　옛 격언을 인용하며　　　너에게 친절을 행한 적이 있는 사람은
　　　　　분사구문　　　　　　　주어 주격 관계대명사

　　　　　　　　　　　　　　　　　　　　┌ (kindness)
kindness] will be more ready / to do you another∨ / than he
또 다른 친절을 행할 준비가 더 되어 있을 것이다
동사 be ready to do: ~할 준비가 되다　　　　비교급

[whom you yourself have obliged].
네가 친절을 베풀었던 사람보다도
목적격 관계대명사 재귀대명사(강조 용법)

❷ In Franklin's opinion, / asking someone for something / was
Franklin의 의견으로는　　　누군가에게 무언가를 요구하는 것은
　　　　　　　　　동명사구 주어　　　　　　　단수 동사

the most useful and immediate invitation / to social interaction.
가장 유용하고 즉각적인 초대였다　　　　사회적 상호 작용에 대한

❸ Such asking / on the part of the newcomer / provided the
그러한 요청을 하는 것은 새로 온 사람 쪽에서　　　이웃에게 제공했다
동명사구 주어 └ 전치사구　　　　　　동사

neighbor / with an opportunity / to show himself or herself / as
기회를　　　　　　　자신을 보여 줄 수 있는
　　　　　　　　　└ to부정사의 형용사적 용법　　　~으로서

a good person, / at first encounter.
좋은 사람으로　　　첫 만남에

　　　　　　　　　　　┌ the neighbor　　　┌ the newcomer
❹ It also meant [that the latter / could now ask / the former
또한 그것은 의미했다　　후자가　　이제 부탁할 수 있다 전자에게
　　　　　명사절 접속사(meant의 목적절)

for a favor, / in return, / increasing the familiarity and trust].
반대로　　　　친밀함과 신뢰를 증진시키면서
　　　　　　　　　　　분사구문

❺ In that manner, / both parties could overcome / their natural
그러한 방식으로　　양쪽은 극복할 수 있을 것이다　　그들의 당연한
　　　　　　　the neighbor+the newcomer

hesitancy and mutual fear of the stranger.
망설임과 낯선 사람에 대한 상호간의 두려움을

해석 Benjamin Franklin은 예전에 '너에게 친절을 행한 적이 있는 사람은 네가 친절을 베풀었던 사람보다도 너에게 또 다른 친절을 행할 준비가 더 되어 있을 것이다.'라는 옛 격언을 인용하며, 동네에 새로 온 사람은 새 이웃에게 도움을 요청해야 한다고 제안했다. Franklin의 의견으로는, 누군가에게 무언가를 요구하는 것은 사회적 상호 작용에 대한 가장 유용하고 즉각적인 초대였다. 새로 온 사람 쪽에서 그러한 요청을 하는 것은 첫 만남에 자신을 좋은 사람으로 보여 줄 수 있는 기회를 이웃에게 제공했던 것이다. 또한, 이제 반대로 후자(이웃)가 전자(새로 온 사람)에게 부탁할 수 있으며 이것은 친밀함과 신뢰를 증진시킨다는 것을 의미했다. 그러한 방식으로 양쪽은 당연한 망설임과 낯선 사람에 대한 상호간의 두려움을 극복할 수 있을 것이다.

해설 ① → (should) ask / 제안의 동사 suggest 뒤에 오는 that절의 내용이 '새로 온 사람은 새 이웃에게 도움을 요청해야 한다'라는 의미로 당위성을 나타내므로, ask를 should ask 또는 should가 생략된 동사원형 ask로 고쳐야 한다.

3. 구문분석 및 직독직해

　　　　　　　　　　　　　┌ (that) 목적격 관계대명사 생략
❶ How can we access / the nutrients [∨we need] with less
어떻게 우리는 접근할 수 있는가 영양분에　　우리가 필요로 하는 더 적은
　　　　　　　　　　　　　　└ 관계사절

impact / on the environment?
영향을 미치면서　환경에

❷ ⟨The most significant component of agriculture [that
　　농업에서 상당히 많은 부분을 차지하는 요소는
　　형용사의 최상급　　　선행사　　　　　주격 관계대명사

contributes to climate change]⟩ is livestock.
기후 변화를 야기하는　　　　　　　가축이다
⟨　　　⟩ 주어　　　　　　　　　　동사

❸ Globally, / beef cattle and milk cattle / have the most
세계적으로　　육우와 젖소는　　　　　　　가장 중요한 영향을 미치고
　　　　　　　　　　　　　　　　　　　동사1

significant impact / in terms of greenhouse gas emissions(GHGEs), /
　　　　　　　　온실가스 배출(GHGEs)에 있어서
　　　　　　　　~에 있어서

and are responsible / for 41% of the world's CO2 emissions /
책임이 있다　　　세계의 이산화탄소 배출의 41%와
동사2 be responsible for: ~에 책임이 있다

and 20% of the total global GHGEs.
전 세계 온실가스 배출의 20%

　　　　　　　　　　　　　　　　　　┌ (which are)
❹ ⟨The atmospheric increases in GHGEs [∨caused by the
　　대기의 온실가스 배출 증가는　　　~으로 야기된
　　　　　　핵심 주어　　　　　└ 과거분사구(increases 수식)

transport, / land clearance, / methane emissions, / and grain
운송,　　　토지 개간,　　　메탄 배출,　　　그리고 곡물 경작으로

　　　　┌ (which are)
cultivation {∨associated with the livestock industry}]⟩ are the
　　　　　가축 산업과 연관된　　　⟨　　⟩ 주어 부분
　　　　└ 과거분사구(the transport cultivation 수식)　　동사

main drivers / behind increases in global temperatures.
주요 요인이다　　지구의 온도 상승 배후에

❺ In contrast to conventional livestock, / insects as
전통적인 가축과 대조하여　　　　　　　'minilivestock'으로서의 곤충들은
~와는 대조적으로　　　　　　　　　　　주어

"minilivestock" / are low-GHGE emitters, / use minimal land, / can
　　　　　　온실가스를 적게 배출하고　　최소한의 땅을 사용하며
　　　　　　동사1　　　　　　　　동사2

be fed on food waste / rather than cultivated grain, / and can
음식물 쓰레기를 사료로 먹을 수 있고　재배된 곡물보다　　그리고
동사3(조동사의 수동태)　　　　　　과거분사(수동)

be farmed anywhere / thus potentially also avoiding GHGEs
어느 곳에서나 사육될 수 있다 따라서 또한 잠재적으로 온실가스 배출을 줄이면서
동사4(조동사의 수동태)　　　　　　　　　　　분사구문

┌ (which are)
[∨caused by long distance transportation].
장거리 운송에 의해 야기되는
└ 과거분사구

❻ If we increased insect consumption / and decreased meat
우리가 곤충 소비를 늘리면　　　　　그리고 육류 소비를 줄인다면
가정법 과거 동사의 과거형1　　　　　　동사의 과거형2

consumption / worldwide, / the global warming potential of the
　　　　　세계적으로　　식량 체계로 인한 지구 온난화 가능성은

food system / would be significantly reduced.
　　　　　현저히 줄어들 것이다
　　　　　조동사의 과거형+동사원형(수동태: be+p.p.)

해석 어떻게 우리는 환경에 더 적은 영향을 미치면서 필요한 영양분에 접근할 수 있는가? 기후 변화를 야기하는 농업에 있어서 상당히 많은 부분을 차지하는 요소는 가축이다. 세계적으로 육우와 젖소는 온실가스 배출(GHGEs)에 있어 가장 중요한 영향을 미치고, 세계의 이산화탄소 배출의 41%와 전 세계 온실가스 배출의 20%를 차지한다. 가축 산업과 연관된 운송, 토지 개간, 메탄 배출, 곡물 경작으로 야기된 대기의 온실가스 배출 증가는 지구의 온도를 높이는 주된 요인이다. 전통적인 가축과 대조하여

'minilivestock'인 곤충들은 온실가스를 적게 배출하고 최소한의 땅을 사용하며 재배된 곡물보다 음식물 쓰레기를 사료로 먹을 수 있고 어느 곳에서나 사육될 수 있으며, 따라서 또한 잠재적으로 장거리 운송에 의해 야기되는 온실가스 배출을 줄일 수 있다. 우리가 세계적으로 곤충 소비를 늘리고 육류 소비를 줄인다면, 식량 체계로 인한 지구 온난화의 가능성은 현저히 줄어들 것이다.

해설 ④ → increased / 현재 사실에 반대되는 일을 가정하는 가정법 과거 문장으로, if절의 동사는 과거형으로 써야 한다. 따라서 increase를 increased로 고쳐야 한다. if절의 동사는 가정법 과거의 increased가 적절하다.

4. 구문분석 및 직독직해

❶ If a food contains / more sugar / than any other ingredient, /
한 식품이 함유하고 있다면　더 많을 설탕을　다른 어떤 성분보다
　　　　　비교급을 이용한 최상급 (= most sugar)
　　　　　　　　　　　　　　　　　　　┌ (should)
government regulations require [that sugar ⅴbe listed first / on
정부 규정은　　　　　요구한다 설탕이 첫 번째로 기재될 것을
　　　　　　　　　요구의 동사 require that + 주어 + (should) 동사원형

the label].
라벨에

❷ But / if a food contains / several different kinds of
그러나 어떤 식품이 함유하고 있다면　몇 가지 다른 종류의 감미료를
　　　　　　　　　　　┌ = several different kinds of sweeteners
sweeteners, / they can be listed separately, / which pushes each
　　　그것들은 각각 기재될 수 있다　　　그것은 각각 밀어 내린다
　　　조동사+be+p.p. (조동사의 수동태) 계속적 용법의 관계대명사

one / farther down the list.
목록에서 더 아래로
　　비교급 (far-farther)

❸ This requirement has led / the food industry / to put in /
이 요구는　　　이끌었다 식품업계가　　넣도록
　　　　　현재완료 lead A to do: A가 ~하도록 이끌다

three different sources of sugar / so that they don't have to say
세 가지 다른 당의 원료를　　　그래서 그들이 말할 필요가 없도록
　　　　　　　　　　　　　　　결과　　　~할 필요가 없다
┌ (that 명사절 접속사)
[ⅴthe food has that much sugar].
그 식품에 설탕이 그렇게 많이 들어 있다고
say의 목적절

❹ So sugar doesn't appear first.
그래서 설탕이 첫 번째로 나타나지 않는다.
　　　　　　　자동사

❺ Whatever the true motive, / ingredient labeling / still does
진짜 동기가 무엇이든　　　성분 라벨 표기는　　　여전히
어떤 …일지라도　　　　　주어

not fully convey / the amount of sugar / being added to food, /
충분히 전달하지 못한다 설탕의 양을　　　식품에 첨가되는
　　　동사　　셀 수 없는 명사의 수량 표현 └ 현재분사구

certainly not in a language [that's easy for consumers to
확실히 (전달하지 않는다) 언어로　　소비자가 이해하기 쉬운
　　　　　　　　　선행사　　주격 관계대명사 to부정사의 의미상의 주어

understand].
to부정사의 부사적 용법(형용사 수식)

❻ A world-famous cereal brand's label, / for example, /
세계적으로 유명한 어떤 시리얼 브랜드의 라벨은　　예를 들어
주어　　　┌ 명사절 접속사
indicates [that the cereal has / 11 grams of sugar / per serving].
보여 준다 시리얼이 함유하고 있다는 것을 11g의 설탕을　　1회분에
동사　　indicates의 목적절
　　　　　　　　　　　　┌ tell+간접목적어+직접목적어(목적절)
❼ But nowhere / does it tell consumers [that more than
그러나 라벨의 어디에서도 소비자들에게 알려주지 않는다
　　　부정어 + 동사 + 주어 (도치)　　명사절 접속사(tell의 목적절)
one-third of the box / contains added sugar].
상자의 3분의 1 넘게　　첨가 당을 함유하고 있다는 것을

해석 한 식품이 다른 어떤 성분보다 설탕을 더 많이 함유하고 있다면,

정부 규정은 설탕이 라벨에 첫 번째로 기재될 것을 요구한다. 그러나 어떤 식품이 몇 가지 다른 종류의 감미료를 함유하고 있다면, 그것들은 각각 기재될 수 있는데, 그것은 각각 목록에서 더 아래로 밀어 내린다. 이 요구는 식품업계가 그 식품에 설탕이 그렇게 많이 들어 있다고 말할 필요가 없도록 세 가지 다른 당의 원료를 넣게 만들었다. 그래서 설탕이 첫 번째로 나타나지 않는다. 진짜 동기가 무엇이든, 성분 라벨 표기는 식품에 첨가되는 설탕의 양을 여전히 충분히 전달하지 못하고 있으며, 확실히 소비자가 이해하기 쉬운 언어로 되어 있지 않다. 예를 들어, 세계적으로 유명한 어떤 시리얼 브랜드의 라벨은 시리얼이 1회분에 11g의 설탕을 함유하고 있음을 보여 준다. 그러나 라벨의 어디에도 상자의 3분의 1 넘게 첨가 당을 함유하고 있다는 것을 소비자들에게 알려주지 않는다.

해설 (A) 요구의 동사 require 뒤에 오는 that절의 내용이 '설탕이 첫 번째로 기재되어야 한다'라는 의미로 당위성을 나타내므로 should be 또는 should가 생략된 동사원형 be가 적절하다.
(B) '그 식품에 설탕이 그렇게 많이 들어 있다고 말할 필요가 없도록'이라는 의미가 되어야 자연스러우므로 문맥상 don't have to(~할 필요가 없다)가 적절하다.
(C) '성분 라벨 표기는 식품에 첨가되는 설탕의 양을 여전히 충분히 전달하지 못하고 있다'라는 의미가 되어야 자연스러우므로 부정문을 이루는 「do/does + not + 동사원형」 형태가 와야 한다.

어법 TEST 4 │ 서술형 내신 어법훈련하기

1　01 must have been　02 그 습관이 시작했을 때는 명확하지 않았을지도 모를 부정적인 결과　03 You may know conceptually that eating too much is a problem.
2　01 I wish the drought would end.　02 as if someone were dropping pennies on the roof　03 그녀는 그 뇌우가 마치 선물처럼 느껴졌다.

1. 구문분석 및 직독직해

❶ Most habits are probably good / when they are first formed.
대부분의 습관들은 아마도 좋은 습관일 것이다　처음 형성될 때는
　　　　　　　　　　　　시간의 접속사(부사절)　수동태(be+p.p.)

❷ That is, / for many of the habits [that you do not create
즉　　　많은 습관에 대해서　　당신이 의도적으로 만들지 않은
부연 설명　　　　선행사　　　목적격 관계대명사

intentionally], there must have been some value / to
　　　　　　어떤 가치가 있었음에 틀림없다
　　　　　　must have p.p.: ~했음에 틀림없다 전치사+동명사

performing that particular behavior.
그 특정한 행동을 하게 된 것에는
　　　지시형용사
　　　　　　┌ 5형식 cause+목적어+목적격보어(to부정사)
❸ That value is [what causes you / to repeat the behavior
그 가치가 ~이다　당신에게 야기하는 것　자주 그 행동을 반복하도록
　　　　　관계대명사(선행사 포함)-보어절

often / enough to create the habit].
　　　그 습관을 형성할 만큼 충분히
　　　enough+to부정사: ~할 만큼 충분히

❹ Some habits become bad, / because ⟨a behavior [that has
몇몇 습관은 나빠지기도 하는데　왜냐하면 ~때문에 어떤 행동이
　　　2형식: 불완전 자동사+형용사　핵심 주어(선행사) 주격 관계대명사

18 · 정답과 해설

rewarding elements to it / at one time]⟩ also has negative
그것에 보상적 요소를 가진   한때   ⟨ ⟩ 주어   부정적인 결과를 역시 가지고 있다
                                                    동사
                                        ┌ 시간의 접속사(부사절) ┐
consequences [that may not have been obvious / when the habit
명확하지 않았을지도 모를   그 습관이 형성되기
선행사   주격 관계대명사 may have p.p. ~했을지도 모른다(약한 추측)

began].
시작했을 때는

❺ Overeating is one such habit.
과식이 그러한 습관이다

                              동명사구 주어   단수 동사
❻ You may know conceptually [that eating too much is a
당신은 개념적으로는 알고 있을지도 모른다   과식이 문제라는 것을
                                    명사절 접속사(know의 목적절)

problem].

❼ But / when you actually overeat, / there are few really
그러나 당신이 실제로 과식할 때   정말 부정적인 영향이 거의 없다
          시간의 접속사(부사절)   there are + 복수 명사

negative consequences / in the moment.
                        바로 그 순간에는

❽ So you do it / again and again.
그래서 당신은 그 행동을 한다   반복해서

❾ Eventually, / though, / you'll start to gain weight.
결국   그러나   당신은 살이 찌기 시작할 것이다
문장 전체 수식 부사   start+to부정사: ~하기 시작하다

❿ By the time you really notice this, / your habit of eating
당신이 이것을 실제로 인지할 때 쯤   당신의 과식 습관은
                                앞 문장의 내용

too much / is deeply rooted.
          깊이 자리 잡게 된다
          수동태(be+p.p.)

해석 대부분의 습관들은 아마도 처음 형성될 때는 좋은 습관일 것이다. 즉, 당신이 의도적으로 만들지 않은 많은 습관에 대해서, 그 특정한 행동을 하게 된 것에는 어떤 가치가 있었음에 틀림없다. 그 가치가 당신이 그 습관을 형성할 만큼 충분히 자주 그 행동을 반복하게 하는 것이다. 몇몇 습관은 나빠지기도 하는데, 그 이유는 한때 보상적 요소를 가진 행동이 그 습관이 형성되기 시작했을 때는 명확하지 않았을지도 모를 부정적인 결과를 역시 가지고 있기 때문이다. 과식이 그러한 습관이다. 당신은 머릿속으로는 과식이 문제라는 것을 알고 있을 것이다. 그러나 당신이 실제로 과식할 때, 바로 그 순간에는 정말 부정적인 영향이 거의 없다. 그래서 당신은 그 행동을 반복한다. 그러나 결국 당신은 살이 찌기 시작할 것이다. 당신이 이것을 실제로 인지할 때 쯤, 당신의 과식 습관은 깊이 자리 잡게 된다.

해설 **01** '(과거에) ~였음에 틀림없다'라는 뜻은 must have p.p. 형태로 쓸 수 있으며 과거 사실에 대한 강한 추측을 나타낸다. 여기서는 must have 다음에 be동사의 과거분사형 been을 쓰는 것에 유의한다.

02 목적어 negative consequences를 관계사절(that ~ began)이 수식하고 있다. may not have been obvious는 '명확하지 않았을지도 모를'로 해석한다.

03 '~일지도 모른다'는 「조동사 may + 동사원형」으로 쓴다.

2. 구문분석 및 직독직해

❶ Garnet blew out the candles / and lay down.
Garnet은 촛불을 불어서 껐다   그리고 누웠다
          동사1   동사2

❷ It was too hot / even for a sheet.
너무 더운 날이었다 심지어 홑이불 한 장조차
비인칭 주어(날씨)

❸ She lay there, / sweating, / listening to the empty thunder
그녀는 그곳에 누웠다 땀을 흘리며 공허한 천둥소리를 들으며
          동사1   분사구문1   분사구문2   선행사

[that brought no rain], and whispered, "I wish the drought
비를 가져오지 않는   그리고 속삭였다   나는 이 가뭄이 끝났으면
주격 관계대명사   동사2   I wish+가정법 과거

would end."
좋겠어

❹ Late in the night, / Garnet had a feeling [that ⟨⟨something
그날 밤늦게   Garnet은 기분이 들었다   무언가가
┌ (목적격 관계대명사 that)   └ 동격의 that ┘ 선행사
∨she had been waiting for⟩⟩ was about to happen].
그녀가 기다려 온   곧 일어날 것 같은
주어 { } 과거완료진행   동사 be about to: 막 ~하려고 하다

❺ She lay quite still, / listening.
그녀는 아주 가만히 누워 있었다 귀를 기울이며
                      분사구문

❻ The thunder rumbled again, / sounding much louder.
그 천둥은 다시 우르르 울렸다   훨씬 더 큰 소리를 내면서
                              분사구문 비교급 강조 ↘

❼ And then slowly, / one by one, ⟨as if someone were
그러고 나서 천천히   하나하나씩 마치 누군가가 동전을 떨어뜨리고 있는 것처럼
                              as if+가정법 과거
dropping pennies / on the roof,⟩ came the raindrops.
                  지붕에   빗방울이 떨어졌다
          삽입절   부사+동사+주어(도치)

❽ Garnet held her breath / hopefully.
Garnet은 숨죽였다   희망에 차서

❾ The sound paused.
그 소리가 잠시 멈췄다

❿ "Don't stop! / Please!" / she whispered.
멈추지 마!   제발!   그녀는 속삭였다

⓫ Then the rain burst / strong and loud / upon the world.
그런 다음 그 비는 쏟아졌다 세차고 요란하게   세상에

⓬ Garnet leaped out of bed / and ran to the window.
Garnet은 침대 밖으로 뛰쳐나왔다 그리고 창문으로 달려갔다
          동사1   동사2

⓭ She shouted / with joy, / "It's raining hard!"
그녀는 소리쳤다 기쁨에 차서   비가 쏟아진다!

⓮ She felt / as though the thunderstorm was a present.
그녀는 느꼈다 그 뇌우가 마치 선물처럼
          as though+가정법 과거

해석 Garnet은 촛불들을 불어서 끄고 누웠다. 심지어 홑이불 한 장조차 너무 더운 날이었다. 그녀는 땀을 흘리면서 비를 가져오지 않는 공허한 천둥소리를 들으면서 그곳에 누워 있었고, "나는 이 가뭄이 끝났으면 좋겠어."라고 속삭였다. 그날 밤늦게, Garnet은 그녀가 기다려 온 무언가가 곧 일어날 것 같은 기분이 들었다. 그녀는 귀를 기울이며 아주 가만히 누워 있었다. 그 천둥은 훨씬 더 큰 소리를 내면서 다시 우르르 울렸다. 그러고 나서 천천히, 하나하나씩, 마치 누군가가 지붕에 동전을 떨어뜨리고 있는 것처럼 빗방울이 떨어졌다. Garnet은 희망에 차서 숨죽였다. 그 소리가 잠시 멈췄다. "멈추지 마! 제발!" 그녀는 속삭였다. 그런 다음, 그 비는 세차고 요란하게 세상에 쏟아졌다. Garnet은 침대 밖으로 뛰쳐나와 창문으로 달려갔다. 그녀는 기쁨에 차서 소리쳤다. "비가 쏟아진다!" 그녀는 그 뇌우가 마치 선물처럼 느껴졌다.

해설 **01** '나는 이 가뭄이 끝났으면 좋겠어.'라는 의미로, 「I wish + 가정법 과거」가 쓰인 문장이다. 따라서 will을 과거형 would로 고쳐야 한다.

02 「as if + 가정법 과거」가 쓰인 문장으로, 과거진행 시제에 유의한다.

03 「as though + 가정법 과거」는 '마치 ~인 것처럼 …한다'로 해석한다.

Unit 04 태

어법 기본 다지는 *Basic Grammar*　　p. 53

수동태 / 수동태 문장 만들기　**1** Many houses were flooded by the heavy rain.　**2** A locker was assigned to each of us by the homeroom teacher. / Each of us was assigned a locker by the homeroom teacher.　**3** Communication is made possible by language.　**4** A group of six people were seen to enter one of the restaurants by you.

기출문장으로 *실전어법* 개념잡기 1, 2　　p. 55

1 are given　**2** suspected　**3** was awarded　**4** was being prepared　**5** is served　**6** was used　**7** was found　**8** is being done

1 일란성 쌍둥이를 생각해 보자. 두 사람은 모두 똑같은 유전자를 부여받는다.
▶ 똑같은 유전자가 '부여하는' 것이 아니라 '부여받는' 것이므로 수동태가 적절하다.

2 오랫동안 많은 과학자들은 코알라들이 그렇게도 무기력한 상태에 있는 것을 의심했다.
▶ 많은 과학자들이 접속사 that이 이끄는 절의 내용을 '의심했다'라는 의미이므로 능동태가 적절하다.

3 그러한 공헌으로, 1844년 그는 Royal Society에서 수학으로 금메달을 받았다.
▶ 그가 금메달을 '수여받았다'라는 의미이므로 수동태가 적절하다.

4 약이 준비되는 동안, Alexander는 그 의사가 그의 주군을 독살하도록 뇌물을 받았다고 고발하는 편지를 받았다.
▶ 수동태 과거진행은 「was / were + being + p.p.」 형태로 쓴다. 이어진 having been bribed는 「have + been + p.p.」의 수동태 현재완료이며, of가 왔으므로 동명사 having이 되었다.

5 자신을 살리고 데지 않게 하려는 우리의 목표가 우리의 자동적이고 무의식적인 습관에 의해 이행된다.
▶ 긴 수식어구(of ~ unburnt)가 주어 our goal을 수식하고 있다. 즉, 목표가 '이행된다'라는 의미이므로 수동태가 적절하다.

6 기류 및 수류에 저장된 에너지의 일부가 적어도 5만 년 전부터 운항에 사용되었다.
▶ 주어 some of the energy를 과거분사구(stored in air and water flows)가 수식하고 있다. 에너지의 일부가 운항에 '사용되었다'라는 의미이므로 수동태가 적절하다.

7 정규 직원과 임시 직원 또는 무계약직 사원 사이의 가장 작은 퍼센트 차이는 고소득 국가들에서 발견되었다.
▶ 주어 the smallest percentage point gap between ~ no contract workers가 수식하고 있다. 가장 작은 퍼센트 차이가 '발견되었다'라는 의미이므로 수동태가 적절하다.

8 가장 제대로 기능을 하지 않는 조직에서는, 일이 진행되고 있음을 알리는 것이 실제로 일을 진행하는 것보다 승진을 위한 더 나은 전략이 된다.
▶ 접속사 that이 signaling의 목적어절을 이끌고 있으며, that절의 주어는 work이다. 일이 '진행되고 있다'라는 의미이므로 수동태가 적절하다.

기출문장으로 *실전어법* 개념잡기 3, 4　　p. 57

1 are used to create　**2** used to　**3** describing　**4** used to　**5** appeared　**6** lacked　**7** remained　**8** exist

1 회사의 현재 제품에 대한 수요를 창출하기 위해 판매원 그리고 다른 형태의 판촉이 사용된다.
▶ '~하는 데 이용되다'는 「be used to + 동사원형」 형태로 쓴다.

2 사람들은 다음번 식사의 가능성이 확실치 않았기 때문에 음식이 있을 때 더 많이 먹곤 했다.
▶ 음식이 있을 때 더 먹곤 했다는 의미가 되어야 한다. 따라서 과거의 습관이나 상태를 나타내는 「used to + 동사원형」 형태가 적절하다.

3 하지만 우리는 감정 상태를 표현하거나 우리의 감정 상태를 알아챌 수 있는 기계들을 'affective computing(감성 컴퓨팅)'의 전형으로 묘사하는 것에 익숙해져 왔다.
▶ 「become used to + 동명사」는 '~하는 데 익숙해지다'라는 뜻이다.

4 '지능'은 감각, 감성, 인지, 이성, 재치 등을 포함하곤 했다.
▶ 지능은 '~을 포함하곤 했다'라는 뜻이 되도록 과거의 규칙적 습관을 나타내는 「used to + 동사원형」 형태가 적절하다.

5 그것의 목판화와 판화뿐만 아니라 사진도 신문과 잡지에 등장했다.
▶ appear는 '나타나다'라는 뜻의 자동사로, 수동태로 쓸 수 없다.

6 결과적으로, 그는 생존 기술이 부족했기 때문에 목초지의 환경에 적응하는 데 실패했다.
▶ lack은 '부족하다'라는 뜻의 타동사로, 주어의 의지와 상관없는 동사이므로 수동태로 쓸 수 없다.

7 일자리 수는 2015년에 감소했지만, 액체 바이오 연료의 순위는 두 해 모두 동일했다.
▶ remain은 '여전히 ~이다'라는 뜻의 자동사로, 수동태로 쓸 수 없다.

8 귀금속은 본질적인 아름다움을 지니고 있을 뿐만 아니라 고정된 양으로 존재하기 때문에 수천 년에 걸쳐 돈으로서 바람직했다.
▶ exist는 '존재하다'라는 뜻의 자동사로, 수동태로 쓸 수 없다.

1 occur　2 was surprised　3 is driven　4 have been constructed　5 will be provided　6 disappear　7 ○

1 나이와 관련된 주요한 두 종류의 구조적 변화가 눈에서 일어난다.
▶ occur은 '일어나다'라는 뜻의 자동사로, 수동태로 쓸 수 없다.

2 그는 Jofi도 이것을 감지하는 것 같아 보인다는 것을 깨닫고 놀랐다.
▶ 사람의 감정을 나타낼 때는 수동태 「be + p.p.」 형태로 쓴다.

3 이 주장에 따르면, 개인의 선택이나 취향의 차이에 의해 만들어진 행복의 불평등은 허용 가능하다.
▶ 주격 관계대명사 that의 선행사 inequality of well-being이 주어인 문장으로, 행복의 불평등이 '만들어지다'라는 뜻이 되도록 수동태가 와야 한다.

4 많은 양의 데이터 집합이 광범위한 산업들을 대상으로 여러 해 동안 기업 환경 행위와 재무 성과를 측정하면서 구축되어 왔다.
▶ 많은 양의 데이터 집합이 '구축하는' 것이 아니라 '구축되는' 것이므로 수동태가 필요하다. 수동태 현재완료는 「have/has + been + p.p.」 형태로 쓴다.

5 음식과 음료는 이벤트 내내 당신이 즐길 수 있도록 행사 시작 전에 제공될 것이다.
▶ 주어가 food and drink로, '제공될 것이다'라는 뜻이 되어야 하므로 수동태가 적절하다. 수동태 미래는 「will be + p.p.」 형태로 쓴다.

6 동물들은 어떤 때는 가까이 접근해도 태연해 보이는 반면에, 다른 때는 여러분이 시야에 들어오면 번개처럼 사라진다.
▶ disappear는 '사라지다'라는 뜻의 자동사로, 수동태로 쓸 수 없다.

7 대부분의 블록 체인 기반 네트워크는 합의에 이르기 위해 시장을 기반으로 하거나 게임 이론의 메커니즘을 특징으로 하는데, 이것은 사람들이나 기계들을 조정하는 데 사용될 수 있다.
▶ '~하는 데 이용되다'는 「be used to + 동사원형」 형태로 쓴다.

1 (A) appeared (B) working　2 (A) trained (B) had been helped　3 ③

1 Harris가 TV에 출연하고 난 후, 16년 동안 그를 찾고 있었던 가족들이 그를 찾을 수 있었다. 그들은 행복하게 재결합하였고 Harris는 이제 그들과의 관계를 위해 애쓰고 있다.
▶ (A) appear는 '나타나다'라는 뜻의 자동사로, 수동태로 쓸 수 없다.
(B) 문맥상 그들과의 관계를 위해 '애쓰고 있다'는 내용이 되어야 하므로 수동태 is worked는 어색하다. 현재진행 시제 is working이 자연스럽다.

2 Rutte와 Taborsky는 쥐들에게 파트너를 위한 음식을 얻기 위해 막대기를 잡아당기는 협동적 과업을 훈련시켰다. 이전에 모르는 파트너에게 도움을 받은 적이 있는 쥐들은 다른 쥐들을 돕는 경향이 더 높았다.

▶ (A) Rutte and Taborsky가 주어이고, rats를 '훈련시켰다'라는 의미이므로 능동태가 적절하다.
(B) 주어가 rats이고, 「by + 행위자」가 있는 것으로 보아, 수동태가 적절하다. 수동태 과거완료는 「had + been + p.p.」 형태로 쓴다.

3 회사의 현재 제품에 대한 수요를 창출하기 위해 판매원 그리고 다른 형태의 판촉이 사용된다. 제품이나 서비스가 진정으로 마케팅 될 때, 신제품 개발 과정의 아주 초기에서부터 소비자의 요구가 고려되며, 소비하는 대중들의 충족되지 않은 요구에 부응하기 위해 제품과 서비스의 결합이 기획된다.
▶ ③ → are considered / the needs of the consumer(소비자의 요구)가 주어이고 '고려되다'라는 의미가 되어야 하므로 수동태로 고쳐야 한다.

1 ⑤　2 ⑤　3 ②　4 ②

1. 구문분석 및 직독직해

❶ George Boole was born / in Lincoln, England / in 1815.
George Boole은 태어났다　영국 Lincoln에서　1815년에
be born: 태어나다　「in+연도」

❷ Boole was forced to leave school / at the age of sixteen /
Boole은 학교를 그만두게 되었다　16세의 나이에
be forced to: ~하도록 강요 당하다　~의 나이에
after his father's business collapsed.
아버지의 사업이 실패한 후
시간의 접속사(~ 후에)+주어+동사(부사절)

❸ He taught himself mathematics, / natural philosophy / and
그는 수학을 독학했다　자연 철학
teach oneself: 독학하다, 자습하다
various languages.
그리고 여러 언어들

❹ He began to produce / original mathematical research / and
그는 만들어 내기 시작했다　독창적인 수학적 연구를
주어 동사1 / begin+to부정사(동명사): ~하기 시작하다　병렬구조
made important contributions / to areas of mathematics.
그리고 중요한 공헌을 했다　수학 분야에서
동사2

❺ For those contributions, / in 1844, / he was awarded / a
그러한 공헌으로　1844년에　그는 받았다
(이유 · 원인) ~으로　수동태 과거: was/were+p.p.
gold medal / for mathematics / by the Royal Society.
금메달을　수학으로　Royal Society에서
(이유 · 원인) ~으로　「by+행위자」

❻ Boole was deeply interested in / expressing the workings /
Boole은 ~에 매우 관심이 있었다　작용을 표현하는 것
주어1 동사1 / be interested in: ~에 관심이 있다
of the human mind / in symbolic form, / and his two books /
인간 사고방식의　기호 형태로　그리고 그의 책 두 권은
병렬구조 주어2
on this subject, / The Mathematical Analysis of Logic and An
이 주제에 대한 The Mathematical Analysis of Logic과 An Investigation of the
Investigation of the Laws of Thought / form / the basis of
Laws of Thought　형성한다
동사2
today's computer science.
오늘날의 컴퓨터 과학의 기초를

❼ In 1849, / he was appointed / the first professor of
1849년에 그는 임명되었다 최초 수학 교수로
「in+연도」 주어 동사1 / 수동태 과거: was/were+p.p.

mathematics / at Queen's College in Cork, Ireland / and taught
아일랜드 Cork의 Queen's College에서 그리고 그곳에서
병렬구조 동사2 / 능동태

there / until his death / in 1864.
가르쳤다 생을 마감할 때까지 1864년에
전치사 until+명사(구): ~까지

해석 George Boole은 1815년 영국 Lincoln에서 태어났다. Boole은 아버지의 사업이 실패한 후 16세의 나이에 학교를 그만두게 되었다. 그는 수학, 자연 철학, 여러 언어를 독학했다. 그는 독창적인 수학적 연구를 만들어 내기 시작했고 수학 분야에서 중요한 공헌을 했다. 그러한 공헌으로 1844년 그는 Royal Society에서 수학으로 금메달을 받았다. Boole은 기호 형태로 인간 사고방식의 작용을 표현하는 것에 매우 관심이 있었으며 이 주제에 대한 그의 책 두 권, *The Mathematical Analysis of Logic*과 *An Investigation of the Laws of Thought*가 오늘날의 컴퓨터 과학의 기초를 형성한다. 1849년 그는 아일랜드 Cork의 Queen's College의 최초 수학 교수로 임명되어 1864년 생을 마감할 때까지 그곳에서 가르쳤다.

해설 ⑤ → was appointed / 문맥상 그가 '임명한' 것이 아니라 '임명된' 것이므로 수동태로 고쳐야 한다.

2. 구문분석 및 직독직해

❶ Our culture is biased / toward the fine arts / — those
우리의 문화는 편향되어 있다 순수 예술 쪽으로
수동태 현재: am/are/is + p.p.

creative products [that have no function other than pleasure].
창조적 생산물 즐거움 외에는 어떤 기능도 가지고 있지 않은
선행사 ↳ 주격 관계대명사 no ... other than ~:
~ 이외의 아무것도 아닌 …

❷ Craft objects are less worthy; / because they serve / an
공예품은 덜 가치가 있다 그것들은 제공하기 때문에
〈종속절〉 이유의 접속사(~ 때문에)+주어+동사

everyday function, / they're not purely creative.
일상의 기능을 그것들은 순수하게 창의적이지 않다
〈주절〉

❸ But this division is / culturally and historically relative.
하지만 이러한 구분은 ~이다 문화적으로 역사적으로 상대적인
형용사 수식 ↰

❹ Most contemporary high art began / as some sort of craft.
대부분의 현대의 고급 예술은 시작했다 일종의 공예로서
(자격 · 기능) ~으로서

❺ 〈The composition and performance / of [what we now call
작곡과 연주는 우리가 오늘날 '고전 음악'
긴 주어 〈 〉 ↳ 전치사구 (앞의 명사구 수식) ↳ 목적격 관계대명사

"classical music"]〉 began / as a form of craft music / satisfying
이라고 부르는 것의 시작했다 공예 음악의 형태로 ↳ 현재분사구
동사
과거분사 ↰
required functions / in the Catholic mass, / or the specific
요구되는 기능을 충족시키는 가톨릭 미사에서 또는 특정한 오락적 요구
satisfying의 목적어1 satisfying의 목적어2

entertainment needs / of royal patrons.
왕실 후원자의

❻ For example, / chamber music really was designed / to be
예를 들면 실내악은 실제로 설계되었다
= For instance 〈예시〉 수동태 과거: was/were+p.p.

performed / in chambers / — small intimate rooms / in wealthy
연주되도록 방들에서 작고 친밀한 방들 부유한 가정의
to부정사 수동태: to+be+p.p. 삽입어구

homes — / often as background music.
종종 배경 음악으로

❼ The dances [Vcomposed / by famous composers / from Bach
── (which were) 생략
작곡된 춤곡들은 유명한 작곡가들에 의해 Bach에서
긴 주어 ↳ 과거분사구

to Chopin] originally did indeed accompany dancing.
Chopin에 이르는 원래는 사실상 춤을 동반했다
동사 / did+동사원형 〈강조의 do〉

❽ But today, / with the contexts and functions [Vthey
── (that) 생략
하지만 오늘날 맥락과 기능들이 그것들이 작곡된
with+목적어+p.p.: (목적어)가 ~한 채로 〈with 부대상황 구문〉

were composed for] gone, / we listen to these works / as
사라진 채로 우리는 이러한 작품들을 듣는다
수동태 과거: was / were+p.p.

fine art.
순수 예술로

해석 우리의 문화는 순수 예술 — 즐거움 외에는 어떤 기능도 가지고 있지 않은 창조적 생산물 — 쪽으로 편향되어 있다. 공예품은 덜 가치가 있다; 그것들은 일상의 기능을 제공하기 때문에 그것들은 순수하게 창의적이지 않다. 하지만 이러한 구분은 문화적으로 역사적으로 상대적이다. 대부분의 현대의 고급 예술은 일종의 공예로써 시작했다. 우리가 오늘날 '고전 음악'이라고 부르는 것의 작곡과 연주는 가톨릭 미사에서 요구되는 기능 또는 왕실 후원자의 특정한 오락적 요구를 충족시키는 공예 음악의 형태로 시작했다. 예를 들면, 실내악은 실제로 방들 — 부유한 가정의 작고 친밀한 방들 — 에서 종종 배경 음악으로 연주되도록 설계되었다. Bach에서 Chopin에 이르는 유명한 작곡가들에 의해 작곡된 춤곡들은 원래는 사실상 춤을 동반했다. 하지만 오늘날, 그것들이 작곡된 맥락과 기능들이 사라진 채로, 우리는 이러한 작품들을 순수 예술로 듣는다.

해설 (A) 우리의 문화가 '편향되어 있는' 것이므로 수동태가 적절하다.
(B) 주어 chamber music이 '설계된' 것이므로 수동태 과거 「was / were + p.p.」 형태로 써야 한다.
(C) 주어 they는 앞 문장의 the dances를 가리킨다. 따라서 그것들이 '작곡되었다'라는 뜻이 되도록 수동태가 와야 한다.

3. 구문분석 및 직독직해

❶ James Francis was born / in England / and emigrated to
James Francis는 태어났다 영국에서 그리고 미국으로 이주했다
주어 동사1 / be born: 태어나다 병렬구조 동사2 / 능동태

the United States / at age 18.
열여덟 살에

❷ One of his first contributions / to water engineering /
그의 첫 번째 공헌 중 하나는 물 공학에 대한
긴 주어

was / the invention of the sprinkler system / now widely
~이었다 스프링클러 시스템의 발명 현재 널리 사용되는
동사 ↳ 과거분사구 (앞의 명사구 수식)

used / in buildings / for fire protection.
건물에서 방화(防火)를 위해

❸ Francis's design involved / a series of perforated pipes /
Francis의 디자인은 포함했다 일련의 구멍을 낸 파이프를 ↳

running throughout the building.
건물 전체에 뻗어 있는
현재분사구

❹ It had two defects: / it had to be turned on manually, /
그것은 두 가지 결점이 있었는데, 그것은 손으로 켜야 했다
조동사가 있는 수동태: 조동사+be+p.p.

and it had only *one* valve.
그리고 그것은 단지 '하나'의 밸브만 있었다
병렬구조

⑤ Once the system was activated / by opening the valve, /
일단 시스템이 작동되면 밸브의 개방으로
부사절 접속사 (일단 ~하면) 수동태 과거: was/were+p.p. 「by+행위자」

water would flow out / everywhere.
물이 쏟아져 나오곤 했다 사방에서
주절 과거의 습관

⑥ If the building did not burn down, / it would certainly
건물이 불에 타버리지 않았다면 그것은 틀림없이
조건의 접속사(만약 ~라면)+주어+동사 과거의 습관

be completely flooded.
완전히 물에 잠기게 되었다
조동사가 있는 수동태: 조동사+be+p.p.

⟨부사절⟩ 시간의 접속사(~할 때)+주어+동사

⑦ Only some years later, [when other engineers perfected /
몇 년 후에야 비로소 ~ 다른 엔지니어들이 완성했을 때
only 부사구+조동사(did)+주어(the concept)+동사(become) ⟨도치⟩

the kind of sprinkler heads / in use nowadays], did the
종류의 스프링클러 헤드를 요즘에 사용되는
조동사 주어

concept become popular.
그 개념은 대중화되었다
동사원형

여기서 turn은 자동사로, 능동이지만 수동의 의미

⑧ They turned on / automatically / and were activated /
그것들은 켜졌다 자동으로 그리고 작동되었다
주어 동사1 동사2 / 수동태 과거: was/were+p.p.
(the place) ┌ (they were)
only∨where∨actually needed.
실제로 필요한 곳에서만
관계부사

해석 James Francis는 영국에서 태어나 열여덟 살에 미국으로 이주했다. 물 공학에 대한 그의 첫 번째 공헌 중 하나는 현재 방화(防火)를 위해 건물에서 널리 사용되는 스프링클러 시스템의 발명이었다. Francis의 디자인은 건물 전체에 뻗어 있는, 일련의 구멍을 낸 파이프를 포함했다. 그것은 두 가지 결점이 있었는데, 손으로 켜야 했으며, 단지 '하나'의 밸브만 있는 것이었다. 밸브의 개방으로 일단 시스템이 작동되면, 물이 사방에서 쏟아져 나오곤 했다. 건물이 불에 타버리지 않았을 때는 그것은 틀림없이 완전히 물에 잠기게 되었다. 몇 년 후에 다른 엔지니어들이 요즘에 사용되는 종류의 스프링클러 헤드를 완성했을 때에야 비로소 그 개념은 대중화되었다. 그것은 자동으로 켜지고, 실제로 필요한 곳에서만 작동되었다.

해설 ② → was activated / 주어가 the system이고 목적어 없이 「by + 행위자」가 있는 것으로 보아, 수동태로 고쳐야 한다.

4. 구문분석 및 직독직해

❶ It was time for / the results of the speech contest.
~할 시간이었다 말하기 대회의 결과 발표
It is time for: ~할 시간이다, ~할 때이다

┌ 명사절 이끄는 종속접속사
❷ I was still skeptical [whether I would win a prize / or not].
나는 여전히 회의적이었다 내가 상을 탈 수 있을지 없을지
목적어절
whether+주어+동사+or not: ~인지 아닌지
due to+명사(구): ~ 때문에

❸ My hands were trembling / due to the anxiety.
내 손은 떨리고 있었다 불안감 때문에
was/were+-ing: ~하고 있었다 ⟨과거진행형⟩

❹ I thought to myself, / 'Did I work hard / enough to
나는 마음속으로 생각했다 내가 열심히 했는가
think to oneself: 조용히 생각하다, 마음속으로 생각하다

outperform / the other participants?'
~보다 우수하다고 할 만큼 충분히 다른 참가자들
enough+to부정사: ~할 만큼 충분히

⑤ After a long wait, / an envelope was handed / to the
오랜 기다림 끝에 봉투가 전달되었다 사회자에게
전치사(~ 후에)+명사(구) 수동태 과거: was/were+p.p.

announcer.

⑥ She tore open / the envelope / to pull out / the winner's
그녀는 찢어 열었다 봉투를 꺼내기 위해 우승자의 이름을
tear open: 찢어 열다 to부정사의 부사적 용법 (목적)

name.

⑦ My hands were now sweating / and my heart started
내 손은 이제 땀이 나고 있었다 그리고 나의 심장은 뛰기 시작했다
was/were+-ing: ~하고 있었다 ⟨과거진행형⟩

pounding / really hard and fast.
정말 격렬하고 빠르게
start+동명사(to부정사): ~하기 시작하다

⑧ "The winner of the speech contest / is Josh Brown!" / the
말하기 대회의 우승자는 Josh Brown입니다

announcer declared.
사회자가 외쳤다

┌ (that) 목적어절을 이끄는 접속사 생략
⑨ As I realized [∨my name had been called], I jumped with
내가 깨달았을 때 내 이름을 불렸다는 것을 나는 기쁨에 펄쩍 뛰었다
시간의 접속사(~할 때)+주어+동사 수동태 과거완료: had+been+p.p.

joy.

⑩ "I can't believe it. / I did it!" / I exclaimed.
나는 믿을 수 없어 내가 해냈어 나는 소리쳤다

⑪ I felt like / I was in heaven.
나는 마치 ~처럼 느꼈다 나는 천국에 있었다
feel like: ~처럼 느끼다(접속사)

⑫ Almost everybody / gathered around me / and started
거의 모든 사람이 내 주위에 모였다
주어 동사1 병렬구조 동사2

congratulating me / for my victory.
그리고 축하해 주기 시작했다 나의 우승을
start+동명사(to부정사): ~하기 시작하다

해석 말하기 대회의 결과 발표 시간이었다. 나는 내가 상을 탈 수 있을지 없을지에 대해 여전히 회의적이었다. 내 손은 불안감 때문에 떨리고 있었다. '내가 다른 참가자들보다 우수하다고 할 만큼 충분히 열심히 했는가?'라고 마음속으로 생각했다. 오랜 기다림 끝에, 봉투가 사회자에게 전달되었다. 그녀는 봉투를 찢어 열고 우승자의 이름을 꺼냈다. 내 손은 이제 땀이 나고 있었고, 심장은 정말 격렬하고 빠르게 뛰기 시작했다. "말하기 대회의 우승자는 Josh Brown입니다!"라고 사회자가 외쳤다. 내 이름이 불렸다는 것을 깨달았을 때, 나는 기쁨에 펄쩍 뛰었다. "믿을 수 없어. 내가 해냈어!"라고 소리쳤다. 나는 마치 천국에 있는 것처럼 느꼈다. 거의 모든 사람이 내 주위에 모여 나의 우승을 축하해 주기 시작했다.

해설 (A) 주어가 an envelope으로, 봉투가 '전달하는' 것이 아니라 '전달되는' 것이므로 수동태가 적절하다.
(B) realize는 '깨닫다'라는 뜻을 가진 타동사이다. 바로 뒤에 목적어절을 이끄는 접속사 that이 생략된 형태로, my name had been called (나의 이름이 불렸다)가 목적어절이다.
(C) 주어가 my name으로, 나의 이름이 '불렀다'가 아니라 '불렸다'라는 뜻이 되어야 하므로 수동태가 적절하다.

1 01 adopted   02 when a bill was introduced in Congress to outlaw such rules   03 신용카드 가격은 '정상'(디폴트) 가격, 현금 가격은 할인으로 여겨져야 한다

2 01 were recorded   02 유럽에서 과학적 창의성의 거대한 폭발은 갑작스런 정보의 확산에 의해 확실히 도움을 받았다   03 was become → became / become은 '~이 되다'라는 뜻의 자동사로, 수동태로 쓸 수 없다.

1. 구문분석 및 직독직해

❶ Framing matters / in many domains.
프레이밍은 중요하다   많은 영역에서

start+to부정사(동명사): ~하기 시작하다

❷ When credit cards started to become / popular forms
신용카드가 ~이 되기 시작했을 때   인기 있는 지불 방식
〈부사절〉 시간의 접속사(~할 때)+주어+동사

of payment / in the 1970s, / some retail merchants / wanted
1970년대에   몇몇 소매상들은   〈주절〉

to charge / different prices / to their cash and credit card
청구하기를 원했다   다른 가격을   그들의 현금과 신용카드 고객들에게
want+to부정사: ~하기를 원하다

customers.

❸ To prevent this, / credit card companies adopted / rules
이것을 막기 위해서   신용카드 회사들은 채택했다   규정을
to부정사의 부사적 용법 (목적)

[that forbade their retailers / from charging different prices /
소매상들을 막는   다른 가격을 청구하는 것으로부터
주격 관계대명사   forbid A from B: A가 B하는 것을 막다

to cash and credit customers].
현금과 신용카드 고객들에게

수동태 과거: was/were+p.p.

❹ However, / when a bill was introduced / in Congress / to
하지만   법안이 제출되었을 때   의회에서
역접·대조의 접속부사   〈부사절〉 시간의 접속사(~할 때)+주어+동사

outlaw such rules, / the credit card lobby / turned its
그러한 규정들을 금지하기 위해   신용카드 압력 단체는   주의를 돌렸다
to부정사의 부사적 용법 (목적)   〈주절〉

attention / to language.
언어로
turn A to B: A를 B로 돌리다

접속사 (보어 역할)

❺ Its preference was [that {if a company charged /
그 단체가 선호하는 것은 ~한다는 것이었다   만약 회사가 청구한다면
〈가정법〉 If+주어+동사의 과거형,

different prices / to cash and credit customers}, the credit
다른 가격을   현금과 신용카드 고객들에게
〈주절〉

price should be considered / the "normal"(default) price /
신용카드 가격은 여겨져야 한다   '정상'(디폴트) 가격으로
주어+조동사의 과거형+동사원형(수동태)

(should be considered)

and the cash price ∨ a discount / — rather than the
그리고 현금 가격은 할인으로   대안보다는 오히려
병렬구조

alternative / of making the cash price the usual price /
현금 가격을 보통 가격으로 만드는 것에 대한
전치사+동명사1   make+목적어+목적격보어(명사) 〈5형식〉

and charging a surcharge / to credit card customers].
그리고 추가요금을 청구하는 것   신용카드 고객들에게
병렬구조   동명사2

❻ The credit card companies / had a good intuitive
신용카드 회사들은   훌륭한 직관적 이해를 하고 있었다
have an understanding of: ~에 대해 이해하다

understanding / of [what psychologists would come to call /
심리학자들이 부르게 된 것에 대한
선행사를 포함하는 관계대명사 (~하는 것)

"framing]."
'프레이밍'이라고

❼ The idea is [that choices depend, (in part,) on the
이러한 발상은 ~이다   선택이 달려있다는 것   부분적으로는
접속사 (보어 역할)   삽입구어   선행사

way {in which problems are stated}].
방식에   문제들이 언급되는
전치사+관계대명사

해석 프레이밍은 많은 영역에서 중요하다. 신용카드가 1970년대에 인기 있는 지불 방식이 되기 시작했을 때, 몇몇 소매상들은 그들의 현금과 신용카드 고객들에게 다른 가격을 청구하기를 원했다. 이것을 막기 위해서, 신용카드 회사들은 소매상들이 현금과 신용카드 고객들에게 다른 가격을 청구하는 것을 막는 규정을 채택했다. 하지만 그러한 규정들을 금지하기 위한 법안이 의회에서 제출되었을 때, 신용카드 압력 단체는 주의를 언어로 돌렸다. 그 단체가 선호하는 것은 만약 회사가 현금과 신용카드 고객들에게 다른 가격을 청구한다면, 현금 가격을 보통 가격으로 만들고 신용카드 고객들에게 추가 요금을 청구하는 대안보다는 오히려 신용카드 가격은 '정상'(디폴트) 가격, 현금 가격은 할인으로 여겨져야 한다는 것이었다. 신용카드 회사들은 심리학자들이 '프레이밍'이라고 부르게 된 것에 대한 훌륭한 직관적 이해를 하고 있었다. 이러한 발상은 선택이, 부분적으로는 문제들이 언급되는 방식에 달려 있다는 것이다.

해설 01 빈칸 뒤에 이어지는 'rules that ~'으로 보아, 목적어가 있는 문장이므로 능동태가 와야 한다. 글 전체에 과거형이 쓰였으므로 과거시제로 쓴다.

02 when절의 주어가 a bill이고 법안이 '제출된' 것이므로 수동태가 필요하다. 글의 시제에 맞게 수동태 과거 was introduced로 쓰는 것에 유의한다.

03 and로 이어지는 등위절이 있는 문장으로, 뒤 문장의 the cash price 다음에도 should be considered가 생략되어 있다는 것에 유의한다. 「should be + p.p.」는 '~되어야 한다'라는 뜻의 조동사 수동태이다.

2. 구문분석 및 직독직해

❶ For many centuries / European science, / and knowledge
수 세기 동안   유럽의 과학   그리고 일반 지식이
긴 주어

in general, / were recorded / in Latin — a language [that
라틴어로   언어
수동태 과거: was/were+p.p.   관계대명사1

조동사가 있는 수동태: 조동사+be+p.p.
no one spoke / any longer] and that [had to be learned /
아무도 말하지 않는   더 이상   그리고 배워야 하는
병렬구조   관계대명사2

in schools].
학교에서

❷ Very few individuals, / probably less than one percent, /
아주 극소수의 사람들만이   아마도 1퍼센트도 안 되는
주어   few+셀 수 있는 명사

enough+to부정사1: ~할 만큼 충분히
had the means / to study Latin / enough to read books / in
수단을 가졌다   라틴어를 공부할   책을 읽을 만큼 충분히
동사   to부정사의 형용사적 용법

that language / and therefore to participate in the
그 언어로 된   그래서   지적인 담화에 참여할 만큼
병렬구조   (enough+)to부정사2

intellectual discourse / of the times.
그 당시의

❸ Moreover, / few people had access to books, / which
게다가　　　책에 접근할 수 있는 사람은 거의 없었다　　　which
= In addition　　　　　　　　　　　계속적 용법의 관계대명사 (= and they)

were handwritten, / scarce, / and expensive.
그런데 그 책들은 손으로 쓰였다　아주 희귀한　그리고 비싼
수동태 과거: was/were+p.p.

❹ The great explosion of scientific creativity / in Europe /
과학적 창의성의 거대한 폭발이　　　　　　　　유럽에서
긴 주어

was certainly helped / by the sudden spread of information
확실히 도움을 받았다　　　갑작스런 정보의 확산에 의해
수동태 과거: was/were+p.p.　「by+행위자」

[brought about / by Gutenberg's use of movable type / in
생겨난　　　　Gutenberg의 가동 활자의 사용에 의해
↳ 과거분사구 (앞의 명사구 수식)

printing / and by the legitimation of everyday languages],
인쇄술에서의　그리고 일상 언어의 합법적 인정에 의해
병렬구조 (by 전치사구 연결)

which rapidly replaced Latin / as the medium of discourse.
그것은 라틴어를 빠르게 대체했다　　　담화의 수단으로써
계속적 용법의 관계대명사 (= and it)　(도구·수단) ~으로써

❺ In sixteenth-century Europe / it became much easier / to
16세기 유럽에서　　　　　　　　훨씬 더 쉬워졌다　　　to
　　　　　　　　　　　　　가주어　비교급 강조 부사 진주어

┌ it 가주어 - to부정사 진주어　　　┌ not necessarily: 반드시 ~은 아닌
make a creative contribution / not necessarily because more
창의적인 기여를 하는 것이　　　반드시 그때에 더 많은 창의적인 사람들이
　　　　　　　　　　not because A but because B: A 때문이 아니라 B 때문에

creative individuals were born then / than in previous
태어났기 때문이 아니라　　　　　　　이전 시대보다

centuries / or because social supports became more
또는 사회적인 지원이 좀 더 호의적이었기 때문이 아니라
병렬구조 (because절 연결)

favorable, / but because information became more widely
정보가 더욱 널리 접근 가능하게 되었기 때문에

accessible.

해석 수 세기 동안, 유럽의 과학, 그리고 일반 지식이 라틴어로 기록되었는데, 그 언어는 아무도 더 이상 말하지 않고 학교에서 배워야 하는 언어였다. 아마도 1퍼센트도 안 되는 아주 극소수의 사람들만이 그 언어로 된 책을 읽고 그래서 그 당시의 지적인 담화에 참여할 만큼 충분히 라틴어를 공부할 수단을 가졌다. 게다가, 책에 접근할 수 있는 사람은 거의 없었는데, 그 책들은 손으로 쓰였고 아주 희귀하고 비쌌다. Gutenberg의 인쇄술에서의 가동 활자의 사용과 일상 언어의 합법적 인정에 의해 생겨난 갑작스런 정보의 확산은 유럽에서 과학적 창의성의 거대한 폭발을 확실히 도왔고, 그것은 담화의 수단으로써 라틴어를 빠르게 대체했다. 이전 시대보다 반드시 그때에 더 많은 창의적인 사람들이 태어났기 때문이거나, 사회적인 지원이 좀 더 호의적이었기 때문이 아니라, 정보가 더욱 널리 접근 가능하게 되었기 때문에 16세기 유럽에서 창의적인 기여를 하는 것이 훨씬 더 쉬워졌다.

해설 **01** 주어 European science, and knowledge in general (유럽의 과학, 그리고 일반 지식)이 '기록되었다'라는 뜻이 되도록 수동태가 와야 한다. 글 전체에 과거형이 쓰였으므로 과거시제로 쓰고, 주어가 복수이므로 were recorded로 쓴다.

02 주어가 the great explosion of scientific creativity in Europe이고, was (certainly) helped로 수동태로 쓰였으므로 '(확실히) 도움을 받았다'로 해석한다. by 이하는 '~에 의해'로 해석할 수 있다.

03 글이 과거시제로 쓰였으므로 과거형 became으로 써야 한다.

Unit 05 to부정사와 동명사

어법 기본 다지는 *Basic Grammar*　　p. 67

준동사 **1** storing　**2** smiling　**3** to increase
to부정사와 동명사 **1** being, 명사 역할(주어)　**2** to vote, 명사 역할(목적어)　**3** to turn, 부사 역할(목적)　**4** drawing, 명사 역할(전치사의 목적어)　**5** to adjust, 형용사 역할(명사 수식)

기출문장으로 *실전어법* 개념잡기 1, 2　　p. 69

1 sound　**2** Being　**3** to sketch　**4** met
5 to offer　**6** taking　**7** to teach　**8** getting

1 물론, 이러한 말들은 좋게 들리지만, 분명 그것들은 사실일 리가 없다.
▶ 문장의 서술어 역할을 하므로 준동사가 아닌 일반동사 sound가 알맞다.

2 일자리들에서 거절당하는 것이 일자리 제안을 더 가능성 있게 하지는 않는다.
▶ 문장에서 주어 역할을 하고 있으므로 명사 역할을 하는 준동사인 동명사 being이 알맞다.

3 그는 쓰다가 남은 갈색 종이 위에 스케치하기 위해 장작불에서 나온 숯을 자주 이용했다.
▶ 목적을 나타내는 부사 역할을 하는 to부정사 형태의 준동사 to sketch가 알맞다.

4 Huygens는 잉글랜드를 여러 번 방문했고, 1689년에 Isaac Newton을 만났다.
▶ and 다음에 나오는 절의 서술어 역할을 하므로 준동사가 아닌 일반동사 met이 알맞다.

5 이번에는, 짜증을 내는 대신, Bahati는 기도를 하기로 했다.
▶ decide는 to부정사를 목적어로 취하므로 to offer가 알맞다.

6 여러분이 집을 떠나 있을 때 견과류, 과일, 또는 채소가 담긴 작은 봉지를 가져가는 것을 고려하라.
▶ consider는 동명사를 목적어로 취하므로 taking이 알맞다.

7 우리가 그들에게 가르치기를 희망하는 모든 것들과 같이, 협력하거나 공정하게 경쟁하는 것을 배우는 것은 연습이 필요하다.
▶ hope는 to부정사를 목적어로 취하므로 to teach가 알맞다.

8 그것은 그들에게 사이좋게 지내는 것을 연습할 안전한 장소를 제공한다.
▶ practice는 동명사를 목적어로 취하므로 getting이 알맞다.

1 to respect　2 receiving　3 wanting　4 to catch
5 decide　6 to become　7 to pass　8 to try

1 그는 다른 어딘가에서 시간을 보내는 것을 선택할 수 있었지만, 대화에서 당신의 파트를 존중하기 위해 멈추었다.
▶ 문맥상 다른 곳에서 시간을 쓰지 않고 '대화에서 당신의 파트를 존중하기 위해 멈춘' 것이므로 「stop + to부정사」 형태가 알맞다.

2 우리가 받았던 것을 기억하는 것처럼 보이는 이메일이 받은 메일함에서 불가사의하게 없어질 때처럼, 영속성은 우리의 손가락 사이로 빠져나간다.
▶ 문맥상 '받았던 것을 기억하는' 이메일이 없어지는 것이므로 「remember + 동명사」 형태인 receiving이 알맞다.

3 만약 우리가 부정적인 기분을 느낀다면, 우리가 일상에서 계속 활동적이고 싶어 하는 것을 멈추기가 매우 쉬울 수 있다.
▶ 문맥상 부정적인 기분을 느낄 때 일상에서 활동적으로 있기 '원하는 것을 멈추기가' 쉽다는 것이므로 「stop + 동명사」 형태인 wanting이 알맞다.

4 그는 아내를 불러 창문에서 돕게 하고 자신은 아이를 받으려고 거리로 서둘러 내려갔다.
▶ 문맥상 위험한 상황의 아이를 '받으려 노력하다'의 의미이므로 「try + to부정사」 형태가 알맞다.

5 그녀의 절박하고 다급한 목소리가 Jacob이 즉시 건물에 들어가도록 결심하게 만들었다.
▶ make가 사역동사이므로 목적격보어로 원형부정사인 decide가 알맞다.

6 당신은 사람들이 통증에 대해 더 많이 의식하도록 돕는 것에 의해 통증을 다루는 것을 그들에게 가르쳐 준다!
▶ help가 준사역동사이므로, to부정사나 원형부정사를 목적격보어로 취한다.

7 항공기의 수직적인 분리는 다른 과정이 아래서 이루어지는 동안 일부 비행기가 공항 위를 지나갈 수 있게 한다.
▶ 동사 allow의 목적격보어이므로 to부정사 형태인 to pass가 알맞다.

8 아마도 당신은 누군가 더 열심히 하도록 동기 부여를 하려고 비슷한 주장을 하기까지 했을지 모른다.
▶ 동사 motivate의 목적격보어이므로 to부정사 형태인 to try가 알맞다.

어법 TEST 1 *문장* 어법훈련하기　　p. 72

1 To celebrate　2 forces　3 startling　4 to get
5 take　6 ○　7 ○

1 우리 회사의 10주년을 기념하고 추가적인 성장을 북돋우기 위해, 우리는 작은 행사를 마련했습니다.
▶ 목적을 나타내는 부사 역할을 하는 준동사 to celebrate가 알맞다.

2 이 연습은, 실제로 당신이 더 효과적으로 들을 것이기 때문에, 당신이 다른 내적인 삶의 경험을 갖도록 강제한다.
▶ 문장의 서술어이므로 준동사가 아닌 일반동사가 알맞다.

3 그는 그녀를 놀라게 하지 않기 위해 놀람의 외침 소리를 내지 않으려 노력했다.
▶ avoid는 동명사를 목적어로 취하므로 startling이 알맞다.

4 당신은 이야기에 빠지거나 다른 이의 삶 속으로 옮겨지기를 바란다.
▶ hope는 to부정사를 목적어로 취하므로 to get이 알맞다.

5 우리는 절대로 우리의 편견과 감정이 우리의 더 나은 부분을 차지하도록 해서는 안 된다.
▶ let은 사역동사이므로 목적격보어로 원형부정사(동사원형)가 온다.

6 일단 지식이 머릿속에 모두 있는 것이 아니라, 공동체 안에서 공유된다는 것을 이해하기 시작하면, 우리의 영웅들은 바뀐다.
▶ start는 동명사와 to부정사를 둘 다 목적어로 취할 수 있다.

7 '운 나쁜' 사람들은 또한 그림의 개수를 세느라 바빠서, "세는 것을 멈추고, 실험자에게 당신이 이것을 봤다는 것을 말하고, 250달러를 타세요."라는 문구를 발견하지 못했다.
▶ 문맥상 '세는 것을 멈추다'라는 뜻이 되어야 하므로 「stop + 동명사」 형태가 알맞다.

어법 TEST 2 *짧은 지문* 어법훈련하기　　p. 73

1 (A) to become (B) wanted　　2 (A) to work (B) chopping
3 ③

1 프레이밍은 많은 영역들에서 중요하다. 신용카드가 1970년대에 인기 있는 지불의 형태가 되기 시작했을 때, 몇몇 소매상은 그들의 현금과 신용카드 고객들에게 다른 가격을 청구하기를 원했다.
▶ (A) started의 목적어로 명사 역할을 하는 준동사가 와야 하므로 to become이 알맞다.
(B) 주절의 서술어이므로 준동사가 아닌 일반동사 wanted가 알맞다.

2 젊은 나무꾼은 그 다음날 더 열심히 일하기로 결심했다. 불행하게도, 결과는 더 좋지 않았다. "나는 힘이 빠지고 있음에 틀림없어." 젊은 나무꾼은 생각했다. 어느 날, 그 노인이 쉬는 시간 동안 음료를 마시자고 그를 초대했다. 그러고는 그 노인은 그에게 "너의 도끼를 다시 날카롭게 하지 않고 계속 나무를 베는 것은 노력의 낭비다."라고 말했다.
▶ (A) decide는 목적어로 to부정사를 취하므로 to work가 알맞다.
(B) keep은 목적어로 동명사를 취하므로 chopping이 알맞다.

3 거대 제약회사 Merck에서, CEO인 Kenneth Frazier는 혁신과 변화를 이끄는 데 그의 간부들이 더 적극적인 역할을 맡도록 동기 부여를 하기로 결심했다. 그는 그들이 급진적인 무언가를 하도록 요청했다: Merck를 사업에서 몰아낼 수 있는 아이디어를 만들어라. 다음 두 시간 동안, 간부들은 Merck의 주요 경쟁자들 가운데 하나인 체하며, 그룹으로 작업을 했다.
▶ ③ → to do / ask는 목적격보어로 to부정사를 취하므로 to do가 알맞다.

1④ 2③ 3② 4①

1. 구문분석 및 직독직해

❶ Dear Mr. Stanton:
Stanton 씨께

❷ We at the Future Music School / have been providing /
우리 Future Music School은   제공해 오고 있습니다
                                  현재완료진행

music education / to talented children / for 10 years.
음악 교육을   재능 있는 아이들에게   10년 동안

❸ We hold an annual festival / to give our students a chance /
우리는 매년 열리는 축제를 개최합니다   우리의 학생들에게 기회를 주기 위해
                                    부사적 용법(목적)

to share their music with the community / and we always
그들의 음악을 지역 사회와 공유할   그리고 우리는 항상
└─ 형용사적 용법

invite a famous musician / to perform / in the opening event.
유명한 음악가를 초대합니다   연주하도록   개막 행사에서
        V   O   OC(to부정사)

❹ Your reputation / as a world-class violinist / precedes you /
당신의 명성이   세계적인 바이올린 연주자로서의   당신을 앞섭니다

and the students consider you / the musician [who has
그리고 학생들은 당신을 ~로 여깁니다   음악가로   그들에게
                  V   O   OC(명사) └─ 주격 관계대명사

influenced them the most].
가장 많이 영향을 준

❺ That's why / we want to ask you / to perform / at the
그것이 이유입니다 우리가 당신에게 요청하고 싶어 하는   연주하도록
                       V   O   OC(to부정사)

opening event of the festival.
축제의 개막 행사에서
                            〈 〉진주어(to부정사)

❻ It would be an honor / for them 〈to watch / one of the
그것은 영광일 것입니다   그들에게   보는 것은
가주어   for+의미상 주어   V   O

most famous violinists of all time / play at the show〉.
역대 가장 유명한 바이올린 연주자 중 한 명이 쇼에서 연주하는 것을
one of the 최상급+복수 명사: 가장 ~한 것들 중 하나 OC(원형부정사)

❼ It would make the festival / more colorful and splendid.
그것은 축제를 만들 것입니다   더 다채롭고 멋지게
              V   O   OC(형용사구)

❽ We look forward to / receiving a positive reply.
우리는 기대합니다   긍정적인 답을 받는 것을
   look forward to+-ing: ~하는 것을 기대하다

❾ Sincerely, Steven Forman
Steven Forman 드림

해석 Stanton 씨께:
우리 Future Music School은 10년 동안 재능 있는 아이들에게 음악 교육을 제공해 오고 있습니다. 우리는 우리의 학생들에게 그들의 음악을 지역 사회와 공유할 기회를 주기 위해 매년 열리는 행사를 개최하고 항상 유명한 음악가를 개막 행사에서 연주하도록 초대합니다. 세계적인 바이올린 연주자로서의 당신의 명성이 당신을 앞서고, 학생들은 당신을 그들에게 가장 많이 영향을 준 음악가로 여깁니다. 그것이 우리가 축제의 개막 행사에서 연주하도록 당신에게 요청하고 싶어 하는 이유입니다. 역대 가장 유명한 바이올린 연주자 중 한 명이 쇼에서 연주하는 것을 보는 것은 그들에게 영광일 것입니다. 그것은 축제를 더 다채롭고 멋지게 만들 것입니다. 우리는 긍정적인 답을 받는 것을 기대합니다.
Steven Forman 드림
해설 (A) a chance를 수식하는 형용사 역할을 하는 준동사 to share가 알맞다.

(B) want는 목적어로 to부정사를 취하므로 to ask가 알맞다.
(C) ask의 목적격보어이므로 to부정사 형태인 to perform이 알맞다.

2. 구문분석 및 직독직해

❶ Application of Buddhist-style mindfulness / to Western
불교식 마음 챙김의 적용은   서양 심리학에의

psychology / came primarily from the research of Jon Kabat-
            주로 Jon Kabat-Zinn의 연구에서 왔다

Zinn / at the University of Massachusetts Medical Center.
      Massachusetts 대학교 의료 센터에서의

❷ He initially took on the difficult task / of treating
그는 처음에 어려운 과업을 맡았다
                                          전치사+동명사

chronic-pain patients, / many of whom had not responded well
만성 통증 환자를 다루는   그들 중 많은 이들이 잘 반응하지 않았던
                          부정대명사+전치사+관계대명사

/ to traditional pain-management therapy.
  전통적인 통증 관리 요법에

❸ In many ways, / such treatment seems / completely
많은 점에서   그런 치료는 ~한 것으로 보인다
                주어   동사

paradoxical — / you teach people / to deal with pain / by helping
완전히 역설적인   당신은 사람들을 가르친다   고통을 다루도록   그들을
             보어   V   O   OC(to부정사)   준사역동사

them / to become more aware of it!
도움으로써 그것을 더 의식하게 하도록
O'   OC(to부정사)

❹ However, / the key is to help people / let go of / the
그러나   핵심은 사람들을 돕는 것이다   놓도록
                    준사역동사 O   OC(원형부정사)

constant tension [that accompanies their fighting of pain], a
지속적인 긴장을   그들의 통증과의 싸움을 동반하는
                └─ 주격 관계대명사

struggle [that actually prolongs their awareness of pain].
투쟁을   사실 그들의 고통의 인식을 더 연장하는
         └─ 주격 관계대명사

❺ Mindfulness meditation allowed many of these people / to
마음 챙김 명상은 이 사람들 중 많은 이들을 ~하게 했다
                     V   O

increase their sense of well-being / and to experience a better
그들의 행복감을 증가시키게   그리고 더 나은 삶의 질을 경험하게
OC1(to부정사)   OC2(to부정사)

quality of life.
                        .

❻ How so? / Because such meditation is based on the
어떻게 그럴까   왜냐하면 그러한 명상은 원칙에 기초하고 있기 때문에

principle [that if we try to ignore or repress / unpleasant
우리가 무시하거나 억누르려 하면
동격의 that   try+to부정사: ~하려고 노력하다

thoughts or sensations, / then we only end up increasing /
불쾌한 생각이나 감각을   우리는 단지 끝내 증가시킨다
                          end up+-ing: 끝내 ~하게 되다

their intensity].
그것들의 강렬함을

해석 불교식 마음 챙김의 서양 심리학에의 적용은 주로 Massachusetts 대학교 의료 센터에서의 Jon Kabat-Zinn의 연구에서 왔다. 그는 처음에 그들 중 많은 이들이 전통적인 통증 관리 요법에 잘 반응하지 않았던 만성 통증 환자를 다루는 어려운 과업을 맡았다. 많은 점에서, 그런 치료는 완전히 역설적인 것으로 보인다. 당신은 사람들이 그것을 더 의식하게 하도록 도움으로써 고통을 다루도록 가르친다! 그러나, 핵심은 사람들이 통증과의 싸움을 동반하는 지속적인 긴장을, 사실 그들의 고통의 인식을 더 연장하는 투쟁을 놓도록 돕는 것이다. 마음 챙김 명상은 이 사람들 중 많은 이

들이 그들의 행복감을 증가시키고 더 나은 삶의 질을 경험하게 했다. 어떻게 그럴까? 왜냐하면 그러한 명상은 우리가 불쾌한 생각이나 감각을 무시하거나 억누르려 하면 우리는 단지 그것들의 강렬함을 끝내 증가시킨다는 원칙에 기초하고 있기 때문이다.

해설 ③ → to let 또는 let / 준사역동사 help는 목적격보어로 to부정사나 원형부정사(동사원형)를 취한다.

3. 구문분석 및 직독직해

❶ A story is / only as believable as / the storyteller.
이야기는 ~하다   ~만큼만 믿을 만한   이야기하는 사람
부사적 용법(목적)
     as ~ as ...(원급 비교)

❷ For story to be effective, / trust must be established.
이야기가 효과적이기 위해서는   신뢰가 수립되어야 한다
for+의미상 주어   조동사 수동태

❸ Yes, trust. / Whenever someone stops to listen to you, /
그렇다, 신뢰   누군가 당신의 이야기를 듣기 위해 멈출 때마다
부사절(복합관계부사) stop+to부정사: ~하기 위해 멈추다

an element of unspoken trust exists.
무언의 신뢰의 요소가 존재한다
    과거분사(명사 수식)

❹ Your listener / unconsciously trusts you / to say something /
당신의 청자는   무의식적으로 당신이 ~할 거라 신뢰한다 무언가를 말할 거라
    V   O   OC(to부정사)

worthwhile to him, / something [that will not waste his time].
그에게 가치 있는   무언가를   그의 시간을 낭비하지 않을
    ↳ 주격 관계대명사

❺ The few minutes of attention [he is giving you] is sacrificial.
몇 분의 주의는   그가 당신에게 주고 있는   희생적이다
   주어   ↳ 목적격 관계대명사 생략   ┌ 동사

❻ He could choose / to spend his time elsewhere, / yet he has
그는 선택할 수 있었다   그의 시간을 다른 곳에서 쓰는 것을   하지만
    choose+to부정사: ~하는 것을 선택하다

stopped to respect your part in a conversation.
그는 대화에서 당신의 파트를 존중하기 위해 멈추었다
stop+to부정사: ~하기 위해 멈추다

❼ This is / where story comes in.
이것이 ~이다   이야기가 등장하는 곳
    관계부사

❽ Because a story illustrates points clearly / and often bridges
이야기가 요점들을 명확히 설명하기 때문에   그리고 종종 주제들을
부사절(이유)

topics easily, / trust can be established quickly, / and recognizing
쉽게 연결한다   신뢰가 빠르게 수립될 수 있다   그리고 이야기에
    동명사(주어)

this time element to story / is essential to trust.
이 시간 요소를 인정하는 것이   신뢰에 필수적이다
    동사(단수 취급)

❾ Respecting your listener's time / is the capital letter at the
당신의 청자의 시간을 존중하는 것이   당신의 문장 처음의 대문자(시작)이다
동명사(주어)   동사(단수 취급)

beginning of your sentence.

해석 이야기는 이야기하는 사람만큼만 믿을 만하다. 이야기가 효과적이기 위해서는 신뢰가 수립되어야 한다. 그렇다, 신뢰. 누군가 당신의 이야기를 듣기 위해 멈출 때마다 무언의 신뢰의 요소가 존재한다. 당신의 청자는 무의식적으로 당신이 그에게 가치 있는 무언가를, 그의 시간을 낭비하지 않을 무언가를 말할 거라 신뢰한다. 그가 당신에게 주고 있는 몇 분의 주의는 희생적이다. 그는 그의 시간을 다른 곳에서 쓰는 것을 선택할 수 있었다. 하지만 그는 대화에서 당신의 파트를 존중하기 위해 멈추었다. 이것이 이야기가 등장하는 곳이다. 이야기가 요점들을 명확히 설명하고 종종 주제들을 쉽게 연결하기 때문에 신뢰가 빠르게 수립될 수 있고, 이야기에 이 시간 요소를 인정하는 것이 신뢰에 필수적이다. 당신의 청자의 시간을 존중하는 것이 당신의 문장 처음의 시작이다.

해설 ② → to spend / choose는 to부정사를 목적어로 취하므로 to spend가 알맞다.

4. 구문분석 및 직독직해

❶ Attitude is your psychological disposition, / a proactive
태도는 당신의 심리적 성향이다   주도적인 방식

way / to approach life.
   삶에 접근하는
   ↳ 형용사적 용법

❷ It is a personal predetermination / not to let anything or
그것은 개인적인 사전 결정이다   어떤 것이나 어떤 이도 허락하지 않는
    사역동사   O

anyone / take control of your life / or manipulate your mood.
   당신의 인생을 통제하도록   또는 당신의 기분을 조종하도록
   OC1(원형부정사)   OC2(원형부정사)

❸ Attitude allows you / to anticipate, excuse, forgive and
태도는 당신을 ~하게 한다   기대하고, 양해하고, 용서하고 잊게
   V   O   OC(to부정사구)

forget, / without being naive or stupid.
   순진하고 어리석지 않으면서
   전치사+동명사

❹ It is a personal decision / to stay in control / and not to
그것은 개인적인 결심이다   평상심을 유지하겠다는   그리고 화를
    ↳ 형용사적 용법

lose your temper.
그리고 화를 내지 않겠다는

❺ Attitude provides / safe conduct / through all kinds of
태도는 제공한다   안전 통행증을   모든 종류의 폭풍 속에서

storms.

❻ It helps you / to get up every morning happy and
그것은 당신이 ~하도록 돕는다   매일 아침 행복하고 단호한 상태로 일어나도록
준사역동사   O   OC(to부정사)

determined / to get the most out of a brand new day.
   새로운 날을 최대한 활용하기 위해
   부사적 용법(목적)

❼ Whatever happens — / good or bad — / the proper attitude
어떤 일이 일어나든   좋든 나쁘든   적절한 태도는
부사절(양보)

makes the difference.
차이를 만든다

❽ It may not always be easy / to have a positive attitude; /
쉽지 않을지 모른다   긍정적인 태도를 갖는 것은
가주어   진주어

nevertheless, / you need to remember [you can face a kind or
그럼에도   당신은 기억할 필요가 있다   당신은 친절하거나 잔인한 세상을
    (that) 명사절

cruel world / based on your perception and your actions].
마주할 수 있다   당신의 인식과 행동에 기초하여
    ↳ 과거분사구

해석 태도는 당신의 심리적 성향, 삶에 접근하는 주도적인 방식이다. 그것은 어떤 것이나 어떤 이도 당신의 인생을 통제하거나 또는 당신의 기분을 조종하도록 허락하지 않는 개인적인 사전 결정이다. 태도는 당신이 순진하고 어리석지 않으면서, 기대하고, 양해하고, 용서하고 잊게 한다. 그것은 평상심을 유지하고 화를 내지 않겠다는 개인적인 결심이다. 태도는 모든 종류의 폭풍 속에서 안전 통행증을 제공한다. 그것은 당신이 새로운 날을 최대한 활용하기 위해 매일 아침 행복하고 단호한 상태로 일어나도록 돕는다. 어떤 일이 일어나든, 좋든 나쁘든, 적절한 태도는 차이를 만든다. 긍정적인 태도를 갖는 것은 쉽지 않을지 모른다. 그럼에도, 당신은 당신의 인식과 행동에 기초하여 친절하거나 잔인한 세상을 마주할 수 있다는 것을 기억할 필요가 있다.

해설 (A) let이 사역동사이므로 목적격보어로 원형부정사 take가 알맞다.
(B) 준사역동사 help는 목적격보어로 원형부정사나 to부정사를

취한다.

(C) 문장의 서술어이므로 준동사가 아닌 일반동사 makes가 알맞다.

어법 TEST 4 : *서술형 내신* 어법훈련하기

pp. 76~77

1. 구문분석 및 직독직해

❶ When they arrived, / the roaring fire was spreading /
그들이 도착했을 때　　으르렁대는 불이 퍼지고 있었다
부사절(시간)　　　현재분사(명사 수식)

through the whole building.
빌딩 전체에

❷ Jacob thought [it was already looking pretty hopeless].
Jacob은 생각했다　그것이 이미 꽤 희망이 없어 보인다고
　　　　　　　　(that) 명사절

❸ But suddenly, / a woman came running up to him [yelling
그러나 갑자기　　한 여자가 그에게 달려왔다
　　　　　　　　　　　　　　　　　　분사구문(현재분사)

at the top of her lungs], "My baby, my Kris is on the fifth
크게 소리치며　　　　나의 아기, 나의 Kris가 5층에 있어요

floor!"

❹ Her desperate and urgent voice / made Jacob / decide to
그녀의 절박하고 다급한 목소리는　　　Jacob이 ~하게 만들었다
　　　　　　　　　　　　　　　　　　사역동사　O　OC(원형부정사)
　　　　　　　　　　　　　　　　　　　　　　　decide+to부정사

enter the building instantly.
건물에 즉시 들어가게 결심하도록

❺ He made his way up to the fifth floor / with another
그는 5층으로 올라갔다　　　　　　　　　다른 소방관과 함께

firefighter.

❻ By the time they made it up to the fifth floor, / the fire had
그들이 5층에 올라갔을 무렵

grown so fierce, / neither could see / more than a few feet in
불이 너무 강렬해졌다　둘 다 볼 수 없었다　그들 앞의 몇 피트 이상을
　　　　　　　　　　　전체 부정

front of them.

❼ Jacob's partner looked at him / and gave him the thumbs-
Jacob의 동료는 그를 보았다　　　그리고 엄지손가락을 내려 보였다

down.

❽ As a fireman, / he knew [his partner was right], but he kept
소방관으로서　그는 알았다 그의 동료가 옳다는 것을　그러나 그는
~로서　　　　　　　　　(that) 명사절

seeing that mother's face / in his head.
계속 그 어머니의 얼굴이 보였다　그의 머릿속에서
keep+동명사: 계속 ~하다

❾ Impulsively, / Jacob ran down the hall / without his partner, /
충동적으로　　Jacob은 복도를 달려갔다　　그의 동료 없이

disappearing into the flames.
화염 속으로 사라졌다
분사구문(현재분사)

❿ As flames shot out of the apartment like fireballs / he
불꽃이 화염구처럼 아파트 밖으로 쏘아져 나올 때
as: ~할 때　　　　　　　부사절(시간)

could see a little boy / lying on the floor.
그는 작은 소년을 볼 수 있었다　바닥에 누워 있는
　　　　　　　　　　　　 └ 현재분사　　　　　　명사절

⓫ He didn't even have time / to figure out [if he was alive
그는 ~할 시간조차 없었다　　　알아낼　　　그가 살아 있는지
　　　　　　　　　　　　　　└ 형용사적 용법: ~인지 아닌지

or dead].
죽었는지

해석 그들이 도착했을 때, 빌딩 전체에 으르렁대는 불이 퍼지고 있었다. Jacob은 그것이 이미 꽤 희망이 없어 보인다고 생각했다. 그러나 갑자기, 한 여자가 크게 소리치며 그에게 달려왔다. "나의 아기, 나의 Kris가 5층에 있어요!" 그녀의 절박하고 다급한 목소리는 Jacob이 건물에 즉시 들어가게 결심하도록 만들었다. 그는 다른 소방관과 함께 5층으로 올라갔다. 그들이 5층에 올라갔을 무렵, 불이 너무 강렬해졌고, 둘 다 그들 앞의 몇 피트 이상을 볼 수 없었다. Jacob의 동료는 그를 보고 엄지손가락을 내려 보였다. 소방관으로서, 그는 그의 동료가 옳다는 것을 알았지만, 그는 그의 머릿속에서 계속 그 어머니의 얼굴이 보였다. 충동적으로, Jacob은 그의 동료 없이 복도를 달려가 화염 속으로 사라졌다. 불꽃이 화염구처럼 아파트 밖으로 쏘아져 나올 때 그는 바닥에 누워 있는 작은 소년을 볼 수 있었다. 그는 그가 살아 있는지 죽었는지 알아낼 시간조차 없었다.

해설 01 decide + to부정사: ~하기로 결심하다
　　 02 '계속 ~하다'는 「keep + 동명사」로 쓴다.
　　 03 to부정사구 'to figure out ~'이 앞의 명사 time을 수식하는 형용사 역할을 한다.

2. 구문분석 및 직독직해

❶ Recording an interview / is easier and more thorough, / and
면접을 녹음하는 것은　　　더 쉽고 더 철저하다
동명사(주어)　　　　　　동사(단수 취급)　　　비교급

can be less unnerving to an interviewee / than seeing someone
그리고 면접을 보는 사람에게 덜 불안할 수 있다　　누군가 공책에 갈겨쓰는 것을
　　　　　　비교급　　　　　　　　　　　　　　　지각동사　　O
　　　　　　　　　　　　　　　　　　　　　　　비교급의 병렬구조(동명사)

scribbling in a notebook.
보는 것보다
OC(현재분사)

❷ But using a recorder / has some disadvantages, / and is not
그러나 녹음기를 사용하는 것은　　몇 가지 단점이 있다　　　그리고
　　동명사(주어 역할)　　　동사(단수 취급)

always the best solution.
항상 최고의 해결책인 것은 아니다
not always: 항상 ~인 것은 아니다(부분 부정)

❸ If the interview lasts a while, / listening to it again / to
면접이 오래 지속된다면　　　　그것을 다시 듣는 것은
부사절(조건)　　　　　　　동명사(주어)

select the quotes [you wish to use] can be time-consuming, /
인용구를 선택하기 위해 당신이 쓰고 싶어 하는 시간이 많이 들 수 있다
부사적 용법(목적)　 └ 목적격 관계대명사 생략　동사

especially if you are working to a tight deadline.
특히 당신이 빡빡한 기한으로 일하고 있다면
　　　　　　부사절(조건)　　　　　　　　　　　　　　　분사구문

❹ It is often more efficient / to develop the technique / (using
종종 더 효과적이다　　　　　기술을 개발하는 것이
가주어　　　　　　　　　　진주어

a recorder as backup / if you wish) / of selective note-taking.
녹음기를 예비로 사용하며　당신이 원한다면　선택적인 필기의

❺ This involves / writing down the key answers from an
이것은 포함한다　인터뷰에서의 주요 답변들을 적는 것을
　　　　　　　동명사(목적어)

interview / so that they <u>can</u> be transcribed easily afterwards.
그것들이 나중에 쉽게 옮겨질 수 있도록
　　so that ~ can ...: ~가 …하도록

❻ It is sensible / to take down more / than you think you'll
　합리적이다　　더 많이 적는 것은　　당신이 필요하리라 생각하는
　가주어　　　　진주어

need, / but try to get into the habit / of editing out the material
것보다　하지만 습관을 들이려 노력하라　　자료를 잘라내는
　　try+to부정사: ~하려고 노력하다

[you are not going to need / as the interview proceeds].
당신이 필요로 하지 않을　　　인터뷰가 진행되는 동안
⌐ 목적격 관계대명사 생략
　　　　　　　　　　　　　　부사적 용법(형용사 수식) ⌐
❼ It makes the material / much easier and quicker / to handle
그것은 자료를 ~하게 만든다　훨씬 더 쉽고 더 빠르게　　다루기에
　V　　　　　O　　　　　　　OC(형용사구)

afterwards.
뒤에 다루기에

해석　면접을 녹음하는 것은 더 쉽고 더 철저하며, 그리고 면접을 보는
　　　사람에게는 누군가 공책에 갈겨쓰는 것을 보는 것보다 덜 불안할
　　　수 있다. 그러나 녹음기를 사용하는 것은 몇 가지 단점이 있고 항
　　　상 최고의 해결책인 것은 아니다. 면접이 오래 지속된다면, 특히
　　　당신이 빡빡한 기한으로 일하고 있다면, 당신이 쓰고 싶어 하는
　　　인용구를 선택하기 위해 그것을 다시 듣는 것은 시간이 많이 들
　　　수 있다. 선택적인 필기의 기술을 개발시키는 것이 (당신이 원한
　　　다면 녹음기를 예비로 사용하며) 종종 더 효과적이다. 이것은 그
　　　것들이 나중에 쉽게 옮겨질 수 있도록 인터뷰에서의 주요 답변들
　　　을 적는 것을 포함한다. 당신이 필요하리라 생각하는 것보다 더
　　　많이 적는 것은 합리적이지만, 인터뷰가 진행되는 동안 당신이 필
　　　요로 하지 않을 자료를 잘라내는 습관을 들이려 노력하라. 그것은
　　　자료를 뒤에 다루기 훨씬 더 쉽고 더 빠르게 만든다.

해설　01　주어 역할을 하는 준동사가 와야 하므로 to부정사나 동명사
　　　　　가 알맞다.
　　　02　listening은 주어 역할, to select는 목적을 나타내는 부사
　　　　　역할, to use는 wish의 목적어 역할을 하는 준동사이다.
　　　03　'~하려고 노력하다'는 「try + to부정사」로 쓴다.

Unit 06 분사와 분사구문

어법 기본 다지는 *Basic Grammar*　　　p. 79

현재분사와 과거분사　**1** covered, 수동, fallen, 수동
2 challenging, 능동　**3** injured, 수동　**4** calming, 능동
5 built, 수동
분사구문　**1** trying to see the airplane
2 Watching the movie　**3** Running to the bus stop
4 Surprised by the sound

기출문장으로 *실전어법* 개념잡기 1, 2　　　p. 81

1 composed　**2** alternating　**3** moving　**4** motorized
5 appraised　**6** overloaded　**7** washed　**8** appealing

1 Bach에서 Chopin까지의 유명한 작곡가들에 의해 작곡된 춤곡들
은 원래는 진짜로 춤을 동반했다.
▶ 'composed ~'가 앞의 명사 the dances를 수식한다. 춤곡들이
'작곡된' 것이므로 과거분사 composed가 알맞다.

2 냉장 이전의 시대에 큰 사냥감에 의지해서 사는 것은 인간들이 성찬
과 기근의 번갈아가며 오는 기간을 견뎌야 했다는 것을 의미한다.
▶ alternating이 뒤의 명사 periods를 수식한다. '번갈아가며 오
는' 기간이라는 의미이므로 현재분사 alternating이 알맞다.

3 그러한 표면들은 그 위를 가로질러 움직이는 어떤 물체에도 어느
정도의 인력, 저항력, 마찰력을 만들어 내는 팬 부분과 금이 간 부
분, 솟아오른 부분들의 폭넓은 집합체로 덮여 있는 경향이 있다.
▶ 'moving ~'이 앞의 명사 object를 수식한다. 물체가 가로질러
'움직이는' 것이므로 능동의 현재분사 moving이 알맞다.

4 그들은 특히 전동화된 스쿠터들을 목표로 하기 위해 더 많은 것을 할
필요가 있다.
▶ 수식을 받는 scooters가 '전동화된' 것이므로 수동의 과거분사
motorized가 알맞다.

5 비록 Harris가 그 반지를 파는 것을 고려했지만 — 그는 그것을
4,000달러로 평가받았다 — 며칠 후에, 그는 그 반지를 그녀에게 돌
려주었다.
▶ appraised가 목적어 it을 설명하는 목적격보어이고, '평가받은'
것이므로 수동의 과거분사 appraised가 알맞다.

6 연구자들은 귀여운 공격성이 우리가 감정적으로 너무 과부화되어
우리가 매우 귀여운 것들을 돌볼 수 없게 되는 것을 막을 수 있다고
제안한다.
▶ become의 보어로, 감정적으로 '과부화된' 것이므로 수동의 과거
분사 overloaded가 알맞다.

7 남색으로 염색된 데님이 세탁될 때, 그 염료의 소량이 씻겨 나가고, 실이 그것들과 함께 나온다.

▶ get의 보어로, 염료가 '씻겨 나가는' 것이므로 수동의 과거분사 washed가 알맞다.

8 아버지나 어머니의 직장에서의 독립성을 목격한 뒤에, 개인은 독립을 더 매력적인 것이라고 여길 가능성이 더 크다.

▶ 목적어 independence를 설명하는 목적격보어로, 독립이 '매력적인(관심을 끄는)' 것이므로 능동의 현재분사 appealing이 알맞다.

기출문장으로 *실전어법* 개념잡기 3, 4   p.83

| 1 boring | 2 surprised | 3 interesting | 4 embarrassed |
| 5 motivated | 6 screaming | 7 suing | 8 encountered |

1 그래서, 같은 일이 한 순간에는 지루하고 다음 순간에는 매력적으로 보일 수 있다.

▶ 설명하는 the same task가 '지루하게 하는' 것이므로 능동의 현재분사 boring이 알맞다.

2 그녀가 문을 열었을 때, 그녀는 입구에 그녀의 아들이 서 있는 것을 발견하고 놀랐다.

▶ 놀라게 하는 것이 아닌 '놀란' 것이므로 수동의 과거분사 surprised가 알맞다.

3 그것들이 이러한 신경 회로를 새로운 방법으로 사용하기 때문에, 우리는 그것이 특별히 흥미롭다고 생각한다.

▶ 문맥상 신경 회로를 새로운 방식으로 사용하는 them이 우리를 '흥미롭게 하는' 것이므로 능동의 현재분사 interesting이 알맞다.

4 자신감 있는 리더들은, 당신이 이미 답을 알지 못한다는 것에 대해 난처함을 느낄 수 있는 물음들에 대한 기본적인 질문을 하는 것을 두려워하지 않는다.

▶ 난처하게 하는 것이 아닌 '난처함을 느끼는' 것이므로 수동의 과거분사 embarrassed가 알맞다.

5 그의 말에 매우 동기 부여가 되어, 젊은 나무꾼은 다음날 더 열심히 노력했지만, 그는 겨우 열 그루의 나무만 가져올 수 있었다.

▶ 젊은 나무꾼이 '동기 부여가 된' 상황이므로 수동의 과거분사 motivated가 알맞다.

6 그가 들리지 않을 것을 알면서도 의무병을 소리쳐 부르며, 그는 Rivera의 팔과 등의 불꽃을 억누르기 위해 구명조끼를 사용했다.

▶ 주어 he가 '소리쳐 부르는' 상황이므로 능동의 현재분사 screaming이 알맞다.

7 다른 목적을 향해 가더라도 그들의 지적재산권을 침해하는 신생 혁신자들을 고소하며, 많은 기업들이 특허를 진입에 대한 장벽으로 사용한다.

▶ 많은 기업들이 신생 혁신자들을 능동적으로 '고소하는' 상황이므로 능동의 현재분사 suing이 알맞다.

8 예를 들어, 좋은 와인이나 Pavarotti에 노출되는 것은, 늦은 성년기에 접해지더라도, 한 사람의 와인이나 음악에 대한 이후의 감상을 바꾼다.

▶ 주어 being exposed ~ Pavorotti가 '늦은 성인기에 접해지는' 상황이므로 수동의 과거분사 encountered가 알맞다.

| 1 wounded | 2 killed | 3 frightening | 4 Holding |
| 5 ○ | 6 pushed | 7 Backed | |

1 그러나, 그는 사흘 동안 보이지 않던 부상당한 부시벽을 어떻게 찾는지와 어디서 지하수를 찾는지를 알 것이다.

▶ wound가 '부상을 입히다'라는 뜻이므로 '부상당한'의 의미로 수동의 과거분사 wounded가 알맞다.

2 예를 들어, 나는 늑대를 싫어할 수 있다. 나는 그것들이 사람들을 죽였다고 믿고(인지적 신념), 사람들이 죽임을 당하게 하는 것은 물론 나쁘다(신념에 대한 평가).

▶ 목적어 people을 설명하는 목적격보어로, 사람들이 '죽임을 당하게' 하는 것이므로 수동의 과거분사 killed가 알맞다.

3 우리는 그들로 하여금 고통스러운 만큼 최대한 많이 이야기를 반복하게 함으로써 아이들이 그들의 고통스럽고 무서운 경험을 극복하게 할 수 있을지 모른다.

▶ 경험이 아이들을 '무섭게 만드는' 것이므로 능동의 현재분사 frightening이 알맞다.

4 그의 가슴에 Kris를 안으며, Jacob은 그 소년의 심장이 뛰는 것을 느낄 수 있었고, 그가 연기 때문에 기침을 했을 때, Jacob은 Kris가 살 것임을 알았다.

▶ 주어 Jacob이 Kris를 가슴에 '안은' 것이므로 능동의 현재분사 holding이 알맞다.

5 Booth 자신은 그의 의도한 발명을 설명하는 임시 설명서를 제출했을 때 '진공'이라는 용어를 사용하지 않았다.

▶ 임시 설명서가 그의 발명에 대해 '설명하는' 것이므로 능동의 현재분사 describing이 알맞다.

6 그러나 이것이 사실이라면, 그 배가 여행 동안 이리저리 밀려나고 작은 조각들을 잃었기 때문에, 그것은 이미 Theseus의 배이기를 멈추게 되었을 것이다.

▶ 배가 이리저리 '밀려난' 것이므로 수동의 과거분사 pushed가 알맞다.

7 집단 사이의 평등을 추구하는 사회 규범의 지지를 받는다면, 집단 간의 접촉은, 특히 그것이 조직의 지원에 의해 이끌려졌을 때, 편견을 더 약화시키는 경향이 있다.

▶ 주어 intergroup contact가 사회 규범의 '지지를 받는' 상황이므로 수동의 과거분사 backed가 알맞다.

| 1 (A) fixed (B) moving | 2 (A) analyzing (B) desired |
| 3 ② | |

1 항공로는 고정된 폭과 규정된 고도를 가지고 있는데, 그것들이 반대 방향으로 움직이는 통행을 분리한다. 항공기들의 수직적인 분리는 다른 과정이 아래에서 이루어지는 동안 일부 비행기가 공항 위를 통과할 수 있게 한다.

▶ (A) 항공로가 '고정된' 폭을 가지고 있는 것이므로 수동의 과거분사 fixed가 알맞다.

(B) 반대 방향으로 '움직이는' 통행을 분리하는 것이므로 능동의 현재분사 moving이 알맞다.

2 골프 스윙과 같은 복잡한 움직임의 연습에서, 우리는 그것이 내는 결과의 관점에서 각각을 분석하며 다른 잡기, 자세, 그리고 휘두르는 움직임을 실험한다. 이것은 의식적이고, 좌뇌를 사용하는 과정이다. 일단 우리가 바라는 결과들을 만들어 내는 스윙의 그러한 요소들을 알아내면, 우리는 '근육 기억' 속에 그것들을 영구적으로 기록하고자 하는 시도로 그것들을 반복해서 연습한다.
  ▶ (A) 각각의 결과를 '분석하며' 스윙을 연습한다는 의미이므로 현재분사 analyzing을 사용한 분사구문이 알맞다.
    (B) 수식하는 대상인 results가 바라는 행위의 주체가 아닌 대상이므로 수동의 과거분사 desired가 알맞다.

3 Bahati는 작은 마을에 살았고, 그곳에서는 한 사람이 누군가를 그리워할 때 배고픈 행인을 위해 빵을 굽는 것이 관습이었다. 그녀는 멀리 살고 있는 외아들이 있었고 그가 많이 그리워서, 매일 여분의 빵을 구워 누구든지 가져가도록 창틀 위에 두었다. 매일, 한 가난한 노파가 감사를 표하는 대신 "네가 행하는 선한 일은 네게 돌아온다!"라고 중얼거리기만 하며 그 빵을 가져갔다.
  ▶ ② → living / 수식하는 대상인 an only son이 멀리 '살고 있는' 것이므로 능동의 현재분사 living이 알맞다.

어법 TEST 3 기출 유형 어법훈련하기 pp. 86~87

1 ③   **2** ⑤   **3** ②   **4** ②

1. 구문분석 및 직독직해

❶ Would you expect / the physical expression of pride / to be
당신은 생각하는가   자부심의 신체적 표현이   생물학적으로
　　　V　　　　　　　　O　　　　　　OC(to부정사)

biologically based / or culturally specific?
기반되어 있다고   혹은 문화적으로 특정하다고

❷ The psychologist Jessica Tracy / has found [that young
심리학자 Jessica Tracy는   발견했다   어린 아이들이
　　　　　　　　　　　　　　　　　명사절

children can recognize {when a person feels pride}].
알아차릴 수 있다는 것을   사람이 자부심을 느끼는 때를
　　　　　　　　　　의문사가 이끄는 명사절

❸ Moreover, she found [that isolated populations / with
더욱이   그녀는 발견했다   고립된 집단들   서구와의
　　　　　　　　　　　　과거분사

minimal Western contact / also accurately identify / the physical
접촉을 최소으로 가지는   또한 정확히 식별한다는 것을   신체의

signs].
신호들을

❹ These signs include / a smiling face, raised arms, an
이 신호들은 포함한다   미소 짓는 얼굴,   들어 올려진 팔들,
　　　　　　　　　현재분사　　　과거분사

expanded chest, and a pushed-out torso.
펴진 가슴,   그리고 앞으로 내밀어진 몸통을
과거분사　　　　　　과거분사

❺ Tracy and David Matsumoto examined / pride responses /
Tracy와 David Matsumoto는 조사했다   자부심을 드러내는 반응들을

among people / competing in judo matches in the 2004 Olympic
사람들 사이의   2004년 올림픽과 패럴림픽의 유도 경기에서 경쟁하는
　　　　　　　현재분사

and Paralympic Games.

❻ Sighted and blind athletes / from 37 nations / competed.
앞이 보이는 그리고 보이지 않는 운동선수들이   37개국에서 온   경쟁했다
과거분사(athletes 수식)

❼ After victory, / the behaviors / displayed by sighted and
승리 후   행동들은   앞이 보이는 그리고 보이지 않는
　　　　　　　　　　　　　과거분사

blind athletes were very similar.
운동선수들에 의해 보여진   매우 유사했다

❽ These findings suggest [that pride responses are innate].
이 발견들은 제안한다   자부심을 드러내는 반응이 타고난 것이라는 것을
　　　　　　　　명사절

해석 당신은 자부심의 신체적인 표현이 생물학적으로 기반되어 있다고 생각하는가, 혹은 문화적으로 특정하다고 생각하는가? 심리학자 Jessica Tracy는 어린 아이들이 사람이 자부심을 느끼는 때를 알아차린다는 것을 발견했다. 더욱이, 그녀는 서구와의 접촉을 최소한으로 가지는 고립된 집단들 또한 신체의 신호들을 정확히 식별한다는 것을 발견했다. 이 신호들은 미소 짓는 얼굴, 들어 올려진 팔들, 펴진 가슴, 그리고 앞으로 내밀어진 몸통을 포함한다. Tracy와 David Matsumoto는 2004년 올림픽과 패럴림픽의 유도 경기에서 경쟁하는 사람들 사이의 자부심을 드러내는 반응들을 조사했다. 37개국에서 온 앞이 보이는 그리고 보이지 않는 운동선수들이 경쟁했다. 승리 후, 앞이 보이는 그리고 보이지 않는 운동선수들에 의해 보여진 행동들은 매우 유사했다. 이 발견들은 자부심을 드러내는 반응이 타고난 것이라는 것을 제안한다.

해설 (A) 집단들이 '고립된' 것이므로 수동의 과거분사 isolated가 알맞다.
(B) '미소 짓는' 얼굴이므로 능동의 현재분사 smiling이 알맞다.
(C) 유도 경기에서 '경쟁하는' 사람들이므로 능동의 현재분사 competing이 알맞다.

2. 구문분석 및 직독직해

❶ During the late 1800s, / printing became cheaper and faster, /
1800년대 동안   인쇄는 더 싸고 더 빨라졌다

leading to an explosion / in the number of newspapers and
분사구문(현재분사)
폭발을 초래하며   신문과 잡지 수의
　　　　　　전치사의 목적어1

magazines / and the increased use of images / in these
과거분사
　　　　그리고 증가된 이미지 사용을   이러한
　　　　　전치사의 목적어2

publications.
출판물들에서의

❷ Photographs, / as well as woodcuts and engravings of them, /
사진들이   목판과 그것들의 판화 뿐 아니라
　　　　　　A as well as B: B뿐 아니라 A도

appeared in newspapers and magazines.
신문과 잡지에 등장했다

❸ The increased number of newspapers and magazines /
늘어난 수의 신문과 잡지들은
과거분사

created greater competition — / driving some papers / to print
　　　　　　　　　　　분사구문(현재분사)
더 큰 경쟁을 만들어 냈다   몇몇 신문을 ~하게 하며   더 외설적인
　　　　　　　　　　　　　V　　　O　　OC(to부정사)

more salacious articles / to attract readers.
기사를 인쇄하게   독자들을 유혹하기 위해
　　　　　　　　부사적 용법

❹ This "yellow journalism" / sometimes took the form of
이 '황색 언론'은   때로 가십의 형태를 취했다

gossip / about public figures, / as well as about socialites [who
공인에 관한   사교계 명사에 관해서 뿐 아니라
　　　　　　　　　　　　주격 관계대명사

considered themselves / private figures], and even about those /
그들 스스로를 ~라 여겼던   사적인 인물   그리고 ~한 사람들에 관해서까지
　　　V　　　　　　　O　　　　　OC(명사)

[who were not part of high society / but had found themselves /
사교계의 일부가 아니었던   그러나 그들 스스로를 발견한
ㄴ 주격 관계대명사

involved in a scandal, crime, or tragedy {that journalists thought
추문, 범죄 혹은 비극에 연관되었음을   언론인들이 생각했던
ㄴ 과거분사   ㄴ 주격 관계대명사

/ would sell papers}].
신문을 팔리게 할 것이라고

❺ Gossip was of course nothing new, / but the rise of mass
가십은 물론 새로운 것이 아니었다   그러나 대중매체의 증가는
　　　　　　　　　　　　　　　　　　　　　　주어

media / in the form of widely distributed newspapers and
널리 배포된 신문과 잡지의 형태를 한
　　　　　　　　　　　　과거분사 ㄴ
ㄱ 접속사

magazines / meant [that gossip moved / from limited (often oral
의미했다 가십이 이동했다는 것을   제한된 (흔히 입으로만
　동사　　명사절　　　　　　　　과거분사(distribution 수식)

only) distribution / to wide, printed dissemination].
전해지는) 배포에서   광범위하고, 인쇄된 유로로
　　　　　　　　　　　　　　　과거분사 ㄴ

해석 1800년대 동안, 인쇄는 신문과 잡지 수의 폭발과 이러한 출판물들에서의 증가된 이미지 사용을 초래하며 더 싸고 더 빨라졌다. 목판과 그것들의 판화뿐 아니라 사진들이 신문과 잡지에 등장했다. 늘어난 수의 신문과 잡지들은 몇몇 신문들이 독자들을 유혹하기 위해 더 외설적인 기사를 인쇄하게 하며 더 큰 경쟁을 만들어냈다. 이 '황색 언론'은 때로 그들 스스로를 사적인 인물이라 여겼던 사교계 명사에 관해서뿐 아니라 공인에 관한, 그리고 사교계의 일부가 아니었지만, 언론인들이 신문을 팔리게 할 것이라고 생각했던 추문, 범죄 혹은 비극에 그들 스스로가 연관되었음을 발견한 사람들에 관한 가십의 형태를 취했다. 가십은 물론 새로운 것이 아니었지만, 널리 배포된 신문과 잡지의 형태를 한 대중 매체의 증가는 제한된(흔히 입으로만 전해지는) 배포에서 광범위하고, 인쇄된 유로로 가십이 이동했다는 것을 의미했다.

해설 ❺ → distributed / 널리 '배포된' 신문과 잡지들이라는 의미이므로 수동의 과거분사 distributed가 알맞다.

3. 구문분석 및 직독직해

❶ After earning her doctorate degree / from the University of
박사 학위를 받은 후에   1940년 Istanbul 대학에서
접속사+분사구문(현재분사)

Istanbul in 1940, / Halet Cambel fought tirelessly / for the
　　　　　　　Halet Cambel은 쉬지 않고 싸웠다

advancement of archaeology.
고고학의 발전을 위해
　　　　　　ㄱ OC(원형부정사)
❷ She helped / preserve some of Turkey's most important
그녀는 도왔다   터키의 가장 중요한 고고학 유적지 중 몇몇을
준사역동사(목적어 생략)

archaeological sites / near the Ceyhan River / and established /
보존하는 것을   Ceyhan 강 가까이에 있는   그리고 설립했다

an outdoor museum / at Karatepe.
야외 박물관을   Karatepe에

❸ There, / she broke ground / on one of humanity's oldest
거기에서, 그녀는 발굴했다   인류의 가장 오래된 것으로 알려진 문명 중

known civilizations / by discovering a Phoenician alphabet tablet.
하나를   페니키아의 알파벳 석판을 발견함으로써
과거분사 ㄴ   전치사+동명사

❹ Her work preserving Turkey's cultural heritage / won her
터키의 문화유산을 보존하는 그녀의 작업은   그녀에게
ㄴ 현재분사   4형식 동사 IO

a Prince Claus Award.
Prince Claus 상을 안겼다
　　　DO

❺ But as well as / revealing the secrets of the past, / she also
하지만 ~뿐 아니라 과거의 비밀을 밝히는 것   그녀는 또한
　　　　　전치사구+동명사

firmly addressed / the political atmosphere of her present.
확고히 다루었다   그녀의 당대의 정치적 분위기를

❻ As just a 20-year-old archaeology student, / Cambel went to
겨우 20세의 고고학도로서   Cambel은 1936년
~로서(자격)

the 1936 Berlin Olympics, / becoming the first Muslim woman /
Berlin 올림픽에 갔다   첫 번째 무슬림 여성이 되며
　　　　　　　　　　　　　　분사구문(현재분사)

to compete in the Games.
대회에서 경쟁한
ㄴ 형용사적 용법

❼ She was later invited / to meet Adolf Hitler / but she rejected
그녀는 후에 초대받았다   Adolf Hitler를 만나도록   그러나 그녀는
　　　　　　　　　　　5형식의 수동태

the offer / on political grounds.
그 제의를 거절했다   정치적인 이유로

해석 1940년 Istanbul 대학에서 박사 학위를 받은 후에, Halet Cambel은 고고학의 발전을 위해 쉬지 않고 싸웠다. 그녀는 Ceyhan 강 가까이에 있는 터키의 가장 중요한 고고학 유적지 중 몇몇을 보존하는 것을 도왔고 Karatepe에 야외 박물관을 설립했다. 거기에서, 그녀는 페니키아의 알파벳 석판을 발견함으로써 인류의 가장 오래된 것으로 알려진 문명 중 하나를 발굴했다. 터키의 문화유산을 보존하는 그녀의 작업은 그녀에게 Prince Claus 상을 안겼다. 하지만 과거의 비밀을 밝히는 것뿐 아니라 그녀는 또한 그녀의 당대의 정치적 분위기를 확고히 다루었다. 겨우 20세의 고고학도로서, 대회에서 경쟁한 첫 번째 무슬림 여성이 되며, Cambel은 1936년 Berlin 올림픽에 갔다. 그녀는 후에 Adolf Hitler를 만나도록 초대받았지만 그녀는 정치적인 이유로 그 제의를 거절했다.

해설 (A) 주어 Halet Cambel이 학위를 '받은' 것이므로 능동의 현재분사 earning이 알맞다.
(B) 가장 오래된 것으로 '알려진' 문명 중 하나이므로 수동의 과거분사 known이 알맞다.
(C) 그녀의 작업이 터키의 문화유산을 '보존하는' 것이므로 능동의 현재분사 preserving이 알맞다.

4. 구문분석 및 직독직해

❶ It turns out [that ⟨the secret behind our recently extended
~임이 드러나고 있다   우리의 최근 연장된 수명 뒤의 비밀이
　　　　　　　　　　　　　　　　　　　　　　과거분사 ㄴ

life span⟩ is not due to genetics or natural selection, / but rather
유전적 특징이나 자연 선택 때문이 아니라   오히려
　　　　　　not A but B: A가 아니라 B

to the relentless improvements / made to our overall standard
끊임없는 향상 때문이다   우리의 전반적인 생활 수준에 만들어진
　　　　　　　　　　　　　　　ㄴ 과거분사

of living.

❷ From a medical and public health perspective, / these
의학과 공중위생의 관점에서

developments were nothing less than / game changing.
이러한 발전들은 그야말로   획기적이었다
　　　　　　　그야말로 ~이다

❸ For example, / major diseases / such as smallpox, polio, and
예를 들어   많은 질병들이   천연두, 소아마비, 그리고 홍역과 같은

measles / have been eradicated / by mass vaccination.
근절되었다   집단 예방 접종에 의해

④ At the same time, ⟨better living standards / achieved through
동시에 　　　　　더 나은 생활 수준은 　　　　　향상을 통해 달성된
　　　　　　　　　　긴 주어 　　　　　　└ 과거분사

improvements / in education, housing, nutrition, and sanitation
교육, 주거, 영양, 그리고 위생 시스템의

systems⟩ have substantially reduced / malnutrition and infections, /
　　　　　상당히 줄었다 　　　　　　영양실조와 감염을
　　　　　동사(현재완료) 　　　　　목적어

/ preventing many unnecessary deaths among children.
아이들 사이에서의 많은 불필요한 죽음을 예방하면서
분사구문(현재분사)

⑤ Furthermore, / technologies / designed to improve health /
더욱이 　　　　　기술들이 　　　　　건강을 증진시키도록 설계된
　　　　　　　　　　　　└ 과거분사 　　　　부사적 용법(목적)

have become available to the masses, / whether via refrigeration
대중이 사용할 수 있게 되었다 　　　　부패를 막는 냉장 기술을 통해서든
　　　　　　　　　　　　　　　　whether A or B: A이든 B이든

to prevent spoilage / or systemized garbage collection, [which in
　　　　　　　　체계화된 쓰레기 수거 체계를 통해서든
└ to부정사(형용사 역할) 　　　과거분사 └ 관계대명사 계속적 용법

and of itself eliminated / many common sources of disease].
그 자체로 제거한 　　　　질병의 많은 공통 원인을
그 자체로

해석 최근 연장된 우리의 수명 뒤의 비밀이 유전적 특징이나 자연 선택
때문이 아니라 오히려 우리의 전반적인 생활 수준에 만들어진 끊
임없는 향상 때문임이 드러나고 있다. 의학과 공중위생의 관점에
서 이러한 발전들은 그야말로 획기적이었다. 예를 들어, 천연두,
소아마비, 그리고 홍역과 같은 많은 질병들이 집단 예방 접종에
의해 근절되었다. 동시에, 교육, 주거, 영양, 그리고 위생 시스템
의 향상을 통해 달성된 더 나은 생활 수준은, 아이들 사이에서의
많은 불필요한 죽음을 예방하면서 영양실조와 감염을 상당히 줄
였다. 더욱이, 부패를 막는 냉장 기술을 통해서든, 그 자체로 질병
의 많은 공통 원인을 제거한 체계화된 쓰레기 수거 체계를 통해서
든, 건강을 증진시키도록 설계된 기술들이 대중이 사용할 수 있게
되었다.

해설 ② → achieved / 뒤에 이어지는 여러 요인들에 의해 더 나은 생
활 수준이 '달성된' 것이므로 수동의 과거분사 achieved가 알맞다.

어법 TEST 4 │ *서술형 내신* **어법훈련하기**

pp. 88~89

1 **01** graduating with a Bachelor of Science degree in
1937 　**02** working / 주어 he가 개발에 '착수한' 것이므로
능동의 현재분사 　**03** DNA 구조의 신비를 푸는

2 **01** 그 의사가 그의 군주를 독살하도록 뇌물을 받았다고 고
발하는 편지 　**02** Alexander took the cup from him,
handing Philip the letter 　**03** Horrified / horrify가 '무
서워하게 하다'라는 뜻이므로 '겁에 질려'라는 의미로 수동의
과거분사

1. 구문분석 및 직독직해

❶ Francis Crick, / the Nobel Prize-winning codiscoverer of the
Francis Crick은 　노벨상을 탄 DNA 분자 구조의 공동발견자
　　　　　　　└ = ┘

structure of the DNA molecule, / was born in Northampton,
　　　　　　　　　　　1916년 잉글랜드의 Northampton에서
　　　　　　　　　　　　수동태

England in 1916.
태어났다

❷ He attended University College London, / where he studied
그는 University College London에 다녔고 　　　거기에서 그는 물리학을
　　　　　　　　　　　　　　　　　　관계부사 계속적 용법

physics, / graduating with a Bachelor of Science degree in 1937.
연구했다 　1937년에 이학 학사 학위로 졸업하며
　　　　분사구문(현재분사)

❸ He soon began / conducting research toward a Ph. D., / but
그는 곧 시작했다 　　　박사 학위를 위한 연구를
　　　　　　　　　　동명사(목적어 역할)

his path was interrupted / by the outbreak of World War II.
그러나 그 길은 방해받았다 　　　세계 2차 대전의 발발에 의해
　　　　수동태

❹ During the war, / he was involved in naval weapons research,
전쟁 동안 　　　그는 해군의 무기 연구에 관여되었다

/ working on the development of magnetic and acoustic mines.
자기 음향 기뢰의 개발에 착수하며
분사구문(현재분사)

❺ After the war, / Dr. R. V. Jones, / the head of Britain's
전쟁 후에 　　　R. V. Jones 박사는 　영국의 전시 과학 정보부의 수장인
　　　　　　　　　　　└ = ┘

wartime scientific intelligence, / asked Crick / to continue the
　　　　　　　　　　　　Crick에게 요청했다 연구를 계속할 것을
　　　　　　　　　　　　V 　　O 　OC(to부정사)

work, / but Crick decided to continue his studies, / this time in
　　그러나 Crick은 그의 연구를 계속 하기로 결심했다 　　이번에는
　　　　　　　decide+to부정사

biology.
생물학에서

❻ In 1951, / Crick met James Watson, / a young American
1951년에 　Crick은 James Watson을 만났다 　젊은 미국인 생물학자
　　　　　　　　　　　　　　└ = ┘

biologist, / at the Strangeways Research Laboratory.
　　　Strangeways Reasearch Laboratory에서

❼ They formed / a collaborative working relationship / solving
그들은 구축했다 　　　협력적인 연구 관계를
　　　　　　　　　　　　　　　　　└ 현재분사

the mysteries of the structure of DNA.
DNA 구조의 신비를 푸는

해석 노벨상을 탄 DNA 분자 구조의 공동발견자, Francis Crick
은 1916년 잉글랜드의 Northampton에서 태어났다. 그는
University College London에 다녔고, 거기에서 그는 1937
년에 이학 학사 학위로 졸업하며 물리학을 연구했다. 그는 곧 박
사 학위를 위한 연구를 시작했지만 그 길은 세계 2차 대전의 발
발에 의해 방해받았다. 전쟁 동안, 자기 음향 기뢰의 개발에 착
수하며, 그는 해군의 무기 연구에 관여되었다. 전쟁 후에 영국
의 전시 과학 정보부의 수장인 R. V. Jones 박사는 연구를 계속
할 것을 Crick에게 요청했지만, Crick은 이번에는 생물학에서
그의 연구를 계속 하기로 결심했다. 1951년에, Strangeways
Research Laboratory에서 Crick은 젊은 미국인 생물학자
James Watson을 만났다. 그들은 DNA 구조의 신비를 푸는 협
력적인 연구 관계를 구축했다.

해설 **01** 접속사와 주어를 생략하고 동사를 분사 형태로 고친다. 주
어 he가 '졸업을 하는' 것의 주체이므로 능동의 현재분사
graduating을 사용한다.

02 분사와 주절의 주어와의 관계가 능동이면 현재분사(-ing)를
사용한다.

03 앞에 있는 a collaborative working relationship을 수
식하는 현재분사이므로 능동의 의미로 해석한다.

2. 구문분석 및 직독직해

❶ On his march through Asia Minor, / Alexander the Great fell
소아시아를 통해 행군하던 길에 　　　Alexander 대왕은 위독하게

dangerously ill.
병이 났다

❷ His physicians were afraid to treat him / because if they
그의 의사들은 그를 치료하는 것이 두려웠다   왜냐하면 만일 그들이
　　　　　　　　　↳ 부사적 용법(형용사 수식)

didn't succeed, / the army would blame them.
성공하지 못하면   군대가 그들을 탓할 것이기 때문에
가정법 과거

❸ Only one, Philip, was willing to take the risk, / as he had
오직 한 사람, Philip이 기꺼이 위험을 감수했다   그는 자신이
　　　　　　　　　　　　　　　　　　　　　　　　　　부사절(이유)

confidence / in the king's friendship / and his own drugs.
있었기 때문에   왕의 우정에   그리고 그 자신의 약에

❹ While the medicine was being prepared, / Alexander received
약이 준비되는 동안   Alexander는 편지를
부사절(시간)

　　　　　　　　　　　　　　┌ 현재완료 수동태
a letter / accusing the physician of having been bribed / to
받았다   의사가 뇌물을 받았다고 고발하는
　　↳ 현재분사   accuse A of B: A를 B로 고발하다

poison his master.
그의 군주를 독살하도록

❺ Alexander read the letter / without showing it to anyone.
Alexander는 편지를 읽었다   그것을 누구에게도 보여주지 않고
　　　　　　　　　　　전치사+동명사

❻ When Philip entered the tent with the medicine, / Alexander
Philip이 약을 가지고 천막 안에 들어왔을 때   Alexander는
부사절(시간)

took the cup from him, / handing Philip the letter.
그에게서 컵을 받았다   Philip에게 편지를 건네며
　　　　　　　　　　　　분사구문(현재분사)

❼ While the physician was reading it, / Alexander calmly drank /
의사가 그것을 읽는 동안,   Alexander는 차분히 마셨다
부사절(시간)

the contents of the cup.
그 컵의 내용물을

❽ Horrified, / Philip threw himself down / at the king's bedside, /
겁에 질려   Philip은 몸을 던져 엎드렸다   왕의 침대 옆에
분사구문(과거분사)   재귀 용법

but Alexander assured him [that he had complete confidence
그러나 Alexander는 그에게 확언했다   그가 완전한 자신을 가지고 있다고
　　　　　　　　　　　　　　　　　명사절

in his honor].
그의 명예에 대해

❾ After three days, / the king was well enough / to appear
3일 후에   왕은 충분히 건강했다   to appear
　　　　　　　　　형용사+enough+to부정사: ~할 정도로 충분히 …한

again before his army.
그의 군대 앞에 서기에

해석 소아시아를 통해 행군하던 길에, Alexander 대왕은 위독하게 병이 났다. 그의 의사들은 만일 그들이 성공하지 못하면, 군대가 그들을 탓할 것이기 때문에 그를 치료하는 것이 두려웠다. 오직 한 사람, Philip이 왕의 우정과 그 자신의 약에 자신이 있었기 때문에 기꺼이 위험을 감수했다. 약이 준비되는 동안, Alexander는 그 의사가 그의 군주를 독살하도록 뇌물을 받았다고 고발하는 편지를 받았다. Alexander는 그것을 누구에게도 보여 주지 않고 편지를 읽었다. Philip이 약을 가지고 천막 안에 들어왔을 때, Alexander는 Philip에게 편지를 건네며, 그에게서 컵을 받았다. 의사가 그것을 읽는 동안, Alexander는 차분히 그 컵의 내용물을 마셨다. 겁에 질려, Philip은 왕의 침대 옆에 몸을 던져 엎드렸지만, Alexander는 그가 그의 명예에 대해 완전한 자신을 가지고 있다고 그에게 확언했다. 3일 후에, 왕은 그의 군대 앞에 서기에 충분히 건강했다.

해설 ❶1 현재분사구 'accusing ~'이 앞의 명사 a letter를 능동의 의미로 수식하고 있다.
❶2 현재분사 handing을 사용한 분사구문 형태가 알맞다.
❶3 '~한 감정을 느끼는'이라는 뜻일 때 과거분사를 사용한다.

Unit 07 관계사

어법 기본 다지는 *Basic Grammar*　　pp. 93~95

관계대명사　**1** whose　**2** who　**3** which　**4** that
관계대명사의 용법　**1** who, 계속적 용법　**2** which, 계속적
용법　**3** which, 계속적 용법　**4** which, 제한적 용법
관계대명사 that과 what　**1** that, 선행사: the cat　**2** what,
선행사 없음　**3** what, 선행사 없음　**4** that, 선행사: the
flight
관계부사　**1** when　**2** where　**3** how　**4** why
관계사의 생략　**1** that is　**2** who were　**3** which
4 why　**5** when

기출문장으로 *실전어법* 개념잡기 1, 2　　p. 97

1 who　**2** whose　**3** that　**4** whom　**5** at which
6 in which　**7** in which　**8** in which

1 이 생물학적 '생존 경쟁'은 경제적 성공을 얻기 위해 분투하는 사업가들 사이의 인간으로서의 투쟁과 상당한 유사함을 가지고 있다.
▶ 선행사 businessmen이 사람이고, 관계사절에서 주어 역할을 하므로 주격 관계대명사 who가 알맞다.

2 코알라는 뇌가 두개골의 겨우 절반을 채운다고 유일하게 알려진 동물이다.
▶ 선행사는 animal이고, 관계사절이 '그것의 뇌가 ~'라는 뜻이므로 소유격 관계대명사 whose가 알맞다.

3 택시와 버스 운전사 둘 다 때로 매우 복잡할 수 있는 경로를 찾기 위해 해마라 불리는 그들 뇌의 일부를 사용한다.
▶ 선행사 routes가 사물이고, 관계사절에서 주어 역할을 하므로 주격 관계대명사 that이 알맞다.

4 이 모든 기법들은 감독이 초점 안에 있기를 원하는 배우에게로 빠르게 관객의 관심을 끌 것이다.
▶ 선행사는 the actor이고 관계사 뒤에 「주어 + 동사 ~」의 형태가 왔다. 선행사는 관계사절에서 5형식 동사 wants의 목적어 역할을 한다. 따라서 목적격 관계대명사 whom이 알맞다.

5 체온은 우리의 효소가 가장 잘 작동하는 온도에서 유지된다.
▶ 선행사 the temperature를 관계사절로 넘기면 our enzymes work best at the temperature이므로 at which가 알맞다.

6 James Kuklinski는 1,000명이 넘는 Illinois의 거주자들이 복지에 대한 질문을 받은 영향력 있는 실험을 이끌었다.
▶ 선행사 an influential experiment를 관계사절로 넘기면 more than 1,000 Illinois residents ~ in an influential experiment가 되므로 in which가 알맞다.

7 'uncle'이라는 하나의 단어가 아버지의 형제와 어머니의 형제에게 적용되는 상황을 이해하는 것이 어떻게 가능하겠는가?

▶ 선행사 a situation을 관계사절로 넘기면 a single word "uncle" applies to ~ in a situation이 되므로 in which가 알맞다.

8 Bull은 배우들이 덴마크어 대신 노르웨이어로 공연한 최초의 극장을 공동 설립했다.

▶ 선행사 the first theater를 관계사절로 넘기면 actors performed ~ in the first theater가 되므로 in which가 알맞다.

기출문장으로 *실전어법* 개념잡기 3, 4   p. 99

1 that   **2** that   **3** what   **4** which   **5** when
6 when   **7** that   **8** where

1 당신은 다른 기차가 움직였다고 생각하지만, 움직이고 있는 것은 당신 자신의 기차라는 것을 발견한다.

▶ 선행사(your own train)가 있으므로 관계대명사 that이 알맞다.

2 어느 쪽의 읽기든 그러지 않을 경우 당신이 조용히 편집할 때 알아차리지 못할지도 모르는 것들을 듣도록 도울 것이다.

▶ 선행사(things)가 있으므로 관계대명사 that이 알맞다.

3 뇌가 진화함에 따라, 목표까지의 거리를 더 짧게 본 사람들은 그들이 원했던 것을 더 자주 쫓을 수 있었을 것이다.

▶ 선행사가 없으므로 관계대명사 what이 알맞다.

4 그 곰팡이는 *penicillium notatum*종에서 나왔는데, 그것은 페트리 접시 위의 박테리아를 죽였었다.

▶ 선행사 the *penicillium notatum* species를 보충 설명하는 관계대명사의 계속적 용법으로 which가 알맞다.

5 그는 Jofi가 그녀의 딸 Anna에 의해 그에게 주어졌던 말년이 되고 나서야 개를 사랑하는 사람이 되었다.

▶ 관계사 뒤의 절이 「주어(Jofi) + 동사(was given) + 부사구」의 완전한 형태의 절이므로 관계부사 when이 알맞다.

6 이 실제 이야기는 폴란드가 훨씬 더 사회주의 경제 체제를 하고 있던 때에 폴란드에 있는 정부 소유의 신발 공장에 관한 것이다.

▶ 앞에 시간의 선행사(the days)가 오고 관계사 뒤에 오는 절이 완전한 형태이므로 관계부사 when이 알맞다.

7 드론은 이전에는 도달하기 어렵거나 비용이 많이 들었던 곳에서 유의미한 데이터를 모을 수 있다.

▶ 관계사 뒤에 오는 절이 주어가 없는 불완전한 형태이므로 관계대명사 that이 알맞다.

8 당신은 혹시 당신이 끊임없는 서두름 속에 있다고 느끼는 빠른 속도의 도시에 살고 있는가?

▶ 앞에 장소의 선행사(a fast-paced city)가 오고 관계사 뒤에 오는 절이 완전한 형태이므로 관계부사 where가 알맞다.

어법 TEST 1 *문장* 어법훈련하기   p. 100

1 that   **2** whose   **3** why   **4** to which   **5** which
6 ○   **7** what

1 하루에 한 번 그들은 그들의 마음속에 재생되는 비디오의 장면들을 상기했다.

▶ 관계사 뒤에 주어가 없는 불완전한 절이 오므로 관계대명사 that이 알맞다.

2 인공호흡기는 많은 생명을 구할 수 있었지만, 심장이 계속해서 뛴 사람들 모두가 어떤 다른 중요한 기능을 회복한 것은 아니었다.

▶ 선행사는 all those이고, 관계사절이 '(그들의) 심장이 계속 뛴'이라는 뜻이므로 소유격 관계대명사 whose가 알맞다.

3 요즘 우리 중 그렇게 많은 수가 녹음된 음악에 끌리는 이유가 있다.

▶ 관계사 뒤에 오는 절이 완전한 형태이므로 관계부사 why가 알맞다.

4 그녀는 시험에서 대학생들에 의한 부정행위가 발생하는 정도를 조사하고 있다.

▶ 선행사 the extent를 관계사절로 넘기면 cheating by college students occurs on exams to the extent가 되므로 to which가 알맞다.

5 소리는 단순히 귀가 포착하여 전기 신호로 변환하는 진동하는 공기인데, 그것들은 그 뒤에 뇌에 의해 해석된다.

▶ 선행사가 electrical signals(사물)이고, 계속적 용법에는 관계대명사 that을 쓸 수 없으므로 which가 알맞다.

6 많은 사람은 자신들이 화가 날 때 그들이 운동을 하거나 청소를 하고 싶어 하는 상태가 된다는 것을 발견한다.

▶ 선행사 a state가 있고, 뒤에 완전한 절이 오므로 관계부사 where가 알맞다.

7 그들은 흔히 전반적으로 제한된 교육을 받고, 건강이나 영양과 관련된 조언에 대한 노출이 거의 없으며, 가장 많은 사람들이 먹을 수 있는 식량을 재배한다.

▶ 선행사가 없으므로 관계대명사 what이 알맞다.

어법 TEST 2 *짧은 지문* 어법훈련하기   p. 101

1 (A) to which (B) where   **2** (A) who (B) whom   **3** ⑤

1 신문 기사, 텔레비전 보도, 그리고 초기의 온라인 보도까지도 기자가 인쇄, 방송, 또는 게시를 위해 그 또는 그녀의 뉴스 기사를 제출할 하나의 중심적인 장소를 필요로 했다. 그러나, 이제 기자는 자신의 스마트폰 또는 태블릿으로 비디오를 찍고, 오디오를 녹음하고, 직접 타이핑해서 즉시 뉴스 기사를 게시할 수 있다. 언론인들은 그들 모두가 정보의 원천과 접촉하거나, 타이핑하거나, 또는 비디오를 편집하는 중심 장소에 보고할 필요가 없다.

▶ (A) 선행사 one central place를 관계사절로 넘기면 a reporter would submit his or her news story ~ to one central place가 되므로 to which가 알맞다.

(B) 선행사 a central location이 장소를 나타내고, 관계사 뒤에 완전한 절이 오므로 관계부사 where가 알맞다.

2 과학자들은 중요한 아이디어를 제공하는 학생들이 있는 실험실을 가지고 있을 뿐만 아니라 유사한 연구를 하고, 유사한 생각을 하며, 그들이 없다면 그 과학자가 어디에도 이르지 못할 동료들 또한 가지고 있다.

▶ (A) 선행사 students가 사람이고 관계사절에서 주어 역할을 하므로 주격 관계대명사 who가 알맞다.

(B) 선행사가 colleagues이고 전치사 without의 목적어 역할을 하므로 목적격 관계대명사 whom이 알맞다. 전치사 다음에는 관계대명사 that을 쓸 수 없다.

3 이 주장에 따르면, 개인의 선택이나 취향의 차이에 의해 만들어진 행복의 불평등은 받아들일 수 있다. 그러나 우리는 개인의 책임이 아닌, 그리고 개인이 그 또는 그녀가 가치 있게 여기는 것을 성취하지 못하게 막는 요소들에 의해 만들어지는 행복의 불평등을 제거하는 것을 추구해야 한다.

▶ ⑤ → what / 선행사가 없으므로 관계대명사 what이 알맞다.

어법 TEST 3 기출 유형 어법훈련하기

pp. 102~103

1 ① **2** ⑤ **3** ③ **4** ⑤

1. 구문분석 및 직독직해

❶ There is a reason [why so many of us are attracted to
이유가 있다　　　우리 중 그렇게 많은 수가 끌리는
관계부사 (= for which)+완전한 절

recorded music / these days], especially considering [personal
녹음된 음악에　　요즘　　특히 고려할 때　　　　　that 생략
과거분사　　　　　　　　　　　분사구문

music players are common / and people are listening to music
개인용 음악 플레이어가 일반적이고　　사람들이 음악을 듣고 있다는 것을

through headphones / a lot].
헤드폰을 통해　　많이

❷ Recording engineers and musicians / have learned to create
녹음 기술자와 음악가는　　　　　특수 효과를 만들어 내는 것을 배웠다

special effects [that tickle our brains / by exploiting neural circuits
우리의 뇌를 즐겁게 하는　　신경 회로를 이용함으로써
주격 관계대명사　　　　전치사+동명사

{that evolved to discern / important features of our auditory
분간하도록 진화한　　　중요한 특징들을
주격 관계대명사

environment}].
우리의 청각 환경의

❸ These special effects are similar / in principle / to 3-D art,
이러한 특수 효과들은 비슷하다　　　원리상　　　3-D 아트,

motion pictures, or visual illusions, [none of which have been
영화, 또는 착시와　　　　이 중 무엇도 주변에 있지 않았다
none of+관계대명사

for+의미상 주어
around / long enough for our brains to have evolved / special
우리의 뇌가 발달시킬 만큼 충분히 오래
형용사+enough+to부정사: …할 만큼 충분히 ~한

mechanisms / to perceive them].
특수한 방법을　　그것들을 인식하기 위한
형용사적 용법

❹ Rather, / 3-D art, motion pictures, and visual illusions / leverage
오히려　　3-D 아트, 영화, 그리고 착시는

perceptual systems [that are in place to accomplish other things].
인식 체계를 이용한다　　다른 것들을 해내기 위해 자리에 있는
주격 관계대명사

❺ Because they use these neural circuits / in novel ways, / we
그것들이 이러한 신경 회로를 사용하기 때문에　　　새로운 방식으로
부사절

find them especially interesting.
우리는 그것들이 특별히 흥미롭다는 것을 발견한다.
V　O　　　　　OC(현재분사)

❻ The same is true / of the way [that modern recordings are
똑같은 것이 적용된다　　현대의 녹음된 음악이 만들어지는 방법에도
the way how(x) 관계부사+완전한 절

made].

해석 개인용 음악 플레이어가 일반적이고 사람들이 헤드폰을 통해 음악을 많이 듣고 있다는 것을 특히 고려할 때, 요즘 우리 중 그렇게 많은 수가 녹음된 음악에 끌리는 이유가 있다. 녹음 기술자와 음악가는 우리의 청각 환경의 중요한 특징들을 분간하도록 진화한 신경 회로를 이용함으로써 우리의 뇌를 즐겁게 하는 특수효과를 만들어 내는 것을 배웠다. 이러한 특수 효과들은 원리상 3-D 아트, 영화, 또는 착시와 비슷한데, 이 중 무엇도 우리의 뇌가 그 것들을 인식하기 위한 특수한 방법을 발달시킬 만큼 충분히 주변에 오랫동안 있지 않았다. 오히려, 3-D 아트, 영화, 그리고 착시는 다른 것들을 해내기 위해 있는 인식 체계를 이용한다. 그것들이 새로운 방식으로 이러한 신경 회로를 사용하기 때문에, 우리는 그것들이 특별히 흥미롭다는 것을 발견한다. 현대의 녹음된 음악이 만들어지는 방법에도 똑같은 것이 적용된다.

해설 (A) 선행사가 이유를 나타내고 뒤에 완전한 절이 오므로 관계부사 why가 알맞다.

(B) 앞에 선행사 special effects가 있으므로 관계대명사 that이 알맞다.

(C) 앞에 선행사(3-D art, ~ illusions)가 있으므로 관계대명사 which가 알맞다.

2. 구문분석 및 직독직해

❶ Psychologists Leon Festinger, Stanley Schachter, / and
심리학자 Leon Festinger, Stanley Schachter　　　　그리고

sociologist Kurt Back / began to wonder [how friendships form].
사회학자 Kurt Back은　　궁금해하기 시작했다　　어떻게 우정이 형성되는지
간접의문문(의문사+주어+동사)

❷ Why do some strangers build lasting friendships, / while
왜 몇몇 낯선 사람들은 지속적인 우정을 쌓는가　　　　다른 이들이
현재분사　　　　부사절(대조)

others struggle / to get past basic platitudes?
어려움을 겪는 반면　　기본적인 상투적인 말을 넘어서는 데

❸ Some experts explained [that friendship formation could be
몇몇 전문가들은 설명했다　　우정 형성이 유아기로 거슬러 올라갈 수 있다고
접속사 명사절

traced to infancy, [where children acquired / the values, beliefs,
그곳에서 아이들은 습득했다　　가치, 신념, 그리고 태도를
관계부사(계속적 용법)+완전한 절
= children
and attitudes {that would bind or separate them / later in life}].
그들을 묶거나 분리시킬 수 있는　　　훗날의 삶에서
주격 관계대명사

❹ But Festinger, Schachter, and Back pursued / a different
그러나 Festinger, Schachter, 그리고 Back은 추구하였다　　다른 이론을

theory.

❺ The researchers believed [that physical space was the key / to
그 연구자들은 믿었다　　　물리적인 공간이 핵심이라고
명사절1
(believed)
friendship formation] [that "friendships are likely to develop / on
우정 형성의　　　　　우정은 발달하는 것 같다
명사절2　　　~하는 것 같다

the basis of brief and passive contacts {made going to and
짧고 수동적인 접촉에 근거하여
과거분사구

from home or walking about the neighborhood.}]"
집을 오가거나 동네 주변을 걸으며 이루어지는
병렬구조(going to ~, walking about ~)

⑥ In their view, / it wasn't so much that people / with similar
그들의 관점에서　　유사한 태도를 지닌 사람들이 친구가 되기보다는
　　　　　　not so much A but rather B: A라기 보다는 오히려 B다'

attitudes / became friends, / but rather that people [who passed
　　　　친구가 되었다　　하루 동안 서로를 지나치는 사람들이
　　　　　　　　　　　　　　　　　　　　└ 주격 관계대명사

each other during the day] tended to become friends / and so
친구가 되는 경향이 있고
　　　　　　　　　　　　　　　　　　　　　　　동사1

came to adopt similar attitudes over time.
그래서 시간이 가면서 비슷한 태도를 받아들이게 되었다
동사2

해석 심리학자 Leon Festinger, Stanley Schachter, 그리고 사회학자 Kurt Back은 어떻게 우정이 형성되는지 궁금해하기 시작했다. 왜 다른 이들은 기본적인 상투적인 말을 넘어서는 데 어려움을 겪는 반면 몇몇 낯선 사람들은 지속적인 우정을 쌓는가? 몇몇 전문가들은 우정 형성이 유아기로 거슬러 올라갈 수 있다고 설명했는데, 그곳에서 아이들은 훗날의 삶에서 그들을 묶거나 분리시킬 수 있는 가치, 신념, 그리고 태도를 습득했다. 그러나 Festinger, Schachter, 그리고 Back은 다른 이론을 추구하였다. 그 연구자들은 물리적 공간이 우정 형성의 핵심이라고, 즉, '우정은 집을 오가거나 동네 주변을 걸으며 이루어지는 짧고 수동적인 접촉에 근거하여 발달하는 것 같다.'고 믿었다. 그들의 관점에서, 유사한 태도를 지닌 사람들이 친구가 되기보다는, 하루 동안 서로를 지나치는 사람들이 친구가 되는 경향이 있고 그래서 시간이 가면서 비슷한 태도를 받아들이게 된 것이었다.

해설 ⑤ → who 또는 that / 선행사 people이 관계사절에서 주어 역할을 하므로 주격 관계대명사 who나 that이 알맞다.

3. 구문분석 및 직독직해

❶ Born in 1917, Cleveland Amory / was an author, an animal
1917년에 태어난 Cleveland Amory는　　작가이고, 동물 옹호자이며,
분사구문(과거분사)

advocate, and an animal rescuer.
동물 구조자였다

❷ During his childhood, / he had a great affection / for his
어린 시절 동안　　　　그는 커다란 애정을 가지고 있었다　그의 숙모
　　　　　　　　　　　┌ = and she

aunt Lucy, [who was instrumental / in helping Amory get his
Lucy에 대한　　　그녀는 중요했다　　Amory가 그의 첫 번째 강아지를 갖도록
　　└ 주격 관계대명사 계속적 용법　준사역동사　O　　OC

first puppy / as a child], an event [that Amory remembered /
돕는 데　　아이로서　　　사건이었다　　Amory가 기억하는
　　　　　　　　(which was)　└ 목적격 관계대명사

seventy years later / as the most memorable moment of his
70년 후　　　　　　　어린 시절의 가장 기억에 남는 순간으로

childhood].

❸ He graduated from Harvard College in 1939 / and later
그는 1939년에 Harvard College를 졸업했고　　　　후에
　　　graduate가 '졸업하다' 뜻의 자동사로 쓰이면 전치사 from 필요

became the youngest editor / ever hired by *The Saturday Evening*
최연소 편집자가 되었다　　　　*The Saturday Evening Post*에 고용된
　　　　　　　　　　　　　　└ 과거분사구

Post.

❹ Amory wrote three instant bestselling books, / including *The*
Amory는 세 권의 즉시 베스트셀러가 된 책을 썼다
　　　　　　　　　　　　　　　　　　　　　　　전치사

Best Cat Ever, / based on his love of animals.
*The Best Cat Ever*를 포함한　　동물에 관한 그의 애정에 기반하여

❺ He founded The Fund for Animals in 1967, / and he served
그는 1967년에 The Fund for Animals를 설립했고

as its president, / without pay, / until his death in 1998.
회장으로 일했다　　보수 없이　　1998년에 사망할 때까지

⑥ He always dreamed of / a place [where animals could roam
그는 항상 꿈꿨다　　　장소를　　동물들이 자유롭게 돌아다니고
　　　　　　　　　　　　　　　└ 관계부사

free / and live in caring conditions].
보살피는 환경에서 살 수 있는
　　　현재분사 ┘

❼ Inspired by Anna Sewell's novel *Black Beauty*, Amory
Anna Sewell의 소설 *Black Beauty*에 영감을 받아서　　Amory는
분사구문(과거분사)

established Black Beauty Ranch, / a 1,460-acre area [that shelters
Black Beauty Ranch를 만들었다　　1,460에이커의 장소는　└ 주격 관계대명사

various abused animals / including chimpanzees and elephants].
다양한 학대받은 동물들을 보호하는　　침팬지와 코끼리를 포함한
　　과거분사 ┘　　　　　　　　전 ~을 포함하여

❽ Today, / a stone monument to Amory / stands at Black Beauty
오늘날　　Amory의 석조 기념비가　　Black Beauty Ranch에 세워져 있다
Ranch.

해석 1917년에 태어난 Cleveland Amory는 작가이고, 동물 옹호자이며, 동물 구조자였다. 어린 시절 동안, 그는 그의 숙모 Lucy에 대한 커다란 애정을 가지고 있었는데, 그녀는 Amory가 아이로서 그의 첫 번째 강아지를 갖도록 돕는 데 중요했고, 이는 70년 후 Amory가 어린 시절의 가장 기억에 남는 순간으로 기억하는 사건이었다. 그는 1939년에 Harvard College를 졸업했고 후에 *The Saturday Evening Post*에 고용된 최연소 편집자가 되었다. Amory는 동물에 관한 그의 애정에 기반하여 *The Best Cat Ever*를 포함한 세 권의 즉시 베스트셀러가 된 책을 썼다. 그는 1967년에 The Fund for Animals를 설립했고, 1998년에 사망할 때까지 보수 없이 회장으로 일했다. 그는 항상 동물들이 자유롭게 돌아다니고 보살피는 환경에서 살 수 있는 곳을 꿈꿨다. Anna Sewell의 소설 *Black Beauty*에 영감을 받아서, Amory는 Black Beauty Ranch를 만들었는데, 이는 침팬지와 코끼리를 포함한 다양한 학대받은 동물들을 보호하는 1,460에이커의 장소이다. 오늘날, Amory의 석조 기념비가 Black Beauty Ranch에 세워져 있다.

해설 (A) 선행사가 사람(his aunt Lucy)이므로 관계대명사 who가 알맞다.
(B) 관계사 뒤에 완전한 절이 오므로 관계부사 where가 알맞다.
(C) 관계사 뒤에 주어가 없는 불완전한 절이 오므로 관계대명사 that이 알맞다.

4. 구문분석 및 직독직해

❶ The practice of medicine has meant [⟨the average age to
의료 행위는 ~의 결과를 가져왔다　　　　　　평균 연령이
　　　　　　　　　　　　　　　명사절 접속사 that 생략 ┘

which people in all nations may expect to live⟩ is higher than / it
모든 국가에서 사람들이 살 것이라고 기대하는　　높다는 것을
전치사+관계대명사+완전한 절 ⟨　⟩ 진주어　　　비교급

has been in recorded history, / and there is a better opportunity
기록된 역사에서 그랬던 것　　　　그리고 더 나은 기회가 있다
　　　　　　과거분사 ┘　　　　　　　　　　비교급

than ever / for an individual to survive serious disorders / such
어느 때보다　한 개인이 심각한 장애에서 살아남을
　　　　　for+의미상 주어+to부정사(opportunity 수식)

as cancers, brain tumors and heart diseases].
암, 뇌종양, 심장병 같은

❷ However, / longer life spans mean / more people, / worsening
그러나　　더 길어진 수명은 의미한다　더 많은 사람　악화되는

food and housing supply difficulties.
식량과 주택 공급의 어려움을

❸ In addition, / medical services are still not well distributed, /
게다가　　의료 서비스는 여전히 잘 분배되지 않고
　　　　　　　　　　　　　　　　　　　　　　수동태

and accessibility remains a problem / in many parts of the world.
접근성은 문제로 남아 있다　　　　세계의 여러 지역에서

❹ Improvements in medical technology / shift the balance of
의학 기술의 향상은　　　　　　　　　인구 집단의 균형을 변화시킨다

population / (to the young at first, / and then to the old).
　　　　초기에는 아이들 쪽으로, 그리고 다음에는 노인들 쪽으로

❺ They also tie up money and resources / in facilities and
그것들은 또한 돈과 자원을 묶는다　　　　시설들과 숙련된
= 의학 기술의 향상들

　　　　　　　　　　　　　관계대명사
trained people, / costing more money, / and affecting [what can
사람들에　　　　더 많은 비용이 들게 하며　그리고 다른 것들에 쓰일 수
　　　　　　　병렬구조(분사구문)

be spent on other things].
있는 것에 영향을 미치며

해석 의료 행위는 모든 국가에서 사람들이 살 것이라고 기대하는 평균 연령이 기록된 역사에서 그랬던 것보다 높아지고, 한 개인이 암, 뇌종양, 심장병 같은 심각한 장애에서 살아남을 가능성이 그 어느 때보다 더 높아지는 결과를 가져왔다. 그러나, 더 길어진 수명은 더 많은 사람, 악화되는 식량과 주택 공급의 어려움을 가져온다. 게다가, 의료 서비스는 여전히 잘 분배되지 않고, 접근성은 세계의 여러 지역에서 문제로 남아 있다. 의학 기술의 향상은 인구 집단의 균형을 변화시킨다(초기에는 아이들 쪽으로, 그리고 다음에는 노인들 쪽으로). 그것들은 또한 더 많은 비용이 들게 하고, 다른 것들에 쓰일 수 있는 것에 영향을 미치며, 시설과 숙련된 사람들에 쓰도록 돈과 자원을 묶는다.

해설 ❺ → what / 앞에 선행사가 없으므로 관계대명사 what이 알맞다.

어법 TEST 4 | *서술형 내신* 어법훈련하기
pp. 104~105

1　01 where funds for investment can be borrowed
　　02 has / 문장의 주어 the liberalization이 3인칭 단수
　　03 limited domestic savings with which
2　01 who / 선행사가 관계사절에서 주어 역할을 하므로 주격 관계대명사　02 What he found was that the 'lucky' people were good at spotting opportunities.
　　03 less

1. 구문분석 및 직독직해

❶ The liberalization of capital markets, [where funds for
자본 시장의 자유화는　　　　　　　　　　　투자를 위한 자금이
　　　　　　　　　　　　　　　　관계부사+완전한 절

investment can be borrowed], has been an important contributor /
빌려질 수 있는 곳인　　　　　　중요한 기여자였다
　　　　　　　　　　　　　　　현재완료

to the pace of globalization.
세계화의 속도에

❷ Since the 1970s / there has been a trend / towards a freer
1970년대 이래로　　추세가 있었다　　　　자본의 더 자유로운 흐름
　　　　　　　　　　　현재완료

flow of capital / across borders.
을 향한　　　　국경을 넘나드는

❸ Current economic theory suggests [that this should aid
현재의 경제 이론은 제안한다　　　　이것이 발전에 도움이
　　　　　　　　　　　　　　　접속사(명사절)

development].
될 것이라고

❹ Developing countries have limited domestic savings [with
개발도상국은 제한된 국내 저축을 가지고 있다
　　　　　　　　　과거분사　　　　전치사+관계대명사

which to invest in growth], and liberalization allows them to tap
그것으로 성장에 투자하기에　　　그리고 자유화는 그들이 이용하도록 허락한다
= to invest in growth with limited domestic savings　V　　OC(to부정사)

into / a global pool of funds.
국제 공동 자금을

❺ A global capital market also allows / investors greater scope /
국제 자본 시장은 또한 허락한다　　　투자자들에게 더 큰 범위를

to manage and spread their risks.
자신들의 위험을 관리하고 분산할 수 있는
형용사적 용법

❻ However, / some say [that a freer flow of capital has raised /
하지만　　어떤 사람들은 말한다 자본의 더 자유로운 흐름이 키웠다고
　　　　　　　　　　　　　　　명사절

the risk of financial instability].
재정적 불안정성의 위험을

❼ The East Asian crisis of the late 1990s came / in the wake of
1990년대 후반의 동아시아의 위기는 왔다
　　　　　　　　　　　　　　　　　　　　　　~의 결과로

this kind of liberalization.
이러한 종류의 자유화의 결과로

❽ Without a strong financial system and a sound regulatory
강력한 재정 시스템과 건전한 규제 환경 없이는

environment, / capital market globalization / can sow the seeds /
　　　　　　　자본 시장 세계화는　　　　씨를 뿌릴 수 있다
　　　　　　　주어　　　　　　　　　　동사

of instability in economies rather than growth.
경제의 성장보다는 불안정성의
　　　　　　　　　B rather than A: A라기 보다는 B
　　　　　　　　　= not so much A as B = more B than A

해석 투자를 위한 자금이 빌려질 수 있는 자본 시장의 자유화는 세계화의 속도에 중요한 기여자였다. 1970년대 이래로 국경을 넘나드는 자본의 더 자유로운 흐름을 향한 추세가 있었다. 현재의 경제 이론은 이것이 발전에 도움이 될 것이라고 제안한다. 개발도상국은 그것으로 성장에 투자하기에 제한된 국내 저축을 가지고 있고, 자유화는 그들이 국제 공동 자금을 이용하도록 허락한다. 국제 자본 시장은 또한 투자자들에게 자신들의 위험을 관리하고 분산할 수 있는 더 큰 범위를 허락한다. 하지만, 어떤 사람들은 자본의 더 자유로운 흐름이 재정적 불안정성의 위험을 키웠다고 말한다. 1990년대 후반의 동아시아의 위기는 이러한 종류의 자유화의 결과로 왔다. 강력한 재정 시스템과 건전한 규제 환경 없이는, 자본 시장 세계화는 경제의 성장보다는 불안정성의 씨를 뿌릴 수 있다.

해설 01 관계부사 where 뒤에 「주어 + 동사 ~」의 완전한 절이 오는 형태로 쓴다.
　　02 주부인 the liberalization of capital markets의 핵심 주어는 the liberalization이다.
　　03 have의 목적어는 limited domestic savings이고, to invest in growth (with limited domestic savings)가 수식하는 구조이므로 「전치사 + 관계대명사」 형태인 with which로 쓴다.

2. 구문분석 및 직독직해

❶ In the early 2000s, / British psychologist Richard Wiseman
2000년대 초에　　　영국의 심리학자 Richard Wiseman은

performed / a series of experiments / with people [who viewed
수행했다　　　　일련의 실험을　　　　　사람들을 대상으로　　그들 자신을
　　　　　　　　　　　　　　　　　　　　↳ 주격 관계대명사

themselves / as either 'lucky'(they were successful and happy, / and
보는　　　　　　'운이 좋다'(그들은 성공했고 행복하며,
　　　　　　　　　either A or B: A 또는 B

events in their lives / seemed to favor them) / or 'unlucky'(life just
인생의 사건들이　　　그들에게 우호적인 것처럼 보인다)　또는 '운이 나쁘다'(삶이

seemed to go wrong for them)].
(삶이 그들에게 잘 풀리지 않는 것처럼 보인다)라고

❷ [What he found] was [that the 'lucky' people were good at /
　　그가 발견한 것은　　　　　'운이 좋은' 사람들은 잘한다는 것이었다
　　관계대명사　　　　　명사절(보어)　　　　～을 잘하다

spotting opportunities].
기회를 발견하는 것을

❸ In one experiment / he told both groups to count / the
　　한 실험에서　　　　그는 양쪽 그룹에게 세라고 말했다
　　　　　　　　　　　　　　　　　　O　　　OC(to부정사)

number of pictures / in a newspaper.
신문에 있는 그림의 수를

┌ grind-ground-ground
❹ The 'unlucky' diligently ground their way through the task;
　'운이 나쁜' 이들은 자신의 과업을 열심히 수행했다

/ the 'lucky' usually noticed [that the second page contained /
　'운이 좋은' 이들은 보통 알아차렸다　두 번째 페이지가 포함한다는 것을
　　　　　　　　　　　　　　명사절(목적어)

an announcement {that said:
～라는 안내
　　　　　↳ 주격 관계대명사

❺ "Stop counting — / there are 43 photographs in this
　　세는 것을 멈추시오　이 신문에는 43개의 사진이 있습니다
　　stop+동명사: ～하는 것을 멈추다

newspaper}]."

┌ be busy+ing: ～하느라 바쁘다
❻ On a later page, / the 'unlucky' were also too busy counting
　그 뒤 페이지에서　　'운이 나쁜' 집단은 또한 그림을 세느라 너무 바빠서
　　　　　　　　　　　　　　　　　　too ~ to ...: 너무 ～해서 …하지 못하다

images / to spot a note reading: / "Stop counting, / tell the
～라 적힌 문구를 발견하지 못했다:　숫자 세는 것을 멈추고
　　　　　　　　　　　　　　　V1　　　　　V2

┌ (that)
experimenter [you have seen this], and win $250."
실험자에게 말하시오 당신이 이것을 봤다는 것을　그리고 250달러를 받아가시오
　　　　　　　　　　　　　　　　　V3

❼ Wiseman's conclusion was [that, {when faced with a
　Wiseman의 결론은 ～였다　　　도전 과제와 마주했을 때
　　　　　　　　　　　　　명사절(보어)　분사구문(과거분사)
　　　　　　　　　　　　　　　　= when (they were) faced with

challenge}, 'unlucky' people were less flexible].
'운이 나쁜' 사람들은 덜 융통성이 있다

❽ They focused on a specific goal, / and failed to notice
　그들은 특정한 목표에 초점을 맞추었고　　알아차리지 못했다
　　　　V1　　　　　　　　　　V2

[that other options were passing them by].
다른 선택 사항들이 그들을 지나치고 있다는 것을
명사절(목적어)

Wiseman의 결론은, 도전 과제와 마주했을 때, '운이 나쁜' 사람들은 덜 융통성이 있다는 것이었다. 그들은 특정한 목표에 초점을 맞추었고 다른 선택 사항들이 그들을 지나치고 있다는 것을 알아차리지 못했다.

해설 01 관계사 뒤에 주어가 없는 불완전한 절이 이어진다.
02 '~한 것'이라는 뜻의 관계대명사 what이 주절을 이끌도록 쓴다.
03 실험에서 '운이 좋은' 사람들은 신문에 있는 다른 글귀들을 더 잘 발견하는 반면 '운이 나쁜' 사람들은 과업에 매진하느라 그러지 못했으므로, '운이 나쁜' 사람들은 '덜' 융통성이 있다는 내용이 알맞다.

해석 2000년대 초에, 영국의 심리학자 Richard Wiseman은 그들 자신을 '운이 좋다'(그들은 성공했고 행복하며, 인생의 사건들이 그들에게 우호적인 것처럼 보인다) 또는 '운이 나쁘다'(삶이 그들에게 잘 풀리지 않는 것처럼 보인다)라고 보는 사람들을 대상으로 일련의 실험을 수행했다. 그가 발견한 것은 '운이 좋은' 사람들은 기회를 발견하는 것을 잘한다는 것이었다. 한 실험에서 그는 양쪽 그룹에게 신문에 있는 그림의 수를 세라고 말했다. '운이 나쁜' 이들은 자신의 과업을 열심히 수행했다. '운이 좋은' 이들은 보통 두 번째 페이지가 "세는 것을 멈추시오. 이 신문에는 43개의 사진이 있습니다."라는 안내를 포함한다는 것을 알아차렸다. 그 뒤 페이지에서, '운이 나쁜' 집단은 또한 그림을 세느라 너무 바빠서 '숫자 세는 것을 멈추고, 당신이 이것을 봤다는 것을 실험자에게 말하고 250달러를 받아가시오.'라고 적힌 문구를 발견하지 못했다.

8 그는 한 무리의 건강한 대학생들에게 그가 그들의 언어 능력을 검사하고 있다고 말했다.
  ▶ 뒤에 「주어(he) + 동사(was testing) + 목적어(their language abilities)」의 완전한 형태의 절이 오므로 명사절을 이끄는 접속사 that이 적절하다. 「tell + 간접목적어 + 직접목적어 that절」의 4형식 문장이다.

어법 기본 다지는 *Basic Grammar*　　　p. 107

등위접속사와 상관접속사　**1** and　**2** or　**3** yet　**4** but
종속접속사　**1** whether you agree with me or not / 명사절
2 that he can play the violin / 명사절　**3** as I entered the room / 부사절　**4** If it is sunny tomorrow / 부사절

기출문장으로 *실전어법* 개념잡기 1, 2　　　p. 109

1 because　**2** because of　**3** since　**4** Although
5 that　**6** what　**7** that　**8** that

1 당신은 적응할 필요가 있는데, 왜냐하면 적응하지 못하는 사람들은 크게 성공하지 못할 것이기 때문이다.
  ▶ 뒤에 주어(those who don't adapt)와 동사(won't make)가 있는 절이 오므로 부사절을 이끄는 접속사 because가 적절하다.

2 그러한 관행은 그것의 실제적인 이득 혹은 자신의 운동 분야에서 탁월한 개인들에 의해 인식된 이득 때문에 운동선수들에게 권고될 수도 있다.
  ▶ 뒤에 명사구(their real or perceived benefits)가 오므로 전치사구인 because of가 적절하다. by ~ sports는 benefits를 꾸미는 전치사구 수식어이다.

3 나는 수술 시간이 다가오고 있어서 점점 불안감을 느꼈다.
  ▶ 뒤에 「주어 + 동사」의 절이 오므로 부사절을 이끄는 접속사 since가 적절하다.

4 비록 예측 가능성이 안도감을 주지만, 뇌는 세상에 대한 그것의 모형에 새로운 사실을 포함시키려고 노력한다.
  ▶ 뒤에 「주어 + 동사」의 절이 오므로 부사절을 이끄는 접속사 although가 적절하다.

5 당신이 혼자가 아니라는 것을 느끼기 위해, 당신과 함께할 전체 군중이 필요한 것은 아니다.
  ▶ 뒤에 완전한 형태의 절이 오므로 feel의 목적어로 쓰인 명사절을 이끄는 접속사 that이 적절하다.

6 비록 자동적으로 일어나기는 하지만, 대체로 우리는 우리가 하고자 의도하는 것을 하고 있다.
  ▶ 앞에 선행사가 없고, 뒤에 목적어가 없는 불완전한 형태의 절이 오므로 관계대명사 what이 적절하다.

7 어린 수컷들은 나이가 더 많은 수컷이 하는 노래를 흉내 냄으로써 자리를 차지하기 위해 그들에게 도전하려고 할 것이다.
  ▶ 선행사 the song이 있고, 뒤에 주어와 동사만 있고 목적어가 없는 불완전한 형태의 절이 오므로 관계대명사 that이 적절하다.

기출문장으로 *실전어법* 개념잡기 3, 4　　　p. 111

1 relying　**2** with changing　**3** check　**4** to encourage
5 Because　**6** that　**7** although　**8** if

1 다른 행동 선택 사항에는 큰 소리 내기, 껍데기 안으로 들어가기, 단단한 공 모양으로 말기, 또는 무리를 지어 삶으로써 수적인 안전성에 의지하기가 포함된다.
  ▶ 등위접속사 or에 의해 병렬구조를 이루도록 앞의 making, retreating, rolling과 같은 명사 형태인 relying이 적절하다.

2 마케팅 경영은 수요를 찾고 증가시키는 것뿐만 아니라 그것을 바꾸고 또는 심지어 줄이는 것과도 관련이 있다.
  ▶ 상관접속사 not only A but also B에 의해 병렬구조를 이루도록 with finding과 같은 형태인 with changing이 적절하다.

3 Alexandra는 인터넷을 검색하고, 이메일을 쓰고, 소셜 미디어를 확인하기 위해 자신의 전화기와 태블릿을 둘 다 사용한다.
  ▶ 등위접속사 and에 의해 병렬구조를 이루도록 앞의 to surf, (to) write와 같은 형태인 (to) check가 적절하다. 병렬구조에서 반복되는 to부정사의 to는 생략할 수 있다.

4 특허권의 원래 의도는 발명가에게 독점 이익을 보상하는 것이 아니라 그들이 발명품을 공유하도록 장려하는 것임을 기억하라.
  ▶ 상관접속사 not A but B에 의해 병렬구조를 이루도록 앞의 to reward와 같은 형태인 to encourage가 적절하다.

5 그것들이 이러한 신경 회로를 새로운 방식으로 사용하기 때문에, 우리는 그것들이 특히 흥미롭다고 생각한다.
  ▶ '~이기 때문에 흥미롭다고 생각한다'라는 의미가 되어야 자연스러우므로 이유의 부사절을 이끄는 종속접속사 because가 적절하다.

6 Julia가 수영해서 멀어지는 모습을 보았을 때, 그는 그녀에게 무언가 잘못된 일이 생길 것이라는 직감이 들어서 그녀를 따라 수영하기로 결심했다.
  ▶ 앞의 명사 a sense에 대해 구체적으로 설명하고 있으므로 동격의 that이 적절하다.

7 이 때문에 많은 상황이 우리의 생존에 무해할지라도 우리의 뇌에 의해 위협으로 간주된다.
  ▶ '해가 없음에도 위협으로 간주된다'라는 의미가 되어야 자연스러우므로 양보의 부사절을 이끄는 종속접속사 although가 적절하다.

8 제 부탁을 들어주실 수 있는지 여쭤보려고 편지를 씁니다.
  ▶ '부탁을 들어줄 수 있는지 아닌지 묻다'라는 의미가 되어야 자연스러우므로 명사절을 이끄는 접속사 if가 적절하다.

1 because **2** that **3** that **4** accounted **5** ○ **6** ○
7 that

1 자기 그릇은 언젠가 깨질 것이기 때문에 아름답다.
▶ 뒤에 「주어 + 동사」 형태의 절이 오므로 부사절을 이끄는 접속사 because가 적절하다.

2 역사 연구는 수학자들이 Newton 또는 Leibniz가 등장하기 전에 미적분학의 모든 주요한 요소들에 대해 생각했었다는 것을 보여 준다.
▶ 뒤에 완전한 형태의 절이 오므로 목적어 역할을 하는 명사절을 이끄는 접속사 that이 적절하다.

3 방대한 학술 문헌은 친환경적인 것이 이득이 된다는 논지에 대한 경험적 지원을 제공한다.
▶ 앞의 명사 the thesis(논지)를 구체적으로 설명하고 있으므로 동격의 that이 적절하다. that절 안의 it은 가주어, to be green은 진주어로 쓰였다.

4 다섯 지역 모두 중 아시아의 자연재해 횟수가 가장 많았으며 36%를 차지했다.
▶ 등위접속사 and에 의해 병렬구조를 이루도록 앞의 was와 같은 과거시제인 accounted가 적절하다.

5 쓰기의 발달은 험담꾼, 이야기꾼, 시인에 의해서가 아니라 회계사에 의해 개척되었다.
▶ 상관접속사 not A but B에 의해 병렬구조를 이루고 있는 문장이다. by gossips와 병렬을 이루도록 but by accountants가 알맞다.

6 습관 앞에서 의도가 얼마나 약한지에 관한 온갖 말에도 불구하고, 대부분의 경우에 심지어 우리의 강한 습관조차도 우리의 의도를 진정으로 따른다는 것을 강조할 만한 가치가 있다.
▶ 뒤에 온 명사구 all the talk로 보아, 전치사 despite가 바르게 쓰였다.

7 저희는 귀하가 클럽에 가입할 때 선택하셨던 제품을 보내드린 이후로 귀하로부터 답변을 듣지 못해 염려하고 있습니다.
▶ 뒤에 'we have not heard ~'의 완전한 형태의 절이 오므로 concerned의 목적어 역할을 하는 명사절을 이끄는 접속사 that이 필요하다.

1 (A) due to (B) during (C) that　　**2** (A) while (B) that
3 ③

1 당신의 책상 배송이 가구 제조업체에서 우리 창고로 배송되는 동안 발생한 파손 때문에 예상된 것보다 더 오래 걸릴 것입니다. 우리는 제조업체로부터 똑같은 대체품을 주문했고, 그 배송이 2주 안에 이뤄질 것으로 예상합니다.
▶ (A) 뒤에 명사 the damage가 오므로 전치사 due to가 적절하다. that 이하는 the damage를 수식하는 관계대명사절이다.
(B) 뒤에 명사 the shipment가 오므로 전치사 during이 적절하다. from ~ warehouse는 the shipment를 수식하는 전치사구이다.

(C) 동사 expect의 목적어로 완전한 형태의 절 'delivery will take place ~'가 오므로 명사절을 이끄는 접속사 that이 적절하다.

2 심리학자 Leon Festinger, Stanley Schachter, 그리고 사회학자 Kurt Back은 우정이 어떻게 형성되는지 궁금해하기 시작했다. 왜 몇몇 타인들은 지속적인 우정을 쌓는 반면, 다른 이들은 기본적인 상투적인 말을 넘어서는 데 어려움을 겪을까? 몇몇 전문가들은 우정 형성이 유아기로 거슬러 올라갈 수 있다고 설명하였는데, 그 시기에 아이들은 훗날 삶에서 그들을 결합시키거나 분리시킬 수도 있는 가치, 신념, 그리고 태도를 습득했다는 것이다.
▶ (A) 주절과 종속절이 의미상 대조되므로 양보의 부사절을 이끄는 접속사 while이 적절하다.
(B) 동사 explained의 목적어로 완전한 형태의 수동태 절 'friendship formation could be traced ~'가 오므로 명사절을 이끄는 접속사 that이 적절하다.

3 비교 문화 연구는 우리에게 다른 문화의 사람들이 다른 문화적인 내용을 배운다는 것과 그들이 이것을 유사한 효율성을 갖고 성취한다는 것을 가르쳐 왔다. 전통적인 Hadza 사냥꾼은 대수학 지식이 동아프리카 목초지에서의 삶에 적응성을 특별히 향상시켜 주지 않기 때문에 그것을 학습하지 않았다. 그러나 그는 3일 동안 본 적이 없는 상처 입은 부시벅을 어떻게 추적하는지와 어디에서 지하수를 찾을 수 있는지를 알 것이다.
▶ ③ → because / 뒤에 「주어(such knowledge) + 동사(would not particularly enhance)」의 절이 오므로 부사절 접속사 because로 고쳐야 한다.

1 ③　**2** ④　**3** ③　**4** ②

1. 구문분석 및 직독직해

❶ When we read a number, / we are more influenced / by the
우리가 수를 읽을 때　　　　우리는 더 영향을 받는다
시간의 접속사(~할 때)+주어+동사+목적어　　　수동태
　　　　　　　　　　　　　　　　　┌ 지시대명사
leftmost digit than / by the rightmost, / since that is the order
가장 왼쪽 숫자에 의해　　가장 오른쪽보다　　　그것이 순서이기 때문이다
　　　　　비교급　　　　　　　　　　　　이유의 접속사+주어+동사+보어

[in which we read, and process, them].
우리가 그것들을 읽고 처리하는
전치사+관계대명사

❷ The number 799 feels significantly less than 800 / because
수 799가 800보다 현저히 작게 느껴진다　　　　　　　우리가 전자
　　　　　　　　열등 비교　　　　　　　　이유의 접속사

we see the former / as 7-something / and the latter /
(799)를 인식하기 때문에　　7로 시작하는 어떤 것으로 그리고 후자(800)를
+주어+동사+목적어　　　　　　　　　등위접속사

as 8-something, / whereas 798 feels pretty much like 799.
8로 시작하는 어떤 것으로　반면에 798은 799와 상당히 비슷하게 느껴진다
　　　　　　　　接속사 = while

❸ Since the nineteenth century, / shopkeepers have taken
19세기 이래　　　　　　　　　소매상인들은 이 착각을 이용해 왔다
전치사+명사구　　　　　　　　　　　　　　현재완료
　　　　　　　　　┌ by+-ing
advantage of this trick / by choosing prices / ending in a 9, /
가격을 선택함으로써　　9로 끝나는
　　　　　　　　　　　　　　　　　　└ 현재분사구

to give the impression [that a product is cheaper than it is].
인상을 주기 위해　　　　　　상품이 실제보다 싸다는
to부정사의 부사적 용법(목적)　동격의 접속사 that+주어+동사+보어

❹ Surveys show [that ⟨around a third to two-thirds / of all retail
연구는 보여 준다　　　1/3에서 2/3 정도가　　　모든 소매
　　　　　　　명사절 접속사(show의 목적절)　　주어 ⟨　⟩

prices⟩ now end in a 9].
가격의　　지금은 9로 끝난다는 것을
　　　　동사

❺ Though we are all experienced shoppers, we are still fooled.
우리가 모두 경험이 많은 소비자일지라도　　우리는 여전히 속는다
양보의 접속사+주어+동사+보어　　　　　　　　수동태

❻ In 2008, / researchers at the University of Southern Brittany
2008년에　Southern Brittany 대학의 연구자들이 관찰했다

monitored / a local pizza restaurant [that was serving / five types
　　　지역 피자 음식점을　　제공하고 있는　　　다섯 종류의
　　　　　　　　　　　ᗐ 주격 관계대명사　과거진행 시제

of pizza / at €8.00 each].
피자를　각각 8.00유로로에

❼ When one of the pizzas / was reduced / in price to €7.99,
피자 중 하나가　　　인하되었을 때,　　가격이 7.99유로로
시간의 접속사+주어+동사(수동태)

its share of sales / rose / from a third of the total to a half.
그것의 판매 점유율은　증가했다 전체의 1/3에서 1/2로
　　　　　　　　　from A to B: A에서 B까지

해석 우리가 수를 읽을 때 우리는 가장 오른쪽보다 가장 왼쪽 숫자에
의해 더 영향을 받는데, 그것이 우리가 그것들을 읽고 처리하는
순서이기 때문이다. 수 799가 800보다 현저히 작게 느껴지는 것
은 우리가 전자(799)를 7로 시작하는 어떤 것으로, 후자(800)
를 8로 시작하는 어떤 것으로 인식하기 때문인데, 반면에 798은
799와 상당히 비슷하게 느껴진다. 19세기 이래 소매상인들은 상
품이 실제보다 싸다는 인상을 주기 위해 9로 끝나는 가격을 선택
함으로써 이 착각을 이용해 왔다. 연구는 모든 소매 가격의 1/3에
서 2/3 정도가 지금은 9로 끝난다는 것을 보여 준다. 우리가 모두
경험이 많은 소비자일지라도, 우리는 여전히 속는다. 2008년에
Southern Brittany 대학의 연구자들이 각각 8.00유로로 다섯
종류의 피자를 제공하고 있는 지역 피자 음식점을 관찰했다. 피자
중 하나가 7.99유로로 가격이 인하되었을 때, 그것의 판매 점유
율은 전체의 1/3에서 1/2로 증가했다.

해설 (A) 뒤에 「주어 + 동사」의 절 that is the order가 오므로 부사
절 접속사 since가 적절하다.
(B) that 이하가 앞에 나온 the impression을 설명하고 있으므
로 동격의 that이 적절하다. 동격의 that 뒤에는 「주어 + 동사 ~」
의 완전한 형태의 절이 온다.
(C) 뒤에 「주어 + 동사」의 절 we are all experienced shoppers
가 오므로 부사절 접속사 though가 적절하다.

2. 구문분석 및 직독직해

❶ For several years / much research in psychology / was based /
수년 동안　　　심리학에서 많은 연구는　　　바탕을 두었다

on the assumption [that human beings are driven / by base
가정에　　　　　인간이 움직여진다는　　　저급한
be based on: ~에 근거하다　동격의 접속사 that+주어+동사(수동태)+by행위자

motivations / such as aggression, egoistic self-interest, and the
동기들에 의해　공격성, 이기적인 사육, 그리고 단순한 즐거움의 추구와 같은
　　　　　~와 같은　　　　　　　　　　　　　등위접속사

pursuit of simple pleasures].

❷ Since many psychologists began / with that assumption, /
많은 심리학자들이 출발했기 때문에　　　그 가정에서
이유의 접속사+주어+동사

they inadvertently designed / research studies [that supported
그들은 무심코 설계했다　　　　조사 연구를　　자신들의 가정을
　　　　　　　　　　　　　　　　　ᗐ 주격 관계대명사

their own presuppositions].
뒷받침하는

❸ Consequently, ⟨the view of humanity [that prevailed in
그 결과　　　인류에 대한 관점은　　　심리학에서 우세한
　　　　　　　　　　주어 ⟨　⟩　　ᗐ 주격 관계대명사
지시대명사

psychology]⟩ was that of a species [barely keeping its aggressive
　　　종이라는 관점이었다　그것의 공격적 성향을 가까스로 억제하고
　　　　동사 (= the view)　　ᗐ　현재분사구1

tendencies in check and managing to live in social groups / more
　　　　사회 집단 속에서 간신히 살아가고 있는
등위접속사(병렬구조) 현재분사구2

out of motivated self-interest / than out of a genuine affinity for
동기화된 사육에 의해　　　타인에 대한 진실한 친밀감
　　　　　　　　　more A than B = B라기 보다는 A (A와 B는 병렬구조)

others / or a true sense of community].
　　　혹은 진정한 공동체 의식보다

　　　　　　　　　　　　　　　　　　　　┌ (who were)
❹ ⟨Both Sigmund Freud and the early behaviorists [Vled by John
Sigmund Freud와 초기 행동주의자들 모두는　　　John B. Watson이 이끈
주어 ⟨　⟩　　　　　　　　　　　　　　　　　과거분사구

B. Watson]⟩ believed [that humans were motivated primarily / by
　　　　　믿었다 인간들이 주로 동기 부여되었다고
　　　　　명사절 접속사(believed의 목적절) 수동태 과거

selfish drives].
이기적인 욕구들에 의해

❺ From that perspective, / social interaction is possible / only by
그러한 관점에서　　　사회적 상호 작용은 가능하고
　　　　　　　　　　　　　　　　　　　　by+-ing: ~함으로써

exerting control over those baser emotions and, / therefore, /
더 저급한 그러한 감정들에 통제를 가함으로써만　　　그러므로

it is always vulnerable / to eruptions of violence, greed, and
그것은 항상 취약하다　　　폭력, 탐욕 그리고 이기심의 분출에
(= social interaction)

selfishness.

해석 수년 동안 심리학에서 많은 연구는 인간이 공격성, 이기적인 사
육 그리고 단순한 즐거움의 추구와 같은 저급한 동기들에 의해 움
직여진다는 가정에 바탕을 두었다. 많은 심리학자들이 그 가정에
서 출발했기 때문에 그들은 자신들의 가정을 뒷받침하는 조사 연
구를 무심코 설계했다. 그 결과, 심리학에서 우세한 인류에 대한
관점은 그것의 공격적 성향을 가까스로 억제하고, 타인에 대한 진
실한 친밀감 혹은 진정한 공동체 의식보다는 동기화된 사육에 의
해 사회 집단 속에서 간신히 살아가고 있는 종이라는 관점이었다.
Sigmund Freud와 John B. Watson이 이끈 초기 행동주의자
들 모두는 인간들이 주로 이기적인 욕구들에 의해 동기 부여되었
다고 믿었다. 그러한 관점에서 사회적 상호 작용은 더 저급한 그
러한 감정들에 통제를 가함으로써만 가능하고, 그러므로 그것은
폭력, 탐욕 그리고 이기심의 분출에 항상 취약하다.

해설 ④ → managing / 등위접속사 and에 의해 병렬구조를 이루도
록 앞의 keeping과 같은 형태인 현재분사 managing으로 고쳐
야 한다.

3. 구문분석 및 직독직해

❶ When you enter a store, / what do you see?
당신이 상점에 들어갈 때,　　무엇을 보게 되는가?
시간의 접속사　　　　　　　의문사

❷ It is quite likely [that you will see / many options and choices].
　　　　　　　　　당신은 보게 될 것이다　많은 선택 사항들과 선택지를
가주어　　　진주어

❸ It doesn't matter [whether you want to buy / tea, coffee, jeans,
중요하지 않다　　당신이 사고 싶어 하는가의 여부는　차, 커피, 청바지
가주어　　　진주어

or a phone].
혹은 전화기를

❹ In all these situations, / we are basically flooded / with options
이러한 모든 상황 속에서　　우리는 기본적으로 넘쳐나게 된다　선택 사항들로
　　　　　　　　　　　　　　　　　　　　　　　　　　선행사

[from which we can choose].
우리가 고를 수 있는
전치사+관계대명사

❺ What will happen / if we ask someone, / whether online or
무슨 일이 일어날까?　　만약 우리가 누군가에게 묻는다면 온라인이든
　의문사　　　　　　조건의 접속사 〈부사절〉

offline, [if he or she prefers having more alternatives or less]?
오프라인이든 더 많은 선택 사항을 선호하는지 더 적은 선택 사항을 선호하는지를
　　　　　접속사 if절 (명사절 = 목적절)　prefer+-ing: ~을 선호하다

❻ The majority of people will tell us [that they prefer having /
대다수의 사람들은 우리에게 말할 것이다　그들이 갖는 것을 선호한다
　　　　　　　　　　　　　　　명사절 접속사(tell의 목적절)

more alternatives].
더 많은 선택 사항을

❼ This finding is interesting / because, (as science suggests,) /
　　　　　　　　　　　　　〈부사절〉 이유의 접속사+주어+동사
이러한 발견은 흥미롭다　왜냐하면 ~이기 때문이다 과학이 보여 주듯이,
　　　　　　　　　　　　　　　　　　　　　　　　삽입

the more options we have, / the harder our decision making
선택의 폭이 더 넓어질수록　　우리의 의사 결정 과정은 더 어려워질 것이다
the+비교급　　　　　　　　　　　the+비교급

process will be.
❽ The thing is [that {when the amount of options exceeds / a
　　　　　　　　　　　　　　　〈부사절〉 시간의 접속사+주어+동사
중요한 점은 ~이다　　　　선택사항의 양이 넘어서면
　　　　　명사절 접속사(보어 역할)

certain level}, our decision making will start to suffer].
일정 수준을　　우리의 의사 결정이　　고통스러워지기 시작할 것이다
　　　　　　　〈주절〉 주어　　　　　동사

해석 당신이 상점에 들어갈 때, 무엇을 보게 되는가? 당신은 많은 선택 사항들과 선택지를 보게 될 것이다. 당신이 차, 커피, 청바지 혹은 전화기를 사고 싶어 하는가의 여부는 중요하지 않다. 이러한 모든 상황 속에서, 우리는 기본적으로 우리가 고를 수 있는 선택 사항들로 넘쳐나게 된다. 만약, 온라인이든 오프라인이든, 우리가 누군가에게 더 많은 선택 사항을 선호하는지 더 적은 선택 사항을 선호하는지를 묻는다면, 무슨 일이 일어날까? 대다수의 사람들은 그들이 더 많은 선택 사항을 갖는 것을 선호한다고 우리에게 말할 것이다. 이러한 발견은 흥미로운데 왜냐하면, 과학이 보여 주듯이, 선택의 폭이 더 넓어질수록, 우리의 의사 결정 과정은 더 어려워질 것이기 때문이다. 중요한 점은 선택 사항의 양이 일정 수준을 넘어서면, 우리의 의사 결정이 고통스러워지기 시작할 것이라는 점이다.

해설 ③ → if(whether) / 문맥상 '~인지 아닌지'라는 의미의 ask의 목적어를 이끄는 접속사가 필요하다. 명사절 목적어를 이끄는 접속사 if 또는 whether로 고쳐야 한다.

4. 구문분석 및 직독직해

❶ We like to make a show of [how much our decisions are
우리는 보여 주고 싶다　　　우리의 결정이 얼마나 많이 근거하는지
　　　　　　　　　　　간접의문문 = 명사절 (목적절)

based / on rational considerations], but the truth is [that we are
　　이성적 고려에　　　　　　　하지만 진실은 ~이다　우리는
　　　　　　　　　　　　　　　　　　　접속사(보어 역할)

largely governed / by our emotions, {which continually influence /
주로 지배당하고 있다　우리의 감정에 의해　그리고 이것은 계속적으로 영향을 준다
　　　　　　　　　　「by+행위자」　　계속적 용법의 관계대명사

our perceptions}].
우리의 인지에
　　　　　　　　　　　　　　접속사(보어 역할)
❷ [What this means] is [that the people around you, /
이것이 의미하는 것은 ~이다　여러분의 주변 사람들이
선행사를 포함하는 관계대명사 what+불완전한 절(목적어 없음)

constantly under the pull of their emotions, / change their ideas /
끊임없이 그들 감정의 끌어당김 아래에 있는　　　그들의 생각을 바꾼다.
　　　　　　　　　　　　　　　　　　　　　　that절의 동사

by the day or by the hour, / depending on their mood].
날마다 혹은 시간마다　　　그들의 기분에 따라
by the+시간 단위: ~마다　　분사구문

❸ You must never assume [that 〈what people say or do / in a
여러분은 가정해서는 안 된다　　　사람들이 말하거나 행동하는 것이
　　　　　　　　　接속사(명사절)　선행사를 포함하는 관계대명사 what

particular moment〉 is a statement of their permanent desires].
특정한 순간에　　　　그들의 영구적인 바람에 대한 진술이라고
〈　〉 주어　　　　　동사

❹ Yesterday / they were in love with your idea; today they seem
　어제　　　그들은 여러분의 생각에 완전히 빠져 있었지만 오늘 그들은
　　　　　　　　　　　　　　　　　　　　　　　seem+형용사

cold.
냉담해 보인다
　　　　　　　　　　　　　　　　　　　　　　미래시제
❺ This will confuse you / and if you are not careful, / you will
이것이 여러분을 혼란스럽게 할 것이다 그리고 만약 여러분이 조심하지 않는다면
　　　　　　　　　　　　　　조건의 접속사 〈부사절〉 – 현재시제

waste / valuable mental space / trying to figure out / their real
허비할 것이다 소중한 정신적 공간을　　　알아내려고 노력하는 데　그들의 실제
waste+A+(in) -ing: ~하는 데 A를 낭비하다　　　　　　　목적어1

feelings, / their mood of the moment, and their fleeting
감정,　그 순간 그들의 기분　　그리고 그들의 빠르게 지나가는
　　　　　목적어2　　　　　등위접속사　목적어3

motivations.
열의
❻ It is best to cultivate / both distance and a degree of
기르는 것이 최선이다　　거리감과 어느 정도의 분리감 둘 다를
가주어　　진주어　　　both A and B: A와 둘 다

detachment / from their shifting emotions / so that you are not
　　　　　그들의 변화하는 감정들로부터　　　여러분이 사로잡히지
　　　　　　　　　　　　　　　　　　　　목적을 나타내는 접속사

caught up / in the process.
않도록 하기 위해서는　그 과정에
수동태 부정

해석 우리는 우리의 결정이 얼마나 많이 이성적 고려에 근거하는지 보여 주고 싶지만, 진실은 우리는 우리의 감정에 의해 주로 지배당하고 있고, 이것은 계속적으로 우리의 인지에 영향을 준다. 이것이 의미하는 것은 끊임없이 그들 감정의 끌어당김 아래에 있는 여러분의 주변 사람들이 날마다 혹은 시간마다 그들의 기분에 따라 그들의 생각을 바꾼다는 것이다. 여러분은 사람들이 특정한 순간에 말하거나 행동하는 것이 그들의 영구적인 바람에 대한 진술이라고 가정해서는 안 된다. 어제 그들은 여러분의 생각에 완전히 빠져 있었지만, 오늘 그들은 냉담해 보인다. 이것이 여러분을 혼란스럽게 할 것이고, 만약 여러분이 조심하지 않는다면, 여러분은 그들의 실제 감정, 그 순간 그들의 기분, 그들의 빠르게 지나가는 열의를 알아내려고 노력하는 데 소중한 정신적 공간을 허비할 것이다. 여러분이 그 과정에 사로잡히지 않도록 하기 위해서는 그들의 변화하는 감정들로부터 거리감과 어느 정도의 분리감 둘 다를 기르는 것이 최선이다.

해설 (A) 뒤에 완전한 형태의 절이 오므로 보어 역할을 하는 명사절을 이끄는 접속사 that이 적절하다.
(B) unless는 '만약 ~이 아니면'이라는 뜻의 접속사로, 단어 자체에 부정의 의미를 포함하기 때문에 not과 함께 쓰지 않는다. 따라서 if (만약 ~라면)가 적절하다.
(C) 문맥상 '~하지 않기 위해'라는 뜻의 목적을 나타내는 부사절이므로 접속사 so that이 적절하다. in case는 '~을 대비해서, ~의 경우에'의 뜻이다.

어법 TEST 4 ː *서술형 내신* 어법훈련하기

pp. 116~117

1　**01** While / 이어지는 these can be로 보아 「주어 + 동사」의
절이 오므로 접속사 while이 적절하다.　**02** pushing
　03 If we don't, we risk extinction.

2　**01** that / know의 목적어가 필요하며, 뒤에 'these are not
~'의 「주어 + 동사 + 보어」의 완전한 문장 구조가 이어지므로
접속사 that이 와야 한다.　**02** that　**03** although you
will not know whether you encountered his name

---

1. 구문분석 및 직독직해

❶ [What we need / in education] is not measurement,
우리가 필요한 것은　교육에서　　　측정, 책무성, 또는 표준이 아니다
선행사를 포함하는 관계대명사 what+불완전한 절

accountability, or standards.

❷ While these can be useful tools / for improvement, /
이러한 것들은 유용한 도구가 될 수 있지만　향상을 위한
양보의 접속사 〈부사절〉

they should hardly occupy / center stage.
이러한 것들이 차지해서는 안 된다　중심적인 위치를
〈주절〉　　　부정어 부사(거의 ~않다)

❸ Our focus should instead be / on making sure [∨we are giving
그 대신에 우리의 초점을 맞추어야 한다　보장하는 데　　우리가 우리의
　　　　　　　　　　　　　　　　　　　　　　　┌ 접속사 that

our youth an education {that is going to arm them / to save
아이들에게 교육을 제공하는 것을 그들을 준비시킬　　　　지키도록
선행사　　　주격 관계대명사

humanity}].
인류를

❹ We are faced with unprecedented perils, / and these perils
우리는 전례 없는 위기에 직면해 있다　　　　　그리고 이 위기들은
　　　　　　　　　　　　　　　　　　　　　등위접속사
　　　　　┌ (are) 생략
are multiplying and ∨pushing at our collective gates.
증가하고 있다　　　　　　우리 공동체의 문을 밀어 붙이고 있다
현재분사1 등위접속사 현재분사2
help(준사역동사)+O+동사원형/to부정사

❺ We should be bolstering curriculum [that helps / young people /
우리는 교육과정을 강화해야 한다　　　도움을 주는　우리의 아이들이
　　　　　　　　　　　　　　　　　　주격 관계대명사

mature into ethical adults {who feel a responsibility / to the global
도덕적인 인간으로 성숙해지도록　책임감을 느끼는　　　지구 공동체에
　　　　　　　　　　　　　　　주격 관계대명사

community}].

❻ Without this sense of responsibility / we have seen [that
이러한 책임감 없이　　　　　　　　　　　우리는 보아 왔다
　　　　　　　　　　　　　　　　　　　　　명사절 접속사

many talented individuals / give in to their greed and pride, /
많은 재능이 있는 개인들이　　　그들의 탐욕과 자만심에 굴복한다
　　　　　　　　　　　　　give in to: ~에 굴복하다

and this destroys economies, ecosystems, and entire species].
그리고 이것이 경제, 생태계, 그리고 전체 종을 파괴한다
등위접속사

❼ While we certainly should not abandon / effort [to develop
우리는 정말 단념해서는 안 되지만　　　　　　노력을　기준을 개발하려는
양보의 접속사　　　　　　　　　　　　　　　to부정사의 형용사적 용법
　　　　　　　　　　　　　　　　　　　　　　　┌ (to)
standards / in different content areas, / and also strengthen the
다양한 내용 영역에서　　　　그리고 또한 STEM 과목들을
　　　　　　　　　　　　　　등위접속사 to develop과 병렬구조

STEM subjects], we need to take seriously / our need for an
강화하려는　　　　　우리는 진지하게 받아들여야 한다　교육에 대한 우리의

education / centered on global responsibility.
필요성을　지구 공동체 책임감에 중점을 둔
　　　　　└ 과거분사구

---

❽ If we don't, / we risk extinction.
그렇지 않으면,　우리는 멸종의 위험에 놓이게 된다
= If you don't take seriously our need ~ global responsibility,

해석　교육에서 우리가 필요한 것은 측정, 책무성, 또는 표준이 아니
다. 이러한 것들은 향상을 위한 유용한 도구가 될 수 있지만, 이
러한 것들이 중심적인 위치를 차지해서는 안 된다. 그 대신에 우
리는 우리의 아이들에게 인류를 지키도록 그들을 준비시킬 교육
을 제공하는 것을 보장하는 데 초점을 맞추어야 한다. 우리는 전
례 없는 위기에 직면해 있고, 이 위기들은 증가하고 있으며 우리
공동체의 문을 밀어붙이고 있다. 우리는 우리의 아이들이 지구 공
동체에 책임감을 느끼는 도덕적인 인간으로 성숙해지는 것에 도
움을 주는 교육과정을 강화해야 한다. 우리는 많은 재능이 있는
개인들이 이러한 책임감 없이 그들의 탐욕과 자만심에 굴복하는
것, 그리고 이것이 경제, 생태계, 그리고 전체 종을 파괴하는 것을
보아 왔다. 우리는 다양한 내용 영역에서 기준을 개발하고, 또한
STEM 과목들을 강화하려는 노력을 정말 단념해서는 안 되지만,
우리는 지구 공동체 책임감에 중점을 둔 교육에 대한 우리의 필요
성을 진지하게 받아들여야 한다. 그렇지 않으면, 우리는 멸종의
위험에 놓이게 된다.

해설　**01** 뒤에 「주어 + 동사」 형태의 절이 오므로 접속사 while이 적절
하다. while은 '~인 데 반하여'의 의미로 양보를 나타내는 부
사절을 이끈다.
　02 등위접속사 and에 의해 병렬구조를 이루도록 앞의 multiplying
과 같은 형태인 현재분사 pushing으로 고쳐야 한다.
　03 '만약 ~라면'이라는 뜻으로 조건을 나타내는 부사절을 이끄
는 접속사 if가 문두에 오도록 쓴다.

---

2. 구문분석 및 직독직해

❶ David Stenbill, / Monica Bigoutski, / Shana Tirana.
David Stenbill, Monica Bigoutski, Shana Tirana

❷ I just made up / these names.
나는 방금 지어냈다　이 이름들을

❸ If you encounter / any of them / within the next few minutes, /
만약 여러분이 접한다면　이 이름들 중 어떤 이름을　앞으로 몇 분 이내에
조건의 접속사 〈부사절〉

you are likely to remember [where you saw them].
여러분은 아마도 기억해낼 수 있을 것이다 어디서 그 이름들을 봤는지를
　　　　　　　　　　　　　remember의 목적어절 〈간접의문문〉 의문사+주어+동사

❹ You know, / and will know for a while, [that these are not /
여러분은 알고 있다 그리고 잠시 동안은 알고 있을 것이다　이들이 아니라는 것을
등위접속사　　　　　　　　　　　　　　　　　명사절 접속사(목적어 역할)

the names of minor celebrities].
덜 유명한 사람의 이름이

❺ But suppose [that a few days from now / you are shown / a
그러나 가정해 보자 지금부터 며칠 후에　　　여러분들에게 보여 준다고
　　　　　　　명사절 접속사

long list of names, / including those of some minor celebrities
긴 이름 목록을　　　덜 유명한 사람의 이름을 포함한
　　　　　　　　　　└ 전치사구

and "new" names of people [that you have never heard of]; your
그리고 사람들의 '새로운' 이름을　여러분이 한 번도 듣지 못한
등위접속사　　　　　　　　　　　목적격 관계대명사

task will be to check / every name of a celebrity / on the list.
여러분의 임무는 체크하는 것이다 유명인의 모든 이름을　　그 목록 속에 있는
　　　　　　　　to부정사 명사적 용법 (보어)

❻ There is a substantial probability [that you will identify David
높은 가능성이 있다　　　　　　　　　　여러분이 David Stenbill을 인식할
　　　　　　　　　　　　　　　　　　　　동격의 that

Stenbill / as a well-known person, / although you will not know
유명한 사람으로　　　　　　　　　비록 여러분이 모른다 하더라도
　　　　　　　　　　　　　　　　　양보의 접속사 〈부사절〉

{whether you encountered his name / in the context of movies,
여러분이 그의 이름을 접했는지   영화, 스포츠 또는 정치 상황에서
know의 목적어절을 이끄는 명사절 접속사

sports, or politics}].

❼ How does this happen?
어떻게 이러한 일이 발생할까?

┌〈간접의문문〉 의문사+주어+동사
❽ Start / by asking yourself [how you know {whether or not
시작하라 자문함으로써   어떻게 당신이 알게 되었는지를
명령문   재귀용법 (asking의 주체와 동일)   know의 목적어절

someone is famous}].
누군가가 유명한지 아닌지를

❾ In some cases of truly famous people, / you have a mental
진짜 유명한 사람들의 경우에   여러분은 머릿속 파일을
                        부사 ↘

file / with rich information / about a person — think Albert Einstein,
가지고 있다 풍부한 정보로 채워진 그 사람에 대한   Albert Einstein
                                        명령문

Michael Jackson, or Hillary Clinton.
Michael Jackson, Hillary Clinton을 생각해 보라

❿ But you will have no file of information / about David Stenbill
하지만 여러분은 어떠한 정보 파일도 갖고 있지 않을 것이다 David Stenbill에 대한

if you encounter his name / in a few days.
여러분이 그의 이름을 마주한다 해도 며칠 후에
양보의 접속사 〈부사절〉

┌ (that) 목적격 관계대명사 생략
⓫ All [you will have] is a sense of familiarity.
여러분이 갖고 있는 전부는 친숙함의 느낌이다
주어   동사

해석 David Stenbill, Monica Bigoutski, Shana Tirana. 나는 방금 이 이름들을 지어냈다. 만약 여러분이 앞으로 몇 분 이내에 이 이름들 중 어떤 이름을 접한다면, 여러분은 아마도 그 이름들을 어디서 봤었는지를 기억해낼 수 있을 것이다. 여러분은 이들이 덜 유명한 사람의 이름이 아니라는 것을 알고 있고, 잠시 동안은 알고 있을 것이다. 그러나 지금부터 며칠 후에, 여러분들에게 덜 유명한 사람의 이름과 한 번도 듣지 못한 이들의 '새로운' 이름을 포함한 긴 이름 목록을 보여 준다고 가정해 보자; 여러분의 임무는 그 목록 속에 있는 모든 유명인의 이름을 체크하는 것이다. 비록 여러분이 그의 이름을 영화, 스포츠 또는 정치 상황에서 접했는지 모른다 하더라도, 여러분은 David Stenbill을 유명한 사람으로 인식할 가능성이 높다. 이러한 일이 어떻게 발생할까? 당신이 누군가가 유명한지 아닌지를 어떻게 알게 되었는지를 자문함으로써 시작하라. 진짜 유명한 사람들의 경우, 여러분은 그 사람에 대한 풍부한 정보로 채워진 머릿속 파일을 가지고 있다 — Albert Einstein, Michael Jackson, Hillary Clinton을 생각해 보라. 하지만 여러분이 David Stenbill의 이름을 며칠 후에 마주한다 해도, 여러분은 그에 대한 어떠한 정보 파일도 갖고 있지 않을 것이다. 여러분이 갖고 있는 전부는 친숙함의 느낌이다.

해설 O1 선행사가 없고 뒤에 완전한 형태의 절이 오므로 명사절을 이끄는 접속사 that으로 고쳐야 한다.

O2 앞의 probability를 설명하는 동격의 접속사 that이 적절하다. 뒤에 「주어 + 동사 + 목적어」의 완전한 명사절이 이어지므로 관계대명사 which는 올 수 없다. which가 이끄는 절은 선행사를 수식하는 형용사절이다.

O3 양보의 부사절을 이끄는 접속사 although, '~인지 아닌지'라는 뜻의 명사절을 이끄는 접속사 whether 다음에 각각 「주어 + 동사」 형태의 절이 오는 것에 유의한다.

Unit 09 명사와 대명사

어법 기본 다지는 *Basic Grammar*　　p. 121

명사　**1** information　**2** Consumers　**3** few　**4** a few
대명사　**1** yourself, 재귀대명사 / your, 인칭대명사　**2** One, 부정대명사 / the other, 부정대명사　**3** that, 지시대명사

기출문장으로 *실전어법* 개념잡기 1, 2　　p. 123

1 bread　**2** little　**3** tortillas and beans　**4** any
5 many, it　**6** mine　**7** they, their　**8** them

1 만약 당신이 빵 한 덩어리를 원하고 교환하기 위해 가지고 있는 전부가 새 자동차뿐이라면 어떤 일이 일어날까?
▶ bread는 셀 수 없는 명사로 복수형이 없으며, 빵의 측정 단위인 a loaf of를 사용하여 양을 셀 수 있다.

2 오류를 포함하는 어떤 원고도 출판을 위해 받아들여질 가능성이 거의 없다.
▶ chance는 문장에서 셀 수 없는 명사로 쓰였으므로 '거의 없는'의 뜻을 가진 수량 형용사 little이 적절하다.

3 그들은 흔히 많은 토르티야와 콩을 먹어서 충분한 단백질을 섭취하며 배부를 때까지 먹는다.
▶ plenty of는 '많은'의 의미로 셀 수 있는 명사, 셀 수 없는 명사 모두 수식 가능하다. tortilla와 bean과 같이 셀 수 있는 명사는 명사 뒤에 -(e)s를 붙여 복수형을 만든다.

4 제 수업 시간표를 넣었는데 당신이 가능한 어느 시간이든 당신을 위해 준비할 수 있을 것입니다.
▶ time은 셀 수 없는 명사이므로 few가 수식할 수 없고, any는 셀 수 있는 명사, 셀 수 없는 명사 모두 수식할 수 있다.

5 당신은 많은 다른 방법으로 파이를 자를 수 있었지만, 그것은 절대 조금도 더 커지지 않았다.
▶ ways는 셀 수 있는 명사의 복수형이므로 수량 형용사로 many가 적절하다. / the pie를 받는 단수 대명사 it이 적절하다.

6 그녀의 관점은 내 관점과 달랐고, 그 결과 교실의 설계도가 달라졌다.
▶ be different from으로 연결되는 두 대상이 동일한 형태가 되려면 her point of view에 대응하는 대명사가 필요하다. 따라서 my point of view의 의미를 나타내는 소유대명사 mine이 적절하다.

7 성인들은 그들이 혼자 있든지 혹은 다른 사람에 의해 관찰되든지 상관없이 유사한 방식으로 행동했다.
▶ 대명사는 가리키는 대상과의 성, 수, 격, 인칭을 일치시켜야 한다. adults를 받는 대명사로 각각 they, their가 적절하다.

8 8세 아이들은 겉모습과 같은, 맛과 관계없는 마시멜로의 측면들에 집중했는데, 이것이 그들이 기다리는 데 도움을 주었다.
▶ the 8-year-olds를 받는 대명사의 목적격이 필요하므로 them이 적절하다.

기출문장으로 *실전어법* 개념잡기 3, 4　　p. 125

1 it　**2** ones　**3** those　**4** others　**5** themselves, themselves　**6** herself　**7** them　**8** himself

1 컴퓨터가 여러분의 글을 읽는 것을 듣는 것은 여러분이 그것을 직접 읽는 것과는 매우 다른 경험이다.
▶ your writing을 지칭하는 인칭대명사 it이 적절하다.

2 당신이 사랑하는 사람들의 안전뿐만 아니라, 당신의 안전도 생각해봐야 한다.
▶ 문맥상 '당신이 사랑하는 사람들'의 의미이므로 불특정 다수를 지칭하는 ones가 적절하다.

3 2017년에, 관광업이 남미에서 571만 개의 일자리를 직접적으로 제공했고, 이것은 2017년의 오세아니아의 그것보다 여섯 배가 넘었다.
▶ 복수 명사 jobs를 대신하는 지시대명사로 those가 적절하다.

4 어떤 문화의 사람은 빠른 학습자이고 다른 문화의 사람은 느린 학습자라는 것을 보여 주는 증거는 없다.
▶ some cultures와 호응하는 말인 other cultures를 받는 부정대명사 others가 적절하다.

5 6세 아이들은 기다리면 더 많은 과자를 얻게 될 거라고 자신에게 상기시키며, 혼잣말을 하고 노래를 흥얼거렸다.
▶ 주어 the 6-year-olds와 목적어가 같은 대상이므로 재귀대명사 themselves가 적절하다.

6 7학년 후 여름, Sloop은 재능이 있는 아이들을 위한 캠프에 참가했고 합창단에 참여하여 자신을 놀라게 했다.
▶ 문맥상 '자신을 놀라게 했다'는 의미이므로 재귀대명사 herself가 적절하다.

7 그들은 행복하게 재결합했고, Harris는 이제 그들과의 관계를 위해 노력하고 있다.
▶ 문맥상 주어 Harris가 재결합한 대상인 '그들'과의 관계를 위해 노력하는 것이므로 인칭대명사 them이 적절하다.

8 Mondrian은 자신의 검정색 선이 그려진 격자무늬를 채우기 위해 대개 빨강, 노랑, 그리고 파랑의 3원색으로 스스로를 제한했다.
▶ 문맥상 '스스로를 제한했다'는 의미이므로 재귀대명사 himself가 적절하다.

어법 TEST 1 *문장* 어법훈련하기　　p. 126

1 a few　**2** themselves　**3** the other　**4** a great deal of
5 it　**6** yours (your company)　**7** its, ○

1 정상적인 체온보다 몇 도라도 높거나 낮을 때 우리의 효소들은 적절히 기능할 수 없다.
▶ degree는 '도, 정도'라는 뜻으로 셀 수 있는 명사이므로 수를 나타내는 a few가 적절하다.

2 그러나, 건축가들은 그러한 건물들의 거주자들이 어떻게 자신들을 보여 주는지 또는 서로를 어떻게 바라보는지를 통제하지는 않는다.
▶ present의 목적어가 주어(residents)와 일치하므로 재귀대명사 themselves가 적절하다.

3 그들이 그곳에 도착했을 때, 그 농부는 밧줄의 한쪽 끝은 차에, 다른 한쪽은 당나귀에 묶었다.
▶ '(둘 중) 하나는 ~ 나머지 하나는 …'을 뜻할 때 「one ~ the other …」를 쓴다.

4 우리는 이전에 고통스럽게 박탈감에 노출되었을 때 우리를 대단하다고 보는 많은 관심의 필요를 느낀다.
▶ attention은 셀 수 없는 명사이므로 양을 나타내는 a great deal of가 적절하다.

5 어떤 것을 크게 말하는 것은 단지 그것을 생각하는 것보다 더 강력한 기억을 만든다.
▶ 특정한 대상인 something을 지칭하는 대명사 it을 써야 한다.

6 만약 당신이 다른 회사에 인맥을 가지고 있다면, 당신은 당신의 인맥이 그 회사가 당신의 회사와 함께 사업을 하도록 하거나 경쟁자를 피하도록 하게끔 요청할 수 있다.
▶ 문맥상 your company의 의미이므로 소유대명사 yours로 써야 한다.

7 물로 가득 찬 욕조의 고양이는 그것과의 접촉을 최소화하려고 노력하면서 고체와 매우 유사하게 행동할 것이다.
▶ 주어가 a cat이므로 적절한 소유격은 its이다. / water를 받는 대명사로 it이 적절하게 쓰였다.

어법 TEST 2 *짧은 지문* 어법훈련하기　　p. 127

1 (A) a number of (B) much　**2** (A) you (B) the other
3 ③

1 그리고, 무질서한 환경이 창조성을 만들어 낸다는 생각에서부터 너무 많은 어질러짐이 집중을 방해할 수 있다는 생각에 이르기까지, 많은 수의 연구가 당신의 책상의 상태가 당신이 어떻게 일하는지에 영향을 끼칠 수도 있다는 것을 시사한다.
▶ (A) 동사가 복수 동사인 suggest이므로 '많은 수의'를 뜻하는 a number of가 적절하다. the number of는 '~의 수'라는 뜻으로 단수 동사가 와야 한다.
(B) mess가 '어질러짐'이라는 뜻의 셀 수 없는 명사로 쓰였으므로 much가 적절하다.

2 당신의 예산에 관해 생각하는 것은 당신의 손바닥에 땀이 나게 할 수도 있고, 또는 당신이 지난번에 치킨 누들 수프를 먹었던 것에 대해

생각하며 또는 당신의 입에서 군침이 돌 수도 있고, 또는 또 다른 수프의 과도한 크림 같음에 주목하는 것이 당신의 속을 불편하게 만들지도 모른다. 당신은 하나의 수프로, 그런 다음 또 다른 수프로 당신의 경험을 시뮬레이션 해본다.

▶ (A) 「give + 간접목적어 + 직접목적어」로 쓰인 4형식 구문에서 간접목적어가 주어인 noting ~ soup와 일치하지 않으므로 목적격 인칭대명사 you가 적절하다.
(B) one ~, the other …: 하나는 ~, 나머지 하나는 …

3 Newton 그 자신이 "만약 내가 다른 사람들보다 더 멀리 보았다면 그것은 내가 거인들의 어깨 위에 섰기 때문이다."라고 썼을 때 이러한 흘러가는 현실을 인정하였다. Newton과 Leibniz는 본질적으로 동시대에 그들의 뛰어난 통찰력을 제시했는데 왜냐하면 그것은 이미 알려진 것으로부터의 큰 도약은 아니었기 때문이었다. 모든 창의적인 사람들은, 심지어 천재라고 여겨지는 사람들조차, 천재가 아닌 사람으로 시작하여 거기에서부터 아기 걸음마를 뗀다.

▶ ③ → their / 주어인 Newton and Leibniz와 수를 일치시켜 their로 써야 한다.

어법 TEST 3 기출 유형 어법훈련하기

pp. 128~129

1 ①   2 ③   3 ⑤   4 ③

1. 구문분석 및 직독직해

❶ We have to recognize [that there always exists in us /
우리는 인식해야 한다   우리 안에 항상 존재한다는 것을
　　　　　　　　接续词(명사절) there 도치구문 동사

the strongest need / to utilize *all* our attention].
가장 강렬한 욕구가   우리의 '모든' 주의력을 활용하려는
the+최상급   주어   형용사적 용법

❷ And this is quite evident / in the great amount of displeasure
그리고 이것은 꽤 명백해진다   엄청난 양의 불쾌감에서
　　　　　　　　　　　　　　　　셀 수 없는 명사(선행사)

┌ (관계대명사 생략) ┌ (관계부사 when 생략)
[we feel / any time the entirety of our capacity for attention is
우리가 느끼는   우리의 주의력의 용량 전체가 사용되지 않고 있을 때마다

not being put to use].
현재진행 수동태 부정형(be동사+not+being+p.p.)

❸ When this is the case, / we will seek to find outlets / for
이런 경우가 되면   우리는 배출구를 찾으려 할 것이다

our unused attention.
사용되지 않은 주의력의
　　과거분사

❹ If we are playing a chess game / with a weaker opponent, /
만약 우리가 체스 게임을 하고 있다면   더 약한 상대와
接续词(부사절/조건) - 현재시제(진행)   비교급

we will seek to supplement this activity / with another : / such as
우리는 이 활동을 보충하려 할 것이다   또 다른 것으로
미래시제   부정대명사   ~와 같은

watching TV, or listening to music, / or playing another chess
TV 시청이나 음악 감상   또는 동시에 다른 체스 게임 하기와 같은
　　　　　　　　　　　　　　　　부정대명사

game at the same time.
　　　동시에

❺ Very often this reveals itself / in unconscious movements, /
이것은 매우 자주 스스로를 드러내며   무의식적인 움직임들로
　　　　　　　　목적어(재귀대명사)

such as playing with something in one's hands / or pacing around
자기 손 안의 무언가를 가지고 놀거나   방을 돌아다니는 것과 같은
~와 같은 명사1   동명사2 (병렬구조)

the room; / and if such an action also serves / to increase pleasure
그리고 만약 그런 행동이 또한 도움이 된다면   기쁨을 증가시키거나
接续词(부사절/조건)

┌ (to)
or relieve displeasure, / all the better.
불쾌감을 덜어주는 데   더할 나위 없이 좋을 것이다
병렬구조

해석 우리는 우리의 '모든' 주의력을 활용하려는 가장 강렬한 욕구가 우리 안에 항상 존재한다는 것을 인식해야 한다. 그리고 이것은 우리 주의력의 용량 전체가 사용되지 않고 있을 때마다 우리가 느끼는 엄청난 양의 불쾌감에서 꽤 명백해진다. 이런 경우가 되면, 우리는 사용되지 않은 주의력의 배출구를 찾으려 할 것이다. 만약 우리가 더 약한 상대와 체스 게임을 하고 있다면, 우리는 이 활동을 또 다른 것, 즉 TV 시청이나 음악 감상, 또는 동시에 다른 체스 게임 하기와 같은 것으로 보충하려고 할 것이다. 이것은 자기 손 안의 무언가를 가지고 놀거나 방을 돌아다니는 것과 같은 무의식적인 움직임들로 매우 자주 스스로를 드러내며, 만약 그런 행동이 기쁨을 증가시키거나 불쾌감을 덜어주는 데에도 또한 도움이 된다면 더할 나위 없이 좋을 것이다.

해설 (A) the great amount of가 셀 수 없는 명사를 수식하고, displeasure는 셀 수 없는 명사로 복수형으로 쓸 수 없다.
(B) 체스 게임 외 '또 다른' 행동을 말하고 있으므로 another가 알맞다.
(C) 주어가 this이므로 목적어 자리의 재귀대명사로 단수형인 itself가 알맞다.

2. 구문분석 및 직독직해

❶ "Survivorship bias" / is a common logical fallacy.
'생존 편향'은   흔한 논리적 오류이다

❷ We're prone to listen to the success stories / from survivors
우리는 성공담을 듣는 경향이 있다   생존자들의
~하는 경향이 있는

┌ 부정대명사
/ because the others aren't around to tell the tale.
왜냐하면 다른 이들은 주변에 남아 이야기를 해 줄 수 없기 때문이다
接续词(부사절/이유)

❸ A dramatic example from history / is the case of / statistician
역사상 극적인 예는   ~의 경우이다   통계학자

Abraham Wald [who, during World War II, / was hired by
Abraham Wald   2차 세계대전 동안   미국 공군에 의해 고용된
　　　　　　주격 관계대명사   삽입어구   수동태

the U.S. Air Force / to determine / how to make / their
미국 공군   결정하기 위해   만들 수 있는 방법을
　　　　　　부사적 용법(목적)   how+to부정사: ~하는 방법

bomber planes / safer].
그들의 폭격기를   더 안전하게
make+목적어+형용사: ~을 …하게 만들다

❹ The planes [that returned] tended to have bullet holes /
살아 돌아온 비행기는   총알 자국을 갖고 있는 경향이 있었다
　　주어1   주격 관계대명사   동사1

along the wings, body, and tail, / and commanders wanted to
날개, 본체, 그리고 꼬리 부분을 따라   그리고 지휘관들은 이 부분들을
　　　　　　　　　　　　　　　　　　주어2   동사2

reinforce those areas / because they seemed to get hit /
강화하기를 원했다   그 부분들이 총알을 맞는 부분인 것처럼 보였기 때문에
　　　　　　　　　　= those areas

most often.
가장 자주

❺ Wald, however, saw [that the important thing was {that
그러나 Wald는 알게 되었다　중요한 것은 ~였다는 것을
　　　접속사(명사절=목적어)　　　　접속사(명사절=보어)

these bullet holes had not destroyed the planes}, and {what
이 총알 구멍들이 비행기를 파괴한 것이 아니었다
주어　　　　　동사 과거완료(had+p.p.)　　　관계대명사(주어)

needed more protection} were the areas {that were not hit}].
더 보호해야 할 것은　　　　부분이었다　　(총알을) 맞지 않은
　　　　　동사　　　　　ㄴ 주격 관계대명사

❻ Those were the parts [where, if a plane was struck by
그것들은 ~한 부분들이었다　　만약 비행기가 총알을 맞았다면
　　　　관계부사　삽입절　수동태

a bullet, / it would never be seen again].
다시는 그것(비행기)을 볼 수 없게 했을
= a plane 조동사 수동태 부정형

❼ His calculations based on that logic / are still in use today, /
그 논리에 기초한 그의 계산은　　　오늘날에도 여전히 사용되며
주어　　ㄴ 과거분사구　　　　동사

and they have saved many pilots.
그것은 많은 조종사들의 목숨을 구했다
= his calculations

해석 '생존 편향'은 흔한 논리적 오류이다. 우리는 생존자들의 성공담을 듣는 경향이 있는데, 왜냐하면 다른 이들은 주변에 남아 이야기를 해 줄 수 없기 때문이다. 역사상 극적인 예는 2차 세계대전 동안 폭격기를 더 안전하게 만들 수 있는 방법을 결정하기 위해 미국 공군에 의해 고용된 통계학자 Abraham Wald의 경우이다. 살아 돌아온 비행기는 날개, 본체, 그리고 꼬리 부분을 따라 총알 자국을 갖고 있는 경향이 있었고, 그 부분들이 가장 총알을 자주 맞는 부분인 것처럼 보였기 때문에 지휘관들은 이 부분들을 강화하기를 원했다. 그러나 Wald는 중요한 것은 이 총알 구멍들이 비행기를 파괴한 것이 아니며, 더 보호해야 할 것은 (총알을) 맞지 않은 부분이라는 것을 알게 되었다. 그것들은 만약 비행기가 총알을 맞았다면 다시는 그것(비행기)을 볼 수 없게 했었던 부분들이었다. 그 논리에 기초한 그의 계산은 오늘날에도 여전히 사용되며, 그것은 많은 조종사들의 목숨을 구했다.

해설 ③ → they / 앞에 나온 those areas를 가리키는 대명사이므로 복수형 they로 고쳐야 한다.

3. 구문분석 및 직독직해

❶ Although instances occur [in which partners start their
사례가 일어나기는 하지만　　　　파트너들이 그들의 관계를 시작하는
접속사(부사절/양보)　　　선행사　전치사+관계대명사

relationship / by telling everything about themselves / to each
자신에 관한 모든 것을 말함으로써　　　　서로에게
by+-ing: ~함으로써　　　재귀대명사(재귀 용법)

other], such instances are rare.
그러한 사례는 드물다

❷ In most cases, / the amount of disclosure / increases
대부분의 경우에　털어놓는 이야기의 양은　　증가한다

over time.
시간이 지나면서

❸ We begin relationships / by revealing relatively little about
우리는 관계를 시작한다　자신에 대해 비교적 거의 드러내지 않음으로써
　　　　　　　　　　　　　　거의 ~ 않다

ourselves; / then if our first bits of self-disclosure / are well
　　　　　그런 뒤 만약 우리가 처음에 조금 털어놓은 자신에 관한 이야기가
재귀대명사(재귀 용법) 접속사(부사절/조건)　　　　수동태

received / and bring on similar responses / from the other
잘 받아들여지고　비슷한 반응을 불러온다면　상대방으로부터도

person, / we're willing to reveal more.
우리는 기꺼이 더 많이 드러낸다
기꺼이 ~하다

---

❹ This principle is important / to remember.
이러한 원칙이 중요하다　　　기억하는 것이
　　　　　　　　　ㄴ 부사적 용법(형용사 수식)

❺ It would usually be a mistake / to assume [that the way
대개 잘못된 생각일 것이다　　　~라고 여기는 것은
가주어　　　　　　진주어　접속사(명사절)　ㄴ

to build a strong relationship / would be to reveal the most
확고한 관계를 형성하는 방법이　　가장 사적인 세부 사항을 드러내는 것이라고
형용사적 용법　　　　　　名사적 용법(보어)　최상급

private details / about yourself / when first making contact
　　　　자신에 관한　　　처음 교제할 때
재귀대명사(재귀 용법) 접속사+분사구문「주어+be동사」 생략

with another person].
또 다른 사람과

❻ Unless the circumstances are unique, / such baring of your
상황이 독특하지 않다면　　　　그와 같이 여러분의 마음을 드러내는 것은
접속사(조건: 만약 ~하지 않다면)　　　　동명사 주어

soul / would be likely to scare potential partners away /
파트너가 될 가능성이 있는 사람들을 놀라게 하여 쫓아버릴 가능성이 있다
~할 가능성이 있다

rather than bring them closer.
더 가까이 다가오게 하기보다는
~보다는　　　= potential partners

해석 파트너들이 자신에 관한 모든 것을 서로에게 말함으로써 관계를 시작하는 사례가 일어나기는 하지만, 그러한 사례는 드물다. 대부분의 경우에, 털어놓는 이야기의 양은 시간이 지나면서 증가한다. 우리는 자신에 대해 비교적 거의 드러내지 않음으로써 관계를 시작하고, 그런 뒤 우리가 처음에 조금 털어놓은 자신에 관한 이야기가 잘 받아들여지고 상대방으로부터도 비슷한 반응을 불러온다면, 우리는 기꺼이 더 많이 드러낸다. 이러한 원칙을 기억하는 것이 중요하다. 다른 사람과 처음 교제할 때 확고한 관계를 형성하는 방법이 자신에 관한 가장 사적인 세부 사항을 드러내는 것이라고 여기는 것은 대개 잘못된 생각일 것이다. 상황이 독특하지 않다면, 그와 같이 여러분의 마음을 드러내는 것은 파트너가 될 가능성이 있는 사람들을 더 가까이 다가오게 하기보다는 놀라게 하여 쫓아버릴 가능성이 있다.

해설 ⑤ → them / 앞에 나온 potential partners를 가리키는 목적격 대명사이고, 주어 such baring of your soul과 일치하지 않으므로 목적격 인칭대명사 them으로 고쳐야 한다.

4. 구문분석 및 직독직해

❶ Your story is [what makes you special].
당신의 이야기는 ~이다　　당신을 특별하게 만드는 것
　　　　　　　관계대명사(보어)　make+목적어+목적격보어(형용사)

❷ But the tricky part / is showing [how special you are /
그러나 까다로운 부분은　　보여 주는 것이다 당신이 얼마나 특별한지를
　　　　　　　　　　　동명사(보어)　간접의문문(목적어)

without talking about yourself].
당신 자신에 대한 이야기를 하지 않고
전치사+동명사　　　재귀대명사(재귀 용법)

❸ Effective personal branding / isn't about talking about
효과적인 퍼스널브랜딩은　　　당신 자신에 대해 이야기하는 것이 아니다
　　　　　　　　　　　　　　　　전치사+동명사

yourself / all the time.
　　　　항상
재귀대명사(재귀 용법)

❹ Although everyone would like to think [that friends and
모든 사람들은 ~라고 생각하고 싶겠지만　　　친구들과
접속사(부사절/양보)　　　　　접속사(명사절/목적어)

family / are eagerly waiting by their computers / hoping to hear
가족이　컴퓨터 옆에서 간절히 기다린다고　　　　소식을 듣기를 희망하며
　　　　　　　　　　　　　　　　分사구문(동시동작)

some news / about {what you're doing}], they're not.
당신이 무엇을 하고 있는지에 대한　그렇지 않다
　　　　　간접의문문

❺ Actually, / they're hoping [you're sitting by your computer,
사실　　　그들은 희망한다　　당신이 컴퓨터 옆에 앉아 있기를
　　　　　　　　　　　　　(접속사 that)

waiting for news about them].
그들에 대한 소식을 기다리며
분사구문(동시동작)

❻ The best way / to build your personal brand / is to talk
당신의 퍼스널브랜드를 구축하는 최선의 방법은　이야기를 더 많이 하는 것이다
　　　　　↳ 형용사적 용법　　　　　　　　명사적 용법(보어)

more / about other people, events, and ideas / than you talk /
다른 사람들, 사건들, 그리고 생각들에 대한　　　　이야기를 하는 것보다
비교급　　　　　　　　　　　　　　　　　　　than

about yourself.
당신 자신에 대한
　　　재귀대명사(재귀 용법)

❼ By doing so, / you promote / their victories and their ideas, /
그렇게 함으로써　당신은 홍보해 주고　다른 사람들의 성취와 생각을
by+-ing: ~함으로써

and you become an influencer.
당신은 영향력이 있는 사람이 된다

❽ You are seen as someone [who is not only helpful, /
당신은 사람으로 여겨진다　　　도움이 되는 사람일 뿐 아니라
　수동태　　　　　↳ 주격 관계대명사

but is also a valuable resource].
귀중한 자원이 되는
not only A but also B: A 뿐만 아니라 B도(= B as well as A)

❾ That helps your brand more / than if you just talk about
그것은 당신의 브랜드에 더 도움이 된다　　　당신이 당신 자신에 대해
　　　　　　　　　　비교급+than

yourself / over and over.
이야기하는 것보다　반복해서
재귀대명사(재귀 용법)

해석 당신의 이야기는 당신을 특별하게 만드는 것이다. 그러나 까다로운 부분은 당신 자신에 대한 이야기를 하지 않고 당신이 얼마나 특별한지를 보여 주는 것이다. 효과적인 퍼스널브랜딩은 항상 당신 자신에 대해 이야기하는 것이 아니다. 모든 사람들은 친구들과 가족이 당신이 무엇을 하고 있는지에 대한 소식을 듣기를 희망하며 컴퓨터 옆에서 간절히 기다린다고 생각하고 싶겠지만, 그렇지 않다. 사실, 그들은 당신이 그들에 대한 소식을 기다리며 컴퓨터 옆에 앉아 있기를 희망한다. 당신의 퍼스널브랜드를 구축하는 최선의 방법은 당신 자신에 대한 이야기를 하는 것보다 타인, (그들의) 사건들, 그리고 (그들의) 생각들에 대한 이야기를 더 많이 하는 것이다. 그렇게 함으로써, 당신은 다른 사람들의 성취와 생각을 홍보해 주고, 영향력이 있는 사람이 된다. 당신은 도움이 되는 사람일 뿐 아니라, 귀중한 자원이 되는 사람으로 여겨진다. 그것은 당신이 당신 자신의 이야기를 반복해서 하는 것보다 당신의 브랜드에 더 도움이 된다.

해설 (A) 주어 your story와 makes의 목적어가 같은 대상이 아니므로 목적격 대명사 you가 알맞다.
(B) news는 셀 수 없는 명사로 부정관사 a와 함께 쓸 수 없다
(C) 앞 문장의 other people을 가리키는 소유격 대명사이므로 복수형 their가 알맞다.

어법 TEST 4 : *서술형 내신* 어법훈련하기

pp. 130~131

1　01 one was clear and smooth, the other had fallen logs and other obstacles in the way　02 a little → a few / meters가 셀 수 있는 명사의 복수형　03 launched himself into the air

2　01 We work hard to urge ourselves　02 themselves → them / kids를 받는 목적격 대명사　03 우리는 우리 아이들이 그들의 방을 치우도록 시키려고 시도한다.

1. 구문분석 및 직독직해

❶ Two students met their teacher / at the start of a track /
두 제자는 그들의 스승과 만났다　　　　　길의 출발선에서

through a forest.
숲을 가로지르는

❷ He gave them instructions / to follow the path to its end, /
스승은 그들에게 지시했다　　　　　그 길을 끝까지 따라가라고
수여동사+IO+DO　　　　↳ 형용사적 용법

in preparation for a test / later in the week.
테스트를 위한 준비로　　　그 주의 후반에 있을

❸ The path split into two: / one was clear and smooth, /
길은 두 갈래로 갈라졌는데　　하나는 막힌 것이 없고 평탄했고
　　　　　　　　　　　　　　(둘 중) 하나

the other had fallen logs and other obstacles / in the way.
다른 하나는 쓰러진 통나무들과 다른 장애물들이 있었다　　길을 막고
나머지 하나　　　과거분사

❹ The student [who chose the easy path] finished first /
쉬운 길을 선택했던 제자가　　　　　　　먼저 마쳤고
　　　　주어　↳ 주격 관계대명사　　　　동사1

and felt proud of himself.
자신을 자랑스럽게 느꼈다
　　동사2　　재귀대명사(재귀 용법)

❺ The second student arrived / at the finish / feeling tired /
두 번째 제자는 도착했다　　　그 길의 끝에　　피곤함을 느끼며
　　　　　　　　　　　　　　　　　　　분사구문(동시동작)
　　　　　　　　　┌ (목적격 관계대명사 생략)
and regretting the path [he had chosen].
그리고 길을 후회하며　　　　그가 선택했던
　　분사구문　　　　　　　과거완료(had+p.p.)

❻ The teacher smiled / at them both.
스승은 미소를 지었다　그들 모두에게

❼ He requested [that they join him / at a specific location /
그는 요청했다　　그들이 그와 만나자고　　특정 장소에서
　　　　　　　접속사(명사절)

in three days].
사흘 후에

❽ When they arrived, / they could see a ravine [that was
그들이 도착했을 때　　그들은 협곡을 볼 수 있었다
접속사(부사절/시간)　　　　　　　　　　　↳ 주격 관계대명사

a few meters wide].
몇 미터 너비의
셀 수 있는 명사 수식

❾ The students looked at their teacher / and he said just
제자들은 그들의 스승을 보았다　　　　　그리고 스승은

one word. / "Jump!"
딱 한 마디의 말을 했다. "뛰어라!"

❿ The first student looked at the distance / and his heart sank.
첫 번째 제자는 그 거리를 보았다　　　　그리고는 가슴이 내려앉았다

⓫ The student shrugged his shoulders / and walked away, /
그 제자는 그의 어깨를 으쓱했다　　　　　그리고 떠나 버렸다

knowing he hadn't prepared adequately / for greatness.
자신이 적절하게 준비하지 못했다는 것을 알고　　위대함을 위해
분사구문　　　　과거완료 부정형

⑫ The second student looked at the teacher / and smiled.
두 번째 제자는 스승을 보았다   그리고 미소를 지었다

⑬ He knew now [that the obstacles {that had been placed
그는 이제 알았다   장애물들이   그의 길 위에 놓여있던
                           접속사(명사절)   ↖ 주격 관계대명사 과거완료 수동태

in his path} were part of his preparation].
그의 준비의 일부였다는 것을

⑭ By choosing to overcome challenges, / not avoid them, /
어려움들을 극복하는 것을 선택함으로써   그것들을 피하는 것이 아니라
by+-ing: ~함으로써   = challenges

he was ready to make the leap.
그는 도약할 준비가 되어 있었다

⑮ He ran / as fast as he could / and launched himself /
그는 달렸다 가능한 한 빨리   그리고 자신을 내던졌다
as+원급+as+주어+can: 가능한 한 ~한/하게   재귀대명사(재귀 용법)

into the air.
공중으로

⑯ He made it across!
그는 건넜다

해석 두 제자는 숲을 가로지르는 길의 출발선에서 그들의 스승과 만났
다. 스승은 그들에게 그 주의 후반에 있을 테스트를 위한 준비로,
그 길을 끝까지 따라가라고 지시했다. 길은 두 갈래로 갈라졌는
데, 하나는 막힌 것이 없고 평탄했지만, 다른 하나는 쓰러진 통나
무들과 다른 장애물들이 길을 막고 있었다. 쉬운 길을 선택했던
제자가 먼저 마쳤고 자신을 자랑스럽게 느꼈다. 두 번째 제자는
피곤함을 느끼고 그가 선택했던 길을 후회하며 그 길의 끝에 도착
했다. 스승은 그들 모두에게 미소를 지었다. 그는 그들에게 사흘
후 특정 장소에서 그와 만나자고 했다. 그들이 도착했을 때, 그들
은 몇 미터 너비의 계곡을 볼 수 있었다. 제자들은 그들의 스승을
보았고, 스승은 딱 한 마디의 말을 했다. "뛰어라!" 첫 번째 제자
는 그 거리를 보고는 가슴이 내려앉았다. 그 제자는 그의 어깨를
으쓱하고는 자신이 위대함을 위해 적절하게 준비하지 못했다는
것을 알고 떠나 버렸다. 두 번째 제자는 스승을 보고 미소를 지었
다. 그는 이제 그의 길 위에 놓여있던 장애물들이 그의 준비의 일
부였다는 것을 알았다. 그는 어려움들을 피하는 것이 아니라, 극
복하는 것을 선택함으로써 도약할 준비가 되어 있었다. 그는 가능
한 한 빨리 달렸고 자신을 공중으로 내던졌다. 그는 건넜다!

해설 01 두 길 중 '하나'는 one, '다른 하나'는 the other로 나타낸다.
       '다른 장애물들'은 other obstacles로 표현한다.

     02 meters가 셀 수 있는 명사의 복수형이므로 수를 나타내는 a
        few로 고쳐야 한다.

     03 주어가 he이므로 '자신을'은 재귀대명사 himself로 쓴다.

2. 구문분석 및 직독직해

❶ We are the CEOs / of our own lives.
우리는 CEO들이다   우리 자신의 삶의

                                    ┌ 재귀대명사(재귀 용법)   (to)
❷ We work hard to urge ourselves / to get up and∨go to work
우리는 자신을 재촉하려 애쓴다   일어나 직장에 가고
urge ~ to부정사: ~가 …하도록 자극하다

          ┌ (to)
and∨do [what we must do] day after day.
우리가 해야 하는 것을 하도록   매일
                관계대명사

❸ We also try to encourage the people / working for and
우리는 또한 사람들을 격려하려 노력한다   우리를 위해 그리고 우리와
        try+to부정사: ~하려고 노력하다   ↖ 현재분사

with us, / those who are doing business with us, / and even
함께 일하는 우리와 거래하고 있는 사람들   그리고 심지어
        ~하는 사람들(주격 관계대명사)

those who regulate us.
우리를 통제하는 사람들
~하는 사람들(주격 관계대명사)

❹ We do this / in our personal lives, too: / From a very young
우리는 이러한 행동을 한다   개인의 삶에서도   매우 어린 나이 때부터

age, / kids try to persuade / their parents to do things for them /
아이들은 설득하려 노력한다   부모가 그들을 위해 무언가를 하도록
persuade ~ to부정사: ~가 …하도록 설득하다   = kids

("Dad, / I'm too scared / to do this!") / with varying degrees of
아빠, 저 너무 무서워서 이것을 할 수 없어   성공의 정도는 각기 다르지만
too+형용사+to부정사: 너무 ~해서 …할 수 없다

success.

❺ As adults, / we try to encourage our significant others /
성인으로서   우리는 배우자를 격려하려 노력한다
          encourage ~ to부정사: ~가 …하도록 격려하다

to do things for us / ("Sweetie, / I had such a stressful day
우리를 위해 무언가를 하도록 여보, 내가 오늘 매우 힘든 날을 보냈는데
                                    such+a(an)+형용사+명사

today, / can you please / put the kids to bed / and do the
해줄래요   아이를 재우고   설거지를
                        동사원형1   동사원형2(병렬구조)

dishes?").

❻ We attempt / to get our kids to clean up their rooms.
우리는 시도한다   우리 아이들이 자신의 방을 치우도록 시키려고
                get+목적어+to부정사

❼ We try to induce / our neighbors to help out / with a
우리는 유도하려고 노력한다   우리의 이웃이 돕도록
            induce ~ to부정사: ~가 …하도록 유도하다

neighborhood party.
동네 파티를

❽ Whatever our official job descriptions, / we are all part-time
우리의 공식적인 직무 내용 설명서가 무엇이든지 간에 우리는 모두 시간제
복합관계대명사(= Anything that)

motivators.
동기 부여자들이다

해석 우리는 우리 자신의 삶의 CEO들이다. 우리는 일어나 직장에 가
고 매일 우리가 해야 하는 것을 하도록 자신을 재촉하려 열심히
노력한다. 우리는 또한 우리를 위해 그리고 우리와 함께 일하는
사람들, 우리와 거래하고 있는 사람들, 그리고 심지어 우리를 통
제하는 사람들을 격려하려 노력한다. 우리는 개인의 삶에서도 이
러한 행동을 한다. 즉, 매우 어린 나이 때부터, 아이들은 성공의
정도는 각기 다르지만, 부모가 그들을 위해 무언가를 하도록 설
득하려고 노력한다. ("아빠, 저 너무 무서워서 이것을 할 수 없어
요!") 성인으로서, 우리는 우리를 위해 무언가를 하도록 배우자를
격려하려 노력한다. ("여보, 내가 오늘 매우 힘든 날을 보냈는데,
아이를 재우고 설거지를 해줄래요?") 우리는 우리 아이들이 자신
의 방을 치우도록 시키려고 시도한다. 우리는 이웃이 동네 파티를
돕도록 유도하려고 노력한다. 우리의 공식적인 직무 내용 설명서
가 무엇이든지 간에, 우리는 모두 시간제 동기 부여자들이다.

해설 01 주어가 we이므로 '우리 자신을'은 재귀대명사 ourselves로
        쓴다.

     02 '그들의 부모'로 하여금 부모 자신이 아닌 '아이들(kids)'을
        위해 무언가를 하도록 설득하는 것이므로 them이 알맞다.

     03 their는 kids를 가리키는 소유격 대명사이다.

Unit 10 형용사와 부사

어법 기본 다지는 *Basic Grammar*　　p. 133

형용사와 부사의 역할　**1** 형용사(명사 수식)　**2** 부사(동사 수식)　**3** 부사(형용사 수식)　**4** 형용사(주격보어)

주의해야 할 형용사 / 부사　**1** 심하게 / 부사　**2** 충분한 / 형용사

3 매우 / 부사　**4** 일찍 / 부사

기출문장으로 *실전어법* 개념잡기 1, 2　　p. 135

1 natural　**2** quickly　**3** exactly　**4** hard enough
5 independent　**6** important　**7** safe　**8** alive

1 최초의 청바지에 사용되었던 천연 남색 염료는 옷감의 바깥쪽에만 달라붙었다.
　▶ 뒤의 명사구 indigo dye를 수식하므로 형용사 natural이 적절하다.

2 컴퓨터는 빠르고 정확하게 작동한다; 인간은 상대적으로 느리게 일하고 실수를 한다.
　▶ 동사 works를 수식하므로 부사 quickly가 적절하다.

3 모험을 멈추는 것은 정확히—당신이 멈추는 것을 의미한다.
　▶ 동사 means를 수식하므로 부사 exactly가 적절하다.

4 나는 '내가 다른 참가자들보다 우수하다고 할 만큼 충분히 열심히 했는가?'라고 마음속으로 생각했다.
　▶ enough가 부사로 쓰여 다른 부사 hard를 수식하므로 hard 뒤에 오는 것이 적절하다.

5 증거에 대한 다수의 출처로부터 가장 유용한 정보를 도출하기 위해서, 당신은 항상 이 출처들을 서로 독립적 상태로 만들도록 노력해야 한다.
　▶ 동사 make의 목적어 these sources 다음에 목적격보어로 형용사 independent가 오는 것이 적절하다.

6 신선한 농산물을 취급할 때 온도를 관리하는 것뿐만 아니라 공기의 관리도 중요하다.
　▶ be동사 is 뒤에서 주어 control of the atmosphere를 서술하는 주격보어이므로 형용사 important가 적절하다.

7 더 좋은 점은 우리의 의식이 있는 마음이 산만할 때조차 우리의 자동적이고 무의식적인 습관이 우리를 안전하게 지켜줄 수 있다는 것이다.
　▶ keep의 목적어 us를 서술하는 목적격보어이므로 형용사 safe가 적절하다.

8 그는 심지어 그가 살아 있는지 죽었는지 확인할 시간조차 없었다.
　▶ 서술적 용법으로 쓰이는 형용사 alive(살아 있는)가 적절하다.

기출문장으로 *실전어법* 개념잡기 3, 4　　p. 137

1 lately　**2** high　**3** hard　**4** near　**5** never got
6 occupy　**7** could　**8** wanted

1 하지만 야구에서 안타를 칠 확률은 단지 선수가 최근에 안타를 못 쳤다고 높아지는 것은 아니다.
　▶ 문맥상 '최근에'라는 뜻으로, 동사를 수식하는 부사 lately가 적절하다. late는 '늦은; 늦게'라는 뜻이다.

2 만 피트 높이의 고원에 서서 두 개의 언덕을 유심히 본다고 상상해 보라.
　▶ '높은'이라는 뜻으로 높이를 표현할 때는 형용사 high가 적절하다. highly는 '매우, 대단히'라는 뜻의 부사이다.

3 자신이 가지고 있지 않은 것 또는 자신이 생각하기에 가져야 하는 것에 대해서만 생각한다면 감사하기가 어렵다.
　▶ 문맥상 '어려운'이라는 뜻이므로 형용사 hard가 적절하다. hardly는 '거의 ~ 않다'라는 뜻의 부사이다.

4 Freud는 그 개가 환자 옆에 앉아 있을 때 환자가 더 쉽게 편안해한다는 것을 알아차렸다.
　▶ 문맥상 '가까이에'라는 뜻이므로 동사를 수식하는 부사 near가 적절하다. nearly는 '거의, 대부분'이라는 뜻의 부사이다.

5 많은 다양한 방법으로 파이를 자를 수 있었지만, 그것은 절대 조금도 더 커지지 않았다.
　▶ 부정의 의미를 나타내는 부사 never는 일반동사 앞에 오므로 never got이 적절하다.

6 이러한 것들은 향상을 위한 유용한 도구가 될 수 있지만, 그것들이 중심적인 위치를 차지해서는 안 된다.
　▶ hardly는 부정의 의미를 나타내는 부사이므로 not 등의 부정어와 중복하여 쓰지 않는다. 따라서 occupy가 적절하다.

7 Tom은 박수를 치며 환호성을 질렀고, 달려와 그녀를 껴안고 축하해 주는 것을 간신히 참는 것처럼 보였다.
　▶ barely는 '거의 ~ 않는'이라는 부정의 의미를 나타내는 부사이므로 not 등의 부정어와 중복하여 쓰지 않는다. 따라서 could가 적절하다.

8 미래가 현재보다 더 나을 것으로 믿지 않았기 때문에 사람들이 많은 신용 거래를 연장하는 것을 원하는 경우가 좀처럼 없었다.
　▶ seldom은 '좀처럼 ~ 않다'라는 부정의 의미를 나타내는 부사이므로 not 등의 부정어와 중복하여 쓰지 않는다. 따라서 wanted가 적절하다.

어법 TEST 1 문장 어법훈련하기　　p. 138

1 commonly　**2** most　**3** in　**4** Anything silent
5 easily　**6** ○　**7** unconscious

1 그러나 기업가와 흔히 연관되어 있는 성격 특성과 특징이 있다.
　▶ 형용사 associated를 수식하므로 부사 commonly가 적절하다.

2 청바지가 아마도 당신의 옷장 속에 있는 가장 활용도가 높은 바지이지만, 사실 파란색이 특별히 무난한 색은 아니다.
　▶ 형용사 versatile을 수식하는 부사로, 문맥상 the와 함께 '가장'

이라는 뜻으로 쓰였으므로 most가 적절하다.

3 비록 사회과학자들이 사회적 발전을 이루기 위해 마땅히 따라야 할 절차를 발견한다 할지라도 그들은 좀처럼 사회적 행동을 통제할 위치에 있지 않다.
▶ seldom은 부정의 의미를 나타내는 부사이므로 not 등의 부정어와 중복하여 쓰지 않는다. 따라서 in이 적절하다.

4 우리는 조용하고 보이지 않는 것은 우리의 마음속에서 평가절하한다.
▶ -thing, -body, -one으로 끝나는 대명사는 형용사가 뒤에서 수식한다.

5 우리는 가장 쉽게 생각이 떠오르는 예시를 사용하여 세상에 대한 그림을 만들어 낸다.
▶ 동사 come을 수식하므로 부사 easily로 고쳐야 한다.

6 미국에서는, 응답자의 거의 80퍼센트가 자선 단체에 돈을 기부했는데, 그것은 6개 국가 중에서 가장 높았다.
▶ 문맥상 '거의'라는 뜻이므로 부사 nearly가 바르게 쓰였다.

7 두 가지 경우에서, 모두 자신을 살리고 데지 않게 하려는 우리의 목표는 우리의 자동적이고 무의식적인 습관에 의해 이행된다.
▶ 뒤의 명사 habits를 수식하므로 형용사 unconscious로 고쳐야 한다.

어법 TEST 2 *짧은 지문* 어법훈련하기   p. 139

1 (A) hard (B) nearly   **2** (A) extremely (B) dangerous
3 ④

1 여러분이 성취하고자 하는 목표를 고수하는 것은 매우 어렵지만, 때때로 우리는 심지어 애초부터 우리가 감동받지 못할 목표를 세우기도 한다. 우리는 우리에게 실제로 중요한 것이라기보다 우리가 해야 하는 것, 또는 다른 사람들이 생각하기에 우리가 해야 하는 것에 기초하여 결심을 하게 된다. 이것은 목표를 고수하는 것을 거의 불가능하게 만든다.
▶ (A) 문맥상 '어려운'이라는 뜻이므로 형용사 hard가 적절하다. hardly는 '거의 ~ 않다'라는 뜻의 부사이다.
(B) 형용사 impossible를 수식하는 부사로, '거의'라는 뜻의 nearly가 적절하다.

2 패스트 패션은 매우 낮은 가격에 가능한 한 빨리 디자인되고, 만들어지고, 소비자에게 팔리는 유행 의류를 의미한다. 패스트 패션 상품은 계산대에서 당신에게 많은 비용을 들게 하지 않을지는 모르지만, 그러나 그것들은 심각한 대가를 수반한다: 일부는 아직 어린아이들인, 수천만의 개발도상국 사람들이 그것들을 만들기 위해 오랜 시간 동안 위험한 환경에서 일한다.
▶ (A) 형용사 low를 수식하므로 '매우'라는 뜻의 부사 extremely가 적절하다.
(B) 뒤의 명사 conditions를 수식하므로 형용사 dangerous가 적절하다.

3 brother-in-law를 아내의 남자형제인지 여자형제의 남편인지 구별할 수 없다는 것은 많은 문화에서 혼란스럽게 보일 것이다. 하와이 언어는 동일한 용어를 사용하여 아버지와 아버지의 남자형제를 지칭한다. Northern Burma의 사람들은 그들의 친족을 묘사하기 위한 18개의 기본 용어를 갖고 있다. 그 용어들 중 어떤 것도 영어로

바로 번역될 수 없다.
▶ ④ → directly / 동사 can be translated를 수식하므로 부사 directly로 고쳐야 한다.

어법 TEST 3 *기출 유형* 어법훈련하기

pp. 140~141

1 ④   **2** ②   **3** ④   **4** ①

1. 구문분석 및 직독직해

❶ The belief [that humans have morality and animals don't]
　믿음은　　　　　인간들은 도덕성을 가지고 있고 동물들은 그렇지 않다는
　　　　　　　　　　동격의 접속사

is such a longstanding assumption / that it could well be called
너무나 오래된 가정이라서　　　　　　　그것은 충분히 습관적 사고로 불릴 수 있다
동사 such ~ that ...: 너무 ~해서 …하다　　　　조동사의 수동태

a habit of mind, / and bad habits, (as we all know,)
　　　　　　　　　 그리고 나쁜 습관은　　우리가 모두 알다시피
　　　　　　　　　　　　　　　　　　　접속사(삽입절)

are extremely hard to break.
고치기가 극도로 어렵다
　　　　　　　to부정사의 부사적 용법(앞의 형용사 수식)

❷ A lot of people / have caved in to this assumption /
　많은 사람들이　　 이러한 가정에 굴복해 왔는데
　　　　　　　　　　　현재완료

　　　　　　　　　　　　　　비교급의 병렬구조
because it is easier / to deny morality to animals / than to deal
왜냐하면 더 쉽기 때문이다 동물에게서 도덕성을 부정하는 것이
　　가주어 it　비교급　　진주어 to부정사(비교 대상1)　to부정사2(비교 대상2)

with the complex effects of the possibility [that animals have /
가능성의 복잡한 영향들을 다루는 것보다　　　　　　 동물들이
　　　　　　　　　　　　　　　　　　　　　　　　동격의 접속사

moral behavior].
도덕적 태도를 가진다는
　　　　　　　　　 (which is)
❸ The historical tendency, (V̌framed in the outdated dualism /
　역사적 경향은　　　　　 시대에 뒤처진 이원론의 틀에 갇힌
　　　　　　　　　　　　　　過去분사구 삽입

of us versus them,) is strong enough / to make a lot of people
우리 대 그들이라는　　　충분히 강력하다　　 많은 사람들이
　　　　　　　　　　　　　　형용사+enough+to부정사: ~하기에 충분히 …한

cling to the status quo.
현재 상태를 고수하도록 만들기에
사역동사 make+목적어+동사원형: ~을 …하게 만들다

❹ Denial of [who animals are] conveniently allows / for
　동물들이 누구인가에 대한 부정은　　 편의대로 허용한다
　　주어　　간접의문문(의문사+주어+동사)　부사　　동사

maintaining false stereotypes / about the cognitive and
잘못된 고정관념을 유지하는 것을　　동물들의 인지적, 감정적 능력에 대한
동명사(전치사의 목적어)

emotional capacities of animals.

❺ Clearly a major paradigm shift is needed, / because
　분명히 중대한 패러다임의 전환이　 요구되는데　 왜냐하면 ~하기 때문에
　부사　　 주어　　　　　　　　　 동사(수동태)

the lazy acceptance of habits of mind / has a strong influence /
습관적 사고에 대한 안일한 수용이　　　 강한 영향을 미친다

　　　　　　　　　　　수동태
on [how animals are understood and treated].
동물들이 어떻게 이해되고 다루어지는지에
　　간접의문문(의문사+주어+동사)

해석 인간들은 도덕성을 가지고 있고 동물들은 그렇지 않다는 믿음은 너무나 오래된 가정이라서 충분히 그것은 습관적 사고로 불릴 수 있고, 우리가 모두 알다시피 나쁜 습관은 고치기가 극도로 어렵다. 많은 사람들이 이러한 가정에 굴복해 왔는데, 왜냐하면 동물

들이 도덕적 태도를 가진다는 가능성의 복잡한 영향들을 다루는 것보다 동물에게서 도덕성을 부정하는 것이 더 쉽기 때문이다. 우리 대 그들이라는 시대에 뒤처진 이원론의 틀에 갇힌 역사적 경향은 많은 사람들이 현재 상태를 고수하도록 만들기에 충분히 강력하다. 동물들이 누구인가에 대한 부정은 동물들의 인지적, 감정적 능력에 대한 잘못된 고정관념을 유지하는 것을 편의대로 허용한다. 분명히 중대한 패러다임의 전환이 요구되는데, 왜냐하면 습관적 사고에 대한 안일한 수용이 동물들이 어떻게 이해되고 다뤄지는지에 강한 영향을 미치기 때문이다.

해설 (A) 동사 could be called를 수식하므로 부사 well이 적절하다.
(B) '충분히 강력한'이라는 뜻으로, enough가 형용사 strong을 뒤에서 수식하는 부사로 쓰였다.
(C) 동사 allows를 수식하는 부사이므로 conveniently가 적절하다. 바로 앞의 간접의문문 who animals are의 be동사의 주격보어로 혼동하기 쉬우므로 주의한다.

2. 구문분석 및 직독직해

❶ Everyone knows a young person [who is impressively
모든 사람은 어떤 젊은이를 알고 있다   인상적으로
주어(단수) 동사(단수)   주격 관계대명사 부사 ↵

"street smart" / but does poorly in school].
'세상 물정에 밝은' 그러나 학교에서는 부진한
형용사

❷ We think ∨ it is a waste [that one {who is so intelligent /
우리는 생각한다 낭비라고   매우 똑똑한 사람이
[접속사 that]   가주어 it   진주어 that 주격 관계대명사

about so many things in life} seems unable to apply /
삶에서 많은 것에 대해   적용할 수 없는 것처럼 보이는 것이
동사

that intelligence / to academic work].
그 똑똑함을   학업에
┌지시대명사

❸ [What we don't realize] is [that schools and colleges
우리가 깨닫지 못하는 것은 ~이다   학교나 대학이
관계대명사(선행사 포함) 주어 동사 접속사(보어 역할)

might be at fault / for missing the opportunity / to draw such
잘못을 하고 있을지도 모른다는 것 기회를 놓치는   그러한 세상 물정에
↵ to부정사의 형용사적 용법1

street smarts / and∨guide them toward good academic work].
밝은 사람들을 끌어들여 그리고 그들을 뛰어난 학업으로 안내해 줄
to부정사의 형용사적 용법2   (to)

❹ Nor do we consider / one of the major reasons [why
또한 우리는 고려하지 않는다 주요한 이유들 중 하나를   왜
부정어구 도치(부정어구+조동사+주어+동사원형)   관계부사

schools and colleges overlook / the intellectual potential of street
학교와 대학이 간과하는지   세상 물정에 밝은 사람들의 지적 잠재력을

smarts]: the fact [that we associate / those street smarts /
말하자면 ~라는 사실이다 우리는 연관시킨다 그러한 세상 물정에 밝은 사람들을
동격의 접속사

with anti-intellectual concerns].
반지성적인 근심거리와
associate A with B: A를 B와 연관시키다

❺ We associate / the educated life, / the life of the mind,
우리는 연관시킨다 교육받은 삶   지성인의 삶을

too narrowly / with subjects and texts [that we consider /
지나치게 좁게   과목과 교과서에   우리가 고려하는
목적격 관계대명사

inherently weighty and academic].
본질적으로 중요하며 학문적이라고
부사   형용사(목적격보어)

해석 모든 사람은 세상 물정에 매우 밝지만, 학교에서는 부진한 어떤 젊은이를 알고 있다. 우리는 삶에서 많은 것에 대해 매우 똑똑한 사람이 그 똑똑함을 학업에 적용할 수 없는 것처럼 보이는 것이

낭비라고 생각한다. 우리가 깨닫지 못하는 것은 학교나 대학이 그러한 세상 물정에 밝은 사람들을 끌어들여 그들을 뛰어난 학업으로 안내해 줄 기회를 놓치는 잘못을 하고 있을지도 모른다는 것이다. 또한 우리는 왜 학교와 대학이 세상 물정에 밝은 사람들의 지적 잠재력을 간과하는지에 대한 주요한 이유들 중 하나를 고려하지 않는다. 말하자면, 우리는 그러한 세상 물정에 밝은 사람들을 반지성적인 근심거리와 연관시킨다는 사실이다. 우리는 교육받은 삶, 지성인의 삶을 우리가 본질적으로 중요하며 학문적이라고 고려하는 과목과 교과서에 지나치게 좁게 연관시킨다.

해설 ② → intelligent / 부사는 동사, 형용사, 부사, 구, 절, 문장 전체를 수식한다. 따라서 부사 so 다음에 명사 intelligence가 아니라 형용사 intelligent가 와야 한다.

3. 구문분석 및 직독직해

❶ Cutting costs can improve profitability / but only up to a point.
비용 절감은 수익성을 향상시킬 수 있다   하지만 어느 정도까지이다
동명사 주어   동사   어느 정도

❷ If the manufacturer cuts costs so deeply / that doing so
만약 제조업자가 비용을 너무 크게 절감해서   그렇게 하는 것이
부사절 접속사(조건)   so ~ that ...: 너무 ~해서 …하다

harms the product's quality, / then the increased profitability /
제품의 질을 손상시키게 되면   그러면 그 증가된 수익성은
과거분사 ↵

will be short-lived.
단기적일 것이다

❸ A better approach is / to improve productivity.
더 나은 접근법은 ~이다   생산성을 향상시키는 것
to부정사의 명사적 용법(보어 역할)

❹ If businesses can get more production / from the same
만약 기업이 더 많은 생산을 얻을 수 있다면   똑같은 수의
부사절 접속사(조건)

number of employees, / they're basically tapping into free money.
직원들로부터   그들은 기본적으로 거저 얻게 되는 것이다
부사 ↵

❺ They get more product to sell, / and the price of each
그들은 판매할 상품을 더 많이 얻는다   그리고 각 상품의 가격은 떨어진다
to부정사의 형용사적 용법(명사 수식)

product falls.

❻ As long as ⟨the machinery or employee training / needed
~하는 한   기계 또는 직원 연수가
⟨종속절⟩   긴 주어   ↵ 과거분사구

for productivity improvements⟩ costs less than / the value of
생산성 향상에 필요한   ~보다 비용이 적게 든다 생산성 향상으로
동사   ~보다 적게

the productivity gains, / it's an easy investment /
얻는 이윤의 가치   그것은 쉬운 투자이다
⟨주절⟩

for any business to make.
어떤 기업이든 할 수 있는
to make의 의미상의 주어

❼ Productivity improvements / are as important to the economy
생산성 향상은   경제에도 중요하다
as+형용사의 원급+as: ~만큼 …한

as they are to the individual business [that's making them].
개별 기업에 중요한 만큼   그것을 만들어 내는
주격 관계대명사

❽ Productivity improvements generally raise / the standard of
생산성 향상은 일반적으로 올려 준다   생활 수준을
부사 ↵ 동사1

living / for everyone / and are a good indication / of a healthy
모두를 위한   그리고 좋은 지표가 된다   건강한 경제의
동사2

economy.

해석 비용 절감은 수익성을 향상시킬 수 있지만, 어느 정도까지이다.

만약 제조업자가 비용을 너무 크게 절감해서 그렇게 하는 것이 제품의 질을 손상시키게 된다면, 그 증가된 수익성은 단기적일 것이다. 더 나은 접근법은 생산성을 향상시키는 것이다. 만약 기업이 똑같은 수의 직원들로부터 더 많은 생산을 얻을 수 있다면, 그들은 기본적으로 거저 얻게 되는 것이다. 그들은 판매할 상품을 더 많이 얻고, 각 상품의 가격은 떨어진다. 생산성 향상에 필요한 기계 또는 직원 연수가 생산성 향상으로 얻는 이윤의 가치보다 비용이 적게 든다면, 그것은 어떤 기업이든 할 수 있는 쉬운 투자이다. 생산성 향상은 그것을 만들어 내는 개별 기업에 중요한 만큼 경제에도 중요하다. 일반적으로 생산성 향상은 모두를 위한 생활 수준을 올려 주고 건강한 경제의 좋은 지표가 된다.

해설 ④ → individual / 명사 business를 수식하므로 부사 individually 가 아니라 형용사 individual이 와야 한다.

4. 구문분석 및 직독직해

❶ It might seem [that praising your child's intelligence or
~처럼 보일지도 모른다 당신의 아이의 지능이나 재능을 칭찬하는 것은
it seems that ~: ~처럼 보이다 동명사구 주어

talent / would boost his self-esteem / and motivate him].
　　　　그의 자존감을 높인다　　　　그리고 그에게 동기를 부여한다
　　　　동사1　　　　　　　　　　　동사2
　　　　　　　　　　　　　　(would)

❷ But it turns out [that this sort of praise backfires].
그러나 ~으로 밝혀진다 이런 종류의 칭찬은 역효과를 일으킨다
　가주어　　　　　　진주어 that절

❸ Carol Dweck and her colleagues / have demonstrated
Carol Dweck과 그녀의 동료들은　　　그 효과를 보여 주었다

the effect / in a series of experimental studies:
　　　　일련의 실험적 연구들에서　　　　　　비교급
❹ "When we praise kids / for their ability, / kids become more
우리가 아이들을 칭찬할 때 그들의 능력에 대해 아이들은 더
시간의 접속사(~할 때)　　　　　　불완전 자동사+주격보어(형용사)

cautious. They avoid challenges."
조심하게 된다 그들은 도전을 피한다
　　　　　　　　　　　　주격 관계대명사
❺ It's as if they are afraid / to do anything [that might make
그것은 마치 그들이 두려워하는 것과 같다 어떤 것을 하길 자신들을
마치 ~처럼　　　　　　　to부정사의 부사적 용법
　　(might)
them fail / and lose your high appraisal].
실패하게 만들지도 모를 그리고 당신의 높은 평가를 잃게 할지도 모를
사역동사 make+목적어+동사원형

❻ Kids might also get the message [that intelligence or talent
아이들은 또한 메시지를 받을지도 모른다 지능이나 재능이
　　　　　　　　　　　　　　　　동격의 접속사

is something {that people either have or don't have}].
어떤 것이라는 사람들이 가지거나 가지지 못하는
　　　　　　목적격 관계대명사 상관접속사 either A or B: A 또는 B
　　　불완전 자동사+주격보어(형용사)
❼ This leaves kids feeling helpless / when they make mistakes.
이것은 아이들이 무기력하게 느끼도록 만든다 그들이 실수할 때
leave+목적어+현재분사　　　　　　부사절 접속사

❽ What's the point of trying to improve / if your mistakes
향상하도록 노력하는 것이 무슨 소용이겠는가 만약 당신의 실수가
　　　　try+to부정사: ~하기 위해 노력하다 부사절 접속사(조건)

indicate [that you lack intelligence]?
나타낸다면 당신이 지능이 부족하다는 것을
　　　　명사절 이끄는 접속사(목적어절)

해석 당신의 아이의 지능과 재능을 칭찬하는 것은 그의 자존감을 높이고 그에게 동기를 부여하는 것처럼 보일지도 모른다. 그러나 이런 종류의 칭찬은 역효과를 일으키는 것으로 밝혀진다. Carol Dweck과 그녀의 동료들은 일련의 실험적 연구들에서 그 효과를 보여 주었다: "우리가 그들의 능력에 대해 아이들을 칭찬할 때, 아이들은 더 조심하게 된다. 그들은 도전을 피한다." 그것은 마치 그들이 자신들을 실패하게 만들고 당신의 높은 평가를 잃게 할지

도 모를 어떤 것을 하길 두려워하는 것과 같다. 아이들은 또한 지능이나 재능이 사람들이 가지거나 가지지 못하는 어떤 것이라는 메시지를 받을지도 모른다. 이것은 아이들이 실수할 때 무기력하게 느끼도록 만든다. 만약 당신의 실수가 당신이 지능이 부족하다는 것을 나타낸다면 향상하도록 노력하는 것이 무슨 소용이겠는가?

해설 (A) become의 보어 역할을 하는 형용사 cautious가 적절하다.
(B) 뒤의 명사 appraisal을 수식하는 형용사 high가 적절하다.
(C) feeling의 보어 역할을 하는 형용사 helpless가 적절하다.

어법 TEST 4 ㅣ *서술형 내신* **어법훈련하기**

pp. 142~143

1 01 annual 02 we always invite a famous musician to perform 03 positive / 뒤의 명사 reply를 수식하므로 형용사 positive로 고쳐 써야 한다.

2 01 uncommon / be동사 is의 보어 역할을 해야 하므로 형용사 uncommon으로 고쳐 써야 한다. 02 did some live long enough to see a wrinkle on their face? 03 (c) unhelpful (d) extremely

1. 구문분석 및 직독직해

❶ Dear Mr. Stanton:
Stanton 씨에게

❷ We at the Future Music School / have been providing music
저희 Future Music School에서는　　　음악 교육을 제공해 오고 있다
　　　　　　　　　　　　　　　　현재완료진행 시제

education / to talented children / for 10 years.
　　　　재능 있는 아이들에게　　　십 년 동안
　　　　　　　　　　　　　　「for+기간」

　　　　　　　　　　to부정사의 부사적 용법
❸ We hold an annual festival / to give our students a chance /
저희는 매년 축제를 개최한다 학생들에게 기회를 주기 위해
　　　　　　　　　　give+간접목적어+직접목적어 〈4형식〉

to share their music with the community / and we always invite
그들의 음악을 지역 사회와 나눌　　　　그리고 저희는 항상 유명한
　to부정사의 형용사적 용법(앞의 명사 수식)　　　　　　　동사

a famous musician / to perform in the opening event.
음악가를 초청한다　　　개막 행사에서 연주하도록
　목적어　　　　　　목적격보어(to부정사)

❹ Your reputation as a world-class violinist / precedes you /
세계적인 바이올린 연주자로서의 당신의 명성이　　　당신을 앞선다
　　　　　　　　주어　　　　　　　　　　　　　동사

and the students consider you the musician [who has influenced
그리고 학생들은 당신을 음악가로 생각한다　　그들에게 가장 큰 영향을 준
　　　consider+목적어+목적격보어 〈5형식〉 주격 관계대명사

them the most].

❺ That's why / we want to ask you to perform / at the opening
그것이 ~한 이유이다 저희가 당신에게 공연해 주기를 요청하는
　That's why+이유를 나타내는 절 ask+목적어+to부정사: ~이 …하기를 요청하다

event of the festival.
축제의 개막 행사에서
　　　　　　　　　　진주어 to부정사
❻ It would be an honor / for them / to watch / one of the most
가주어　　　　　for them to watch one of the most
　　　　to watch의 의미상의 주어 지각동사 목적어

famous violinists of all time / play / at the show.
바이올린 연주자들 중 한 분이　　연주하는 것을 공연에서
　　　　　　　　　　　　　동사원형

❼ It would make the festival more colorful and splendid.
그것은 축제를 더 다채롭고 훌륭하게 만들어 줄 것이다
make+목적어+목적격보어(형용사) 〈5형식〉

❽ We look forward to receiving / a positive reply.
우리는 받을 수 있기를 기대한다   긍정적인 답변을
look forward to+동명사(전치사의 목적어)

❾ Sincerely,
마음을 담아

Steven Forman
Steven Forman

해석 Stanton씨에게:

저희 Future Music School에서는 십 년 동안 재능 있는 아이들에게 음악 교육을 제공해 오고 있습니다. 저희는 학생들에게 그들의 음악을 지역 사회와 나눌 기회를 주기 위해 매년 축제를 개최하며, 항상 유명한 음악가를 개막 행사에서 연주하도록 초청합니다. 세계적인 바이올린 연주자로서의 당신의 명성이 자자하고 학생들은 당신을 그들에게 가장 큰 영향을 준 음악가로 생각합니다. 그래서 저희는 당신이 축제의 개막 행사에서 공연해 주시기를 요청합니다. 학생들이 공연에서 역대 가장 유명한 바이올린 연주자들 중 한 분의 연주를 본다는 것은 큰 영광일 것입니다. 당신의 연주는 축제를 더 다채롭고 훌륭하게 만들어 줄 것입니다. 긍정적인 답변을 받을 수 있기를 기대하겠습니다.

마음을 담아,
Steven Forman

해설 **01** 뒤의 명사 festival을 수식하는 형용사 annual이 적절하다.

02 빈도부사 always는 일반동사 invite 앞에 와야 한다. 형용사 famous는 앞에서 명사 musician을 수식한다. 동사 invite의 목적어가 a famous musician이고 목적격보어로 to perform이 온다.

03 positive는 '긍정적인'이라는 뜻의 형용사이고, positively는 '긍정적으로'라는 뜻의 부사이다.

2. 구문분석 및 직독직해

❶ It is not uncommon 〈to hear talk about [how lucky we are /
드물지 않다   ~에 관한 이야기를 듣는 것은 우리가 얼마나 운이 좋은지
가주어   진주어 〈   〉   감탄문

to live in this age of scientific and medical advancement {where
과학과 의학이 발달한 이 시대에 살아서   관계부사
to부정사의 부사적 용법(판단의 근거)

antibiotics and vaccinations keep us living longer}, while our
항생제와 예방 접종이 우리를 더 오래 살게 하는   반면에 우리의
                                              대조의 접속사

poor ancient ancestors / were lucky to live past the age of 35]〉.
불쌍한 조상들은   35세를 넘겨 살면 운이 좋았던 것이었다
                                    to부정사의 부사적 용법

❷ Well, this is not quite true.
이것은 그다지 사실이 아니다
                부사

❸ At best, / it oversimplifies a complex issue, /
아무리 잘 봐 주어도 그것은 복잡한 문제를 지나치게 단순화시키는 것이다

and at worst, / it is an obvious misrepresentation of statistics.
그리고 최악의 경우에 그것은 통계에 대한 명백히 잘못된 설명이다

❹ Did ancient humans really just drop dead / as they were
고대 인간이 정말로 급사한 것일까   그들이 한창 때에
                                    시간의 접속사

entering their prime, / or did some live long enough / to see
접어들면서   아니면 어떤 사람들은 충분히 오래 살았을까
과거진행 시제   형용사+enough+to부정사: ~할 정도로 충분히 …한

a wrinkle on their face?
얼굴에 주름이 있는 것을 볼 수 있을 정도로

❺ It would appear [that as time went on, / conditions
~으로 보일 것이다 시간이 흐를수록   여건이
가주어   진주어 that절

improved / and so did the length of people's live].
개선되었다   그리고 사람들의 수명도 길어졌다
                so+did+주어 (도치)

❻ But it is not so simple.
그러나 그것은 그렇게 간단하지 않다

❼ [What is commonly known / as "average life expectancy"]
흔히 알려진 것은   '평균 기대 수명'이라고
관계대명사(선행사 포함) 주어

is technically "life expectancy at birth."
엄밀히 말하면 '출생 당시의 기대 수명'이다

❽ But life expectancy at birth / is an unhelpful statistic / if
그러나 출생 당시의 기대 수명은   도움이 되지 않는 통계이다   만약
                                              부사절 접속사(조건)

the goal is to compare / the health and longevity of adults.
그 목적이 비교하는 것이라면   성인의 건강과 장수를
to부정사의 명사적 용법(보어 역할)

❾ That is [because a major determinant of life expectancy at
그것은 ~때문이다   출생 당시 기대 수명의 주요 결정 요인이
         이유의 접속사   주어1

birth / is the child mortality rate {which, (in our ancient past,)
아동 사망률이다   고대에
동사1   선행사   ↳ 주격 관계대명사   삽입어구

was extremely high}, / and this skews the life expectancy rate /
상당히 높았던   그리고 이것이 기대 수명 비율을 왜곡한다
                        병렬구조 주어2 동사2

dramatically downward].
극적으로 하향하도록

해석 우리의 불쌍한 조상들이 35세를 넘겨 살면 운이 좋았던 반면에, 항생제와 예방 접종이 우리를 더 오래 살게 하는 과학과 의학이 발달된 시대에 살아서 얼마나 운이 좋은지에 관한 이야기를 듣는 것은 드물지 않다. 이것은 그다지 사실이 아니다. 아무리 잘 봐 주어도, 그것은 복잡한 문제를 지나치게 단순화시키는 것이고, 최악의 경우에는 통계에 대한 명백히 잘못된 설명이다. 고대 인간이 그들이 한창 때에 접어들면서 정말로 급사한 것일까, 아니면 어떤 사람들은 얼굴에 주름이 있는 것을 볼 수 있을 정도로 충분히 오래 살았을까? 시간이 흐를수록 여건이 개선되고 사람들의 수명도 길어진 것으로 보일 것이다. 그러나 그것은 그렇게 간단하지 않다. 흔히 '평균 기대 수명'이라고 알려진 것은 엄밀히 말하면 '출생 당시의 기대 수명'이다. 그러나 그 목적이 성인의 건강과 장수를 비교하는 것이라면, 출생 당시의 기대 수명은 도움이 되지 않는 통계이다. 그것은 출생 당시 기대 수명의 주요 결정 요인이 고대에 상당히 높았던 아동 사망률이고, 이것이 기대 수명 비율을 극적으로 하향하도록 왜곡하기 때문이다.

해설 **01** '가주어 it ~ 진주어 to부정사' 구문 사이에 쓰인 보어 역할의 형용사임에 유의한다.

02 부사 enough가 형용사 long을 수식하므로 long enough 형태로 쓰는 것에 유의한다.

03 (c) 뒤의 명사 statistic을 수식하는 형용사 unhelpful이 적절하다. (d) 형용사 high를 수식하는 부사 extremely가 적절하다.

Unit 11 비교

어법 기본 다지는 *Basic Grammar* p. 147

비교구문 **1** as creative as, ~만큼 창의적인 **2** shorter than, ~보다 더 짧은

비교구문의 문장 구조 **1** 왔던 것만큼이나 빠르게 **2** 다섯 개 중 가장 적게 사용되는 언어

원급/비교급을 이용한 최상급 표현 as, as / Nothing, than / anything else

기출문장으로 *실전어법* 개념잡기 1, 2 p. 149

1 better **2** as **3** lowest **4** much **5** splendidly
6 very, much **7** far **8** even

1 여러분의 임무는 당신이 어제 그랬던 것보다 오늘 더 나아지는 것이다.
▶ 뒤에 than이 있으므로 비교급 형태인 better가 적절하다.

2 아이가 아플 때 돌보는 것에 대해 말하자면, '엄마가 더 많이 하는' 가정의 비율은 '똑같이 나누는' 가정의 비율과 같다.
▶ the same as: ~와 같은

3 목요일 경기의 부상률은 2014년에 가장 낮았고 2017년에 가장 높았다.
▶ the + 최상급 + in: (~ 중에서) 가장 …한/하게

4 그는 그녀가 할 수 있는 한 그 이야기를 최대한 많이 하게 해 주었고 세부 사항을 채우는 데 도움을 주었다.
▶ 앞뒤의 as ~ as로 보아 원급이 필요하다. 「most of + 명사」(~의 대부분)와 혼동하지 않도록 주의한다.

5 "친애하는 친구들이여, Kubelik은 그가 늘 했던 것만큼 훌륭하게 오늘 밤 Paganini 협주곡을 연주했습니다."라고 그는 말했다.
▶ 원급 비교가 수식하는 말이 동사 played이므로 부사가 적절하다.

6 사과는 매우 작고, 큰 질량을 가지고 있지 않아서, 이것이 태양에 작용하는 인력은 절대적으로 작으며 확실히 모든 행성의 인력보다 훨씬 더 작다.
▶ 형용사의 원급을 강조할 때는 very, 비교급을 강조할 때는 much가 알맞다.

7 당신은 당신이 분명히 볼 수 있는 것을 먹을 가능성이 훨씬 더 크다.
▶ 비교급 more를 강조하는 수식어로 far가 알맞다.

8 큰 규모의 조직에서는 새로운 것을 개발하기가 어렵고, 혼자 힘으로 해내기는 훨씬 더 어렵다.
▶ 비교급 harder를 강조하는 수식어로 even이 알맞다.

기출문장으로 *실전어법* 개념잡기 3, 4 p. 151

1 words **2** those **3** communities **4** twice
5 most **6** as **7** more **8** twice, high

1 우리는 흔히 말보다 행동에 더 많은 가치를 두도록 배우고, 그럴 만한 충분한 이유가 있다.
▶ 비교 대상은 문법적 형태가 같아야 하므로 actions와 같은 명사 형태가 적절하다.

2 총 여행 수와 총 경비 둘 다 2017년에 2015년의 그것들(총 여행 수와 총 경비)에 비해서 더 높았다.
▶ 지시대명사가 가리키는 비교 대상이 앞에 나온 both the total number of trips and the total expenditures이므로 복수 대명사 those가 적절하다.

3 그 결과, 세계의 많은 지역에는 뚜렷한 정체성을 가진 공동체들이 존재하는 만큼 많은 종류의 춤들이 존재한다.
▶ 비교 대상은 같은 문법적 형태로 병렬구조를 이루어야 하므로, 「there are + 복수 명사」의 형태가 되어야 한다.

4 호주에서, 자선 단체에 돈을 기부한 사람의 비율은 낯선 사람을 도와준 사람들의 그것(비율)의 두 배보다 더 많았다.
▶ 비교구문에서의 배수사는 '두 배'는 twice, 그 이상은 「숫자 + times」로 나타낸다.

5 임팔라는 가장 우아한 네발짐승 중의 하나이다.
▶ one of the + 최상급 + 복수 명사: 가장 ~한 … 중 하나

6 그래서 그들은 가능한 한 적게 움직이는 경향이 있다. 그리고 그것들이 실제로 움직일 때, 흔히 그것들은 마치 슬로 모션으로 움직이는 것처럼 보인다.
▶ as + 원급 + as possible: 가능한 한 ~한/하게

7 당신의 몸이 배터리이고, 이 배터리가 더 많은 에너지를 저장할수록 하루 안에 더 많은 에너지를 당신이 가질 수 있다고 상상해 보자.
▶ the + 비교급 ~, the + 비교급 …: ~하면 할수록 더 …한/하게

8 건강 과학 발명 분야에서, 여성 응답자의 비율은 남성 응답자의 그것(비율)보다 두 배만큼 높았다.
▶ 배수사 + as + 원급 + as: ~보다 몇 배 …한/하게
'높다'라는 뜻의 형용사 high가 와야 한다.

어법 TEST 1 문장 어법훈련하기 p. 152

1 better **2** much **3** even **4** ways **5** more **6** as
7 more

1 어떤 사람들은 다른 사람보다 더 나은 배우들이다.
▶ 뒤에 than이 있으므로 비교급 형태인 better가 적절하다.
비교급 + than: ~보다 더 …한/하게

2 유사한 지위의 타인들과의 관계에서, 상호 규범은 우리로 하여금 대략 우리가 받은 만큼(호의, 선물들, 혹은 사회적 초대) 줘야 한다는 것을 강요한다.
▶ as + 원급 + as: ~만큼 …한/하게

3 그러나, 미래에 다른 과학자들이 세계의 다른 곳에서 똑같은 발명품의 훨씬 더 오래된 모델을 발견할 가능성이 항상 존재한다.

▶ 비교급 older를 강조하는 수식어로 even이 알맞다.

4 이런 종류의 통합을 촉진할 수 있는 가장 좋은 방법 중 하나는 무섭거나 고통스러운 경험의 이야기를 되풀이하도록 돕는 것이다.

▶ one of the + 최상급 + 복수 명사: 가장 ~한 … 중 하나

5 한 식품이 다른 어떤 성분보다 설탕을 더 많이 함유하고 있다면, 정부 규정은 설탕이 라벨에 첫 번째로 기재될 것을 요구한다.

▶ 비교급 + than any other + 단수 명사: 다른 어떤 것보다 더 ~한 (비교급을 이용한 최상급 표현)

6 우리는 아이로 하여금 고통스런 이야기를 가능한 한 많이 반복하게 하여 아이가 고통스럽고, 무서운 경험을 극복하게 할 수 있을지도 모른다.

▶ as + 원급 + as possible: 가능한 한 ~한/하게

7 초기의 시계들은 회전하는 드럼통 주위에 감긴 줄에 묶인 무게 추에 불과했다.

▶ nothing more than: 겨우 ~에 불과한

어법 TEST 2 짧은 지문 어법훈련하기   p. 153

1 (A) than (B) important   **2** (A) that (B) even (C) smallest
3 ①

1 통신 기술에 있어서 최근의 발전은 19세기 말에 일어났던 발전보다 상대적으로 더 혁명적이지는 않다. 게다가, 그 결과로 일어나는 경제적, 사회적 변화의 측면에서, 인터넷 혁명은 세탁기와 다른 가전제품들만큼 중요하지는 않았다.

▶ (A) not + 비교급 + than: ~보다 …하지 않은(열등 비교)
(B) 주어 the Internet revolution의 주격보어 역할을 하는 형용사가 알맞다.

2 2012년에, 6-8세 연령대 아이들의 비율은 15-17세 연령대 아이들의 그것(비율)의 두 배였다. 2014년에, 6-8세 연령대 아이들의 비율은 다음 두 연령대 12-14세와 15-17세 아이들의 비율의 합보다도 더 컸다. 2012년과 2014년의 비율의 차이는 12-14세 연령대 아이들에서 가장 작았다.

▶ (A) 지시대명사가 가리키는 비교 대상이 the percentage이므로 단수 대명사 that이 알맞다.
(B) 비교급 larger를 강조하는 수식어로 even이 알맞다. very는 비교급을 강조할 수 없다.
(C) the + 최상급 + in ~: ~ 중에서 가장 …한/하게

3 연령대의 나이가 많을수록 전통적인 형식의 음악과 다운로드 음악을 둘 다 들은 사람들의 비율은 더 낮아졌다. 25에서 34세 연령대에서는, 전통적인 형식만을 들은 사람들과 다운로드 음악만을 들은 사람들 간의 퍼센트 포인트 차이가 다른 연령대보다 훨씬 더 좁았다. 45에서 54세 연령대에서는, 전통적인 형식만을 들은 사람들이 60퍼센트 이상을 차지하면서 나머지 유형의 음악을 들은 사람들보다 수가 더 많았다. 55에서 64세 연령대의 70퍼센트보다 훨씬 그 이상이 전통적인 형식만 들었다.

▶ ① → the lower / 앞에 'the older ~'가 있고, 접속사 등이 아닌

콤마(,)로 연결되어 있으므로 「the + 비교급 ~, the + 비교급 …」 (~하면 할수록 더 …한/하게) 구문임을 알 수 있다.

어법 TEST 3 기출 유형 어법훈련하기

pp. 154~155

1 ③   **2** ④   **3** ③   **4** ③

1. 구문분석 및 직독직해

❶ The two pie charts above show [the number of natural
위의 두 원 그래프는 보여 준다

disasters / and the amount of damage / by region / in 2014].
자연재해 횟수와   피해액을   지역별   2014년의
　　　　병렬구조(명사구+and+명사구)

❷ The number of natural disasters in Asia / was the largest / of
아시아의 자연재해 횟수가   가장 많았으며
~의 수(+단수 동사)   최상급

all five regions / and accounted for 36 percent, / which was
모든 다섯 지역 중   36%를 차지했다   이는 두 배가 넘는다
　　　　　　　　차지하다   관계대명사의 계속적 용법

more than twice / the percentage of Europe.
　　　　　　　유럽의 비율의
more than+배수사: 몇 배보다 더 많은

❸ Americas had the second largest number / of natural disasters, /
아메리카가 두 번째로 많았다   자연재해 횟수가
　　　　　　최상급

taking up 23 percent.
23%를 차지하면서
분사구문

❹ The number of natural disasters in Oceania / was the smallest /
오세아니아의 자연재해 횟수가   가장 적었으며
　　　　　　　　　　　최상급

and less than a third / of that in Africa.
3분의 1도 안 되었다   아프리카의 그것(자연재해 횟수)의
　　　열등 비교   = the number of natural disasters

❺ The amount of damage in Asia / was the largest / and more
아시아의 피해액이   가장 많았으며
　　　　　　　　　　최상급

than the combined amount / of Americas and Europe.
합쳐진 액수보다 더 많았다   아메리카와 유럽의
　　과거분사

❻ Africa had the least amount of damage / even though
아프리카가 피해액은 가장 적었다   비록 3위를 차지했지만
　　　　　　최상급   접속사(부사절/양보)

it ranked third / in the number of natural disasters.
비록 3위를 차지했지만   자연재해 횟수에서는

해석 위의 두 원 그래프는 2014년의 지역별 자연재해 횟수와 피해액을 보여 준다. 모든 다섯 지역 중 아시아의 자연재해 횟수가 가장 많고 36%를 차지했는데, 이는 유럽의 비율의 두 배가 넘는다. 아메리카가 23%를 차지하면서 자연재해 횟수가 두 번째로 많았다. 오세아니아의 자연재해 횟수가 가장 적었으며 아프리카의 그것(자연재해 횟수)의 3분의 1도 안 되었다. 아시아의 피해액이 가장 많았으며 아메리카와 유럽이 합쳐진 액수보다 더 많았다. 아프리카가 비록 자연재해 횟수에서는 3위를 차지했지만, 피해액은 가장 적었다.

해설 (A) more than + 배수사: 몇 배보다 더 많은
(B) 지시대명사가 가리키는 비교 대상이 the number (of

natural disasters)이므로 단수 대명사 that이 적절하다.

(C) 앞에 나온 the로 보아 최상급 형태가 적절하다.

2. 구문분석 및 직독직해

❶ The above graph shows [the global internet usage rate / in
위의 도표는 보여 준다　　　　전 세계 인터넷 사용 비율을

2017, / sorted by gender and region].
2017년의　　　성별, 지역별로 분류된
　　　　　　과거분사(the global internet usage rate in 2017 수식)

❷ Among the five regions, / both male and female internet
다섯 개의 지역 중에서　　　남성과 여성 인터넷 사용 비율 둘 다
　　　　　　　　　　both A and B: A와 B 둘 다

usage rate / in Europe / was higher than any other country, /
　　　　　유럽에서　　　다른 어떤 국가보다 더 높았으며
　　　　　　　　비교급+than any other+단수 명사: 다른 어떤 ~보다 더 …한

accounting for 83% and 76% respectively.
각각 83%, 76%를 차지하며
분사구문

❸ In each region, / the male internet usage rate / was higher /
각 지역에서　　　남성 인터넷 사용 비율이　　　더 높았다
　　　　　　　　　　　　　　　　　비교급+than

than the female internet usage rate / except for in the Americas.
여성 인터넷 사용 비율보다　　　아메리카 대륙을 제외하고는
　　　　　　　　　　　　　　　~을 제외하고는

❹ 〈The percentage point gap of internet usage / between males
인터넷 사용 퍼센트 포인트 차이는　　　　남성과 여성의
주어(명사+전치사구)

and females〉 was the highest / in the Arab States.
　　　가장 높았다　　　아랍 국가들에서
　　　동사　　최상급

❺ The internet usage rate of males in the Arab States / was
아랍 국가들의 남성 인터넷 사용 비율은　　　　　　~와 같았다

the same as / that of males in Asia Pacific.
　　　　　아시아 태평양의 남성의 그것(인터넷 사용 비율)
~와 같은(원급 비교) = the internet usage rate

❻ The percentage of female internet usage in Africa / was the
아프리카에서 여성 인터넷 사용 비율은

lowest / among the five regions, / but it was higher / than half
가장 낮았지만　다섯 개 지역 가운데　　더 높았다
최상급　　　　　　　　　　　　　비교급+than

that of female internet usage / in Asia Pacific.
여성 인터넷 사용의 그것(비율)의 절반보다는　아시아 태평양에서의
= the percentage

해석 위의 도표는 성별, 지역별로 분류된 2017년의 전 세계 인터넷 사용 비율을 보여 준다. 다섯 개의 지역 중에서, 유럽에서 남성과 여성 모두의 인터넷 사용 비율이 각각 83%, 76%를 차지하며 다른 어떤 국가보다 더 높았으며, 아메리카 대륙을 제외하고는, 각 지역에서 남성 인터넷 사용 비율이 여성 인터넷 사용 비율보다 더 높았다. 남성과 여성의 인터넷 사용의 퍼센트 포인트 차이는 아랍 국가들에서 가장 높았다. 아랍 국가들의 남성 인터넷 사용 비율은 아시아 태평양의 남성 인터넷 사용의 그것(비율)과 같았다. 아프리카에서 여성 인터넷 사용 비율은 다섯 개 지역 가운데 가장 낮았지만, 아시아 태평양에서의 여성 인터넷 사용의 그것(비율)의 절반보다는 더 높았다.

해설 ④ → that / 지시대명사가 가리키는 비교 대상이 the internet usage rate이므로 단수 대명사 that으로 고쳐야 한다.

3. 구문분석 및 직독직해

❶ You know [that forks don't fly off to the Moon] and [that
여러분은 알고 있다　　　포크가 달로 날아가지 않으며
　　　　　　접속사(명사절)1　　　　　　接속사(명사절)2

neither apples nor anything else on Earth / cause the Sun to
사과나 지구상의 그 어떤 것도　　　　　태양이 우리에게
neither A nor B: A와 B 둘 다 아닌　　　V　　O

crash down on us].
추락하도록 하지 않는다는 것을
OC(to부정사)

　　　　　　(관계부사 why)
❷ The reason these things don't happen is [that the strength
이런 일들이 일어나지 않는 이유는 ~이다
　　　　　　　　　　　　　접속사(명사절) – 보어

of gravity's pull / depends on two things].
중력의 당기는 힘의 강도가　　두 가지에 따라 달라진다

❸ The first is / the mass of the object.
첫째는 ~이다　물체의 질량

❹ The apple is very small, / and doesn't have much mass, / so
사과는 매우 작고　　　큰 질량을 가지고 있지 않다　　　그래서

its pull on the Sun is absolutely tiny, / certainly much smaller /
이것이 태양에 작용하는 인력은 절대적으로 작으며　확실히 훨씬 더 작다
　　　　　　　　　　　　　　　　　　　비교급 강조

than the pull of all the planets.
모든 행성들의 인력보다

❺ The Earth has more mass / than tables, trees, or apples, / so
지구는 더 큰 질량을 가지고 있다　탁자, 나무, 또는 사과보다　　그래서
　　　　　비교급+than

almost everything in the world / is pulled towards the Earth.
지구상의 거의 모든 것이　　　　지구를 향해 당겨진다
　　　　　　　　　　　수동태

　　　　　┌관계부사(선행사 생략)
❻ That's why apples fall from trees.
그것이 ~한 이유이다　사과가 나무에서 떨어지는

❼ Now, / you might know [that the Sun is a great deal
이제　여러분은 알고 있을 것이다
　　　　　　　　접속사(명사절)　비교급 강조

bigger than Earth / and has much more mass].
태양이 지구보다 훨씬 더 크고　훨씬 더 큰 질량을 가지고 있다는 것을
비교급+than　　　　　　　　비교급 강조

❽ So why don't apples fly off / towards the Sun?
그렇다면 왜 사과는 날아가지 않을까　태양을 향해

❾ The reason is [that the pull of gravity / also depends on
이유는 ~이다　중력의 당기는 힘이　　거리에 따라 또한 달라진다
　　　　접속사(명사절)

the distance / to the object doing the pulling].
잡아당기는 물체와의
　　　↙ 현재분사

❿ Although the Sun has much more mass than the Earth, /
태양이 지구보다 훨씬 더 큰 질량을 가지고 있지만
접속사(부사절/양보)　비교급 강조

we are much closer to the Earth, / so we feel its gravity more.
우리가 지구에 훨씬 더 가깝다　　　그래서 그것의 중력을 더 많이 느낀다
　　　비교급 강조

해석 여러분은 포크가 달로 날아가지 않으며 사과나 지구상의 그 어떤 것도 태양이 우리에게 추락하도록 하지 않는다는 것을 알고 있다. 이런 일들이 일어나지 않는 이유는 중력의 당기는 힘의 강도가 두 가지에 따라 달라지기 때문이다. 첫째는 물체의 질량이다. 사과는 매우 작고, 큰 질량을 가지고 있지 않아서, 이것이 태양에 작용하는 인력은 절대적으로 작으며, 확실히 모든 행성들의 인력보다 훨씬 더 작다. 지구는 탁자, 나무, 또는 사과보다 더 큰 질량을 가지고 있어서, 지구상의 거의 모든 것이 지구를 향해 당겨진다. 그것이 사과가 나무에서 떨어지는 이유이다. 이제, 여러분은 태양이 지구보다 크기가 훨씬 더 크고 훨씬 더 큰 질량을 가지고 있다는 것을 알고 있을 것이다. 그렇다면 왜 사과는 태양을 향해 날아가

지 않을까? 이유는 중력의 당기는 힘이 또한 잡아당기는 물체와의 거리에 따라 달라지기 때문이다. 태양이 지구보다 훨씬 더 큰 질량을 가지고 있지만, 우리가 지구에 훨씬 더 가까워서 그것의 중력을 더 많이 느낀다.

해설 ③ → bigger / 뒤에 than이 있으므로 비교급 형태인 bigger로 고쳐야 한다. a great deal은 much와 같이 비교급을 강조하는 말이다.

4. 구문분석 및 직독직해

❶ We create a picture of the world / using the examples [that
우리는 세상에 대한 그림을 만들어 낸다   예시를 사용하여   주격 관계대명사
                                        분사구문
most easily come to mind].
가장 쉽게 떠오르는
⑤ 가장 쉽게

❷ This is foolish, / of course, / because in reality, things don't
이것은 어리석은데   물론   왜냐하면 현실에서 사건들은   더 자주
                    삽입어구   because+삽입어구+S+V
happen more frequently / just because we can imagine them
발생하지는 않기 때문이다   단지 우리가 더 쉽게 상상할 수 있다는 이유로 = things
more easily.

❸ Thanks to this prejudice, / we travel through life / with an
이 편견 때문에   우리는 삶을 헤쳐 나간다
~ 덕분에, ~ 때문에(= owing to)
incorrect risk map / in our heads.
부정확한 위험 지도를 가지고   우리의 머릿속에

❹ Thus, / we overestimate / the risk of being the victims / of
따라서   우리는 과대평가한다   우리가 희생자가 될 위험성을
                                전치사+-ing
a plane crash, a car accident, or a murder.
비행기 추락, 자동차 사고, 또는 살인의

❺ And we underestimate / the risk of dying / from less
그리고 우리는 과소평가한다   죽을 위험성을
spectacular means, / such as diabetes or stomach cancer.
덜 극적인 방법으로   당뇨병 또는 위암과 같은
                    ~와 같은(= like)

❻ The chances of bomb attacks / are much rarer than
폭탄 공격의 가능성은   우리가 생각하는 것보다 훨씬 더 희박하고
                        비교급 강조+비교급+than
we think, / and the chances of suffering depression /
우리가 생각하는   우울증으로 고통 받을 가능성은
are much higher.
훨씬 더 높다
= far / a lot

❼ We attach too much likelihood / to spectacular, flashy, or
우리는 지나치게 많은 가능성을 부여한다   극적이고, 현란하고,
loud outcomes.
야단스러운 결과에

❽ Anything silent or invisible / we downgrade / in our minds.
조용하고 보이지 않는 것은   우리는 평가절하한다 우리의 마음에서
-thing + 형용사

❾ Our brains imagine impressive outcomes / more readily /
우리의 뇌는 인상적인 결과를 상상한다   더 쉽게
                                        비교급+than
than ordinary ones.
평범한 것보다
= outcomes

해석 우리는 가장 쉽게 떠오르는 예시를 사용하여 세상에 대한 그림을 만들어 낸다. 물론, 이것은 어리석은데, 왜냐하면 현실에서 사건들은 단지 우리가 더 쉽게 상상할 수 있다는 이유로 더 자주 발생하지는 않기 때문이다. 이 편견 때문에, 우리는 우리의 머릿속에 부정확한 위험 지도를 가지고 삶을 헤쳐 나간다. 따라서, 우리는 우리가 비행기 추락, 자동차 사고, 또는 살인의 희생자가 될 위

험성을 과대평가한다. 그리고 우리는 당뇨병 또는 위암과 같은 덜 극적인 방법으로 죽을 위험성은 과소평가한다. 폭탄 공격의 가능성은 우리가 생각하는 것보다 훨씬 더 희박하고, 우울증으로 고통 받을 가능성은 훨씬 더 높다. 우리는 극적이고, 현란하고, 야단스러운 결과에 지나치게 많은 가능성을 부여한다. 우리는 조용하고 보이지 않는 것은 우리의 마음속에서 평가절하한다. 우리의 뇌는 평범한 것보다 인상적인 결과를 더 쉽게 상상한다.

해설 (A) come to mind를 수식하므로 부사의 최상급 표현이 알맞다. 부사는 보통 the를 생략하고 최상급을 만든다.
(B) 비교급 rarer를 강조하는 수식어로 much가 알맞다. very는 비교급을 수식할 수 없다.
(C) 비교 대상은 서로 문법적 형태가 같아야 한다. 비교 대상이 impressive outcomes이므로 복수 부정대명사 ones가 알맞다.

어법 TEST 4 서술형 내신 어법훈련하기

pp. 156~157

1　01 다섯 개의 모든 나라들은 2016년에 2014년보다 더 많은 전기차 재고량을 가졌다.　02 that / 비교 대상이 the increase (in electric car stock)로 단수　03 more than three times larger in 2016

2　01 high → higher / those → that　02 the percentage of "mother does more" households is the same as that of "share equally" households　03 '엄마가 더 많이 하는' 가정의 그것(비율)보다 두 배가 더 넘게 높은

1. 구문분석 및 직독직해

❶ The graph above shows / the amount of the electric car
위의 도표는 보여 준다   전기차 재고량을
stock / in five countries / in 2014 and 2016.
다섯 개 나라들의   2014년과 2016년의

❷ All five countries had / more electric car stock in 2016 /
다섯 개의 모든 나라들은   2016년에 더 많은 전기차 재고량을 가졌다
                        비교급+than
than in 2014.
2014년보다

❸ In 2014, / the electric car stock of the United States /
2014년에   미국의 전기차 재고량은
ranked first / among the five countries, / followed by that of
1위를 차지했고   다섯 개의 나라들 중에서   중국의 그것(전기차 재고량)이
                                        = the electric car stock
China.
뒤를 이었다

❹ However, / China showed the biggest increase / of electric
그러나   중국은 가장 큰 증가를 보였고   전기차 재고량의
                    최상급
car stock / from 2014 to 2016, / surpassing the United States /
2014년부터 2016년까지   미국을 넘어서며
                        분사구문
in electric car stock / in 2016.
전기차 재고량에서   2016년에

❺ Between 2014 and 2016, / the increase in electric car stock
2014년과 2016년 사이에   일본의 전기차 재고량의 증가는
between A and B: A와 B 사이에
in Japan / was less / than that in Norway.
더 적었다   노르웨이의 그것(증가)보다
            비교급   = the increase

⑥ In the Netherlands, / the electric car stock / was more
　네덜란드에서　　　　전기차 재고량은　　　세 배 이상 더 많았다

than <u>three times larger</u> / in 2016 than in 2014.
　　　　　　　　　　　　　　　2014년보다 2016년에
<u>more than+배수사+비교급</u>: 몇 배보다 더 많은

해석 위의 도표는 다섯 개 나라들의 2014년과 2016년 전기차 재고량
을 보여 준다. 다섯 개의 모든 나라들은 2016년에 2014년보다
더 많은 전기차 재고량을 가졌다. 2014년에, 미국의 전기차 재고
량은 다섯 개의 나라들 중에서 1위를 차지했고, 중국의 그것(전기
차 재고량)이 뒤를 이었다. 그러나, 중국은 2016년에 전기차 재
고량에서 미국을 넘어서며, 2014년부터 2016년까지 전기차 재
고량의 가장 큰 증가를 보였다. 2014년과 2016년 사이에, 일본
의 전기차 재고량의 증가는 노르웨이의 그것(증가)보다 더 적었
다. 네덜란드에서, 전기차 재고량은 2016년에 2014년보다 세
배 이상 더 많았다.

해설 **01** 비교 대상이 in 2016과 in 2014임에 유의하여 해석한다.

　　02 지시대명사가 가리키는 비교 대상이 the increase (in
　　　　electric car stock)로 단수이므로 단수 대명사 that이 적절
　　　　하다.

　　03 '세 배 이상'은 more than three times로 표현한다.

2. 구문분석 및 직독직해

❶ The graph above shows / the division of labor in households
　위의 도표는 보여 준다　　　　　가정의 노동 분담을

[where both parents work full-time / in 2015].
부모 둘 다 전업을 하는　　　　　　　　　　2015년에
관계부사

❷ The percentage of "mother does more" households / in
'엄마가 더 많이 하는' 가정의 비율은

every category / is <u>higher</u> / than that of "father does more"
모든 항목에서　　　더 높다　　'아빠가 더 많이 하는' 가정의 그것(비율)보다
　　　　　　　　비교급+than　　= the percentage

households.

❸ While the category with the highest percentage / of "mother
비율이 가장 높은 항목은 ~인 반면
접속사(부사절/양보)

does more" households is / "Managing children's
'엄마가 더 많이 하는' 가정의

schedules/activities," / the category with <u>the highest percentage</u> /
'아이들의 스케줄이나 활동을 관리하기'　　비율이 가장 높은 항목은 ~이다
　　　　　　　　　　　　　　　　　　　　　最上級

of "father does more" households is / "Disciplining children."
'아빠가 더 많이 하는' 가정의　　　　　'아이들을 훈육하기'

❹ When it comes to taking care of children / when they're
　돌보는 것에 대해 말하자면　　　　　　　　아이가 아플 때
　~에 대해 말하자면

sick, / the percentage of "mother does more" households / is
　　　'엄마가 더 많이 하는' 가정의 비율은

<u>the same as</u> / that of "share equally" households.
~와 같다　　　'똑같이 나누는' 가정의 그것(비율)
~와 같은　　　= the percentage

❺ The percentage of "share equally" households / is over
'똑같이 나누는' 가정의 비율은

<u>two times higher</u> / than that of "mother does more" households /
두 배가 더 넘게 높다　'엄마가 더 많이 하는' 가정의 그것(비율)보다
<u>배수사+비교급+than</u>: ~보다 몇 배 더 …한

in three categories.
세 개의 항목에서

⑥ The category [that shows the highest percentage / of
　항목은　　　　　　가장 높은 비율을 보여주는
　주어　　　　　　　　주격 관계대명사　　最上級

"share equally" households] is "Playing or doing activities with
'똑같이 나누는' 가정의　　　　　'아이들과 함께 놀아주거나 활동하기'이고
　　　　　　　　　　　　　　　　動詞

children," / followed by the category "Disciplining children."
　　　　　　그 다음이 '아이들을 훈육하기'이다

해석 위의 도표는 2015년에 부모 둘 다 전업을 하는 가정의 노동 분담
을 보여 준다. 모든 항목에서 '엄마가 더 많이 하는' 가정의 비율
은 '아빠가 더 많이 하는' 가정의 비율보다 더 높다. '엄마가 더 많
이 하는' 가정의 비율이 가장 높은 항목은 '아이들의 스케줄이나
활동을 관리하기'인 반면, '아빠가 더 많이 하는' 가정의 비율이
가장 높은 항목은 '아이들을 훈육하기'이다. 아이가 아플 때 돌보
는 것에 대해 말하자면, '엄마가 더 많이 하는' 가정의 비율은 '똑
같이 나누는' 가정의 그것(비율)과 같다. '똑같이 나누는' 가정의
비율은 '엄마가 더 많이 하는' 가정의 그것(비율)보다 세 개의 항
목에서 두 배가 더 넘게 높다. '똑같이 나누는' 가정의 가장 높은
비율을 보여 주는 항목은 '아이들과 함께 놀아주거나 활동하기'이
고, 그 다음이 '아이들을 훈육하기'이다.

해설 **01** high는 뒤에 있는 than으로 보아 비교급 형태인 higher가
　　　　되어야 한다. / than 뒤에 있는 those는 지시대명사가 가리
　　　　키는 비교 대상이 the percentage로 단수이므로 단수 대
　　　　명사인 that이 되어야 한다.

　　02 '~와 같은'은 the same as로 나타내고, the percentage
　　　　는 that으로 대신할 수 있다.

　　03 over는 '~이 넘는'의 뜻이므로 over two times higher는
　　　　'두 배가 더 넘게 높은'이라는 의미이다. than 뒤의 that은
　　　　the percentage를 의미한다.

Unit 12 특수구문

어법 기본 다지는 *Basic Grammar* p. 159

강조, 도치, 부정, 간접의문문 **1** was Mary that **2** what it is

기출문장으로 *실전어법* 개념잡기 1, 2 p. 161

1 that **2** do **3** that **4** did **5** was the fact
6 nor is a player **7** was Kathy **8** so did the length

1 바로 식물들의 부동성(不動性)이라는 이러한 사실이 그것들로 하여금 화학 물질을 만들도록 한다.
▶ 「It ~ that」 강조구문의 that이 알맞다. 「It ~ that」 강조구문은 It is와 that을 생략했을 때 나머지로 완전한 문장을 만들 수 있다.

2 동전과 주사위와는 달리, 인간은 기억이 있고 승패에 정말로 관심을 갖는다.
▶ 동사 care를 강조하는 do이고, 주어 humans가 복수이므로 do가 알맞다.

3 바라던 목표를 성취하게 되는 것은 오직 연습과 행동을 통해서이다.
▶ only through practice and action을 강조하는 「It ~ that」 강조구문이므로 that이 알맞다.

4 Bach에서 Chopin에 이르는 유명한 작곡가들에 의해서 작곡된 춤곡들은 원래는 사실상 정말로 춤을 동반했다.
▶ 동사 accompany를 강조하는 do이고, 문맥상 과거형 did가 알맞다.

5 Freud가 자신의 애완견 Jofi가 그의 환자들에게 얼마나 도움이 되는지 발견했다는 사실은 당시에 덜 알려졌다.
▶ 보어 less well known at the time이 앞으로 나와 강조되었으므로, 도치구문의 어순인 「(조)동사 + 주어」에 따라 was the fact가 알맞다.

6 연달아 네 번 아웃된 야구 선수가 안타를 치도록 되어 있는 것은 아니고, 연달아 네 번 안타를 친 선수가 아웃되도록 되어 있는 것도 아니다.
▶ 관용적으로 쓰이는 도치구문으로, 「nor + 동사 + 주어」의 어순에 따라 nor is a player가 알맞다.

7 그들 뒤에 서 있던 것은 빛나는 긴 갈색 머리와 짙게 반짝이는 눈을 한 예쁜 다섯 살짜리 Kathy였다.
▶ 보어 standing behind them이 앞으로 나와 강조되었으므로, 도치구문의 어순에 따라 was Kathy가 알맞다.

8 시간이 흐를수록 환경이 개선되고 사람들의 수명도 길어진 것으로 보일 것이다.
▶ 관용적으로 쓰이는 도치구문으로, 「so + 동사 + 주어」의 어순에 따라 so did the length가 알맞다.

기출문장으로 *실전어법* 개념잡기 3, 4 p. 163

1 not always **2** any **3** never **4** she was **5** who first discovered it **6** we should **7** how active we are **8** whether

1 사람들이 항상 그들의 행동으로 정의되는 것은 아니다.
▶ 부분부정의 어순에 따라 not always가 알맞다.

2 심지어 이 다국적 기업의 모든 임원들은 그 회의와 겹치는 이동 일정은 전혀 잡지 않는 것이 의무적이다.
▶ 앞의 mandatory(의무적인)로 보아, 문맥상 '회의와 겹치는 이동 일정은 전혀 잡지 않는다'는 의미가 되어야 하므로 전체부정을 나타내는 「not + any」가 알맞다.

3 대신 우리는 우리의 아이들에게 인류를 지키도록 그들을 무장시킬 교육을 제공하는 것을 보장하는 데 초점을 맞추어야 한다.
▶ never는 단독으로 쓸 수 있는 반면 not은 주로 be동사나 조동사와 함께 쓰인다.

4 거기에 있던 학교 직원은 그녀가 왜 울고 있는지 물어볼 만큼 충분한 수화를 알지 못했다.
▶ 「의문사 + 주어 + 동사」의 간접의문문 어순에 따라 she was가 알맞다.

5 단지 어디서 커피가 유래했는지 혹은 누가 그것을 처음 발견했는지는 분명하지 않다.
▶ 의문사가 주어인 간접의문문의 어순인 「의문사(주어) + 동사」에 따라 who first discovered it이 알맞다.

6 자, 네 개의 블록 중에서, 우리는 어떤 것을 가장 먼저 포기해야 한다고 생각하는가?
▶ 주절의 동사가 think와 같이 생각이나 추측을 나타낼 경우 「의문사 + do you think + 주어 + 동사」의 어순으로 나타내므로 we should가 알맞다.

7 우리는 다양한 방법으로 우리의 체온을 통제할 수 있다. 우리는 우리의 옷과, 행동하는 방식, 그리고 우리가 얼마나 활동적인가를 바꿀 수 있다.
▶ 의문사 how 바로 뒤에 형용사나 부사가 나오는 경우 하나의 의문사로 취급하므로 how active we are가 알맞다.

8 그들은 우리가 서로의 얼굴을 볼지 아니면 대신 이름만으로 서로를 알지를 결정한다.
▶ 의문사가 없는 간접의문문이므로 「whether + 주어 + 동사」의 어순이 알맞다.

어법 TEST 1 문장 어법훈련하기 p. 164

1 do **2** had these subjects **3** the colony should
4 how much this means **5** ○ **6** do you
7 Who would you guess has

1 그래서 그들은 가능한 한 적게 움직이는 경향이 있다. 그리고 그것들이 실제로 움직일 때, 흔히 그것들은 마치 슬로 모션으로 움직이는 것처럼 보인다.
▶ 동사 move를 강조한다. 주어 they가 복수이고 현재시제이므로

do가 알맞다.

2 이전에는 이러한 대상들이 결코 화가들에게 적절하다고 여겨지지 않았다.
- ▶ 부정어구가 앞으로 나와 강조되었으므로 「(조)동사 + 주어」의 도치 구문의 어순에 따라 had these subjects가 알맞다.

3 어느 정찰병이라도 군집이 어디에 다음 벌집을 지을지에 대해 동의하지 않으면, 그들은 문명화된 방법으로 그 문제를 논의한다.
- ▶ 「의문사 + 주어 + 동사」의 간접의문문 어순에 따라 the colony should가 알맞다.

4 그리고 눈물을 흘리며, 그녀는 "당신은 이것이 나에게 얼마나 큰 의미인지를 모를 거예요."라고 말했다.
- ▶ 의문사 how 바로 뒤에 형용사나 부사가 나오는 경우 하나의 의문사로 취급하므로 how much this means가 알맞다.

5 이것이 가능한지를 가장 빠른 편리한 시간에 저에게 알려주시기 바랍니다.
- ▶ 의문사가 없는 간접의문문의 어순은 「if〔whether〕 + 주어 + 동사」이므로 적절하게 쓰였다.

6 오직 당신이 이해한 것을 즉각적으로 기억해 내고 당신의 기억된 이해를 사용하는 것을 시행할 수 있을 때, 당신은 경지에 이른다.
- ▶ 부사절 only when ~ understanding이 앞으로 나와 강조되었으므로 도치구문의 어순인 「(조)동사 + 주어」에 따라 do you가 알맞다.

7 누가 더 큰 해마를 가지고 있을 것이라 추측하는가? 택시 운전사인가 버스 운전사인가? 정답은 택시 운전사이다.
- ▶ 주절의 동사가 guess와 같이 추측을 나타낼 경우, 「의문사 + do you guess + 주어 + 동사」의 어순으로 나타내므로 who would you guess has가 알맞다.

어법 TEST 2 *짧은 지문* 어법훈련하기 p. 165

1 (A) that (B) how well you will　**2** (A) not (B) did he
3 ①

1 당신이 듣는 것을 배우는 것으로 얼마나 잘 바꾸는가에 있어서 전적으로 차이를 만들어 내는 것은 바로 당신의 머릿속에서 일어나는 것이다. 듣는 것으로는 결코 충분하지 않다.
- ▶ (A) what goes on inside your head를 강조하는 「It ~ that」 강조구문의 that이 알맞다.
  (B) 의문사 how 바로 뒤에 형용사나 부사가 나오면 하나의 의문사로 취급한다. 간접의문문의 어순인 「의문사 how + 형용사/부사 + 주어 + 동사」에 따라 how well you will이 알맞다.

2 Thomas Edison은 정말 창의적인 천재였지만, 어떠한 마케팅 원칙을 발견한 후에야 그는 비로소 큰 성공에 도달했다. 매우 필요함에도 불구하고, 그의 최초 발명품 중 하나는 실패였다.
- ▶ (A) not A until B: B한 후에야 비로소 A하다
  (B) 부정어구 not until이 이끄는 부사절이 앞으로 나와 강조되었으므로, 도치구문의 어순인 「(조)동사 + 주어」에 따라 did he가 알맞다.

3 그 봉투 속에는 모든 연령대에서 오래된 우정이 얼마나 중요한지에 대해서 그리고 내가 꼭 '인생에서 한 번뿐인 행사이기 때문에 나의 50주년 동창회에 참석해야만 한다.'라고 나에게 잔소리하는 편지가 들어 있었다. 안에는 Syracuse행 왕복 항공권과 약 200달러의 현금이 포함되어 있었다.
- ▶ ① → was a letter / 부사구 inside the envelope가 앞으로 나와 강조되었으므로, 도치구문의 어순인 「(조)동사 + 주어」에 따라 was a letter로 고쳐야 한다.

어법 TEST 3 *기출 유형* 어법훈련하기

pp. 166~167

1 ②　**2** ③　**3** ①　**4** ④

1. 구문분석 및 직독직해

❶ Although humans have been drinking coffee / for centuries, /
사람들은 커피를 마셔 왔지만　　　　　　　수세기 동안
접속사(부사절/양보)　　　현재완료 진행형

it is not clear [just where coffee originated / or
분명하지 않다　　단지 어디서 커피가 유래했는지　　혹은
가주어　　　　진주어(간접의문문: 의문사+주어+동사)

who first discovered it].
누가 그것을 처음 발견했는지
간접의문문(의문사(주어)+동사)

❷ However, / the predominant legend has it that / a goatherd
그러나　　　유력한 전설에 따르면　　　　　한 염소지기가
　　　　　　　　　　　　　　　　　　　　~에 따르면 …이다

discovered coffee / in the Ethiopian highlands.
커피를 발견했다　　에티오피아 고산지에서

❸ Various dates for this legend / include / 900 BC, 300 AD,
이 전설에 대한 다양한 시기는　　　　포함한다　　기원전 900년,

and 800 AD.
기원후 300년, 그리고 기원후 800년을

❹ Regardless of the actual date, / it is said [that Kaldi, the
실제 시기와 상관없이　　　　　　　염소지기인 Kaldi가 발견했다고 한다
~와 상관없이　　　　　　　　　　가주어　　진주어
　　　　　　　　　　　　　　　　　　　　　　┌ 동격 ┐

goatherd, noticed {that none of his goats slept at night /
　　　　　　　　그의 염소들 중 어느 것도 밤에 잠을 자지 않았다는 것을
　　　　　　　　접속사(명사절)　none of+명사

after eating berries / from 〈what would later be known as a
열매를 먹은 후　　　　　후에 커피나무라고 알려진 것으로부터
　　　　　　　　　　　　　관계대명사　　　~라고 알려지다

coffee tree〉}].
커피나무

❺ When Kaldi reported his observation / to the local monastery, /
Kaldi가 그의 관찰 내용을 보고했을 때　　　그 지역 수도원에
접속사(부사절)

the abbot became the first person / to brew a pot of coffee /
그 수도원장은 첫 번째 사람이 되었다　　한 주전자의 커피를 우려내고
　　　　　　　　　　　　　　　　　　형용사적 용법(to부정사1)

and note its flavor and alerting effect / when he drank it.
그것의 풍미와 각성 효과를 알아차린　　　　그가 그것을 마셨을 때
to부정사2-병렬구조　　　　　　　　　　　　　= coffee

❻ 〈Word of the awakening effects and the pleasant taste / of
잠을 깨우는 효과와 좋은 풍미에 대한 소문은

this new beverage〉 soon spread / beyond the monastery.
이 새로운 음료의　　　　이내 널리 퍼졌다　수도원 너머로
〈 〉주어　　　　　　　　동사

❼ The story of Kaldi might be / more fable than fact, / but at
Kaldi의 이야기는 ~일지도 모른다   사실이라기보다 꾸며낸 이야기
                              more A than B = A rather than B

least some historical evidence indicates [that coffee did
그러나 적어도 몇몇 역사적 증거는 보여 준다   커피가 정말 유래했다는 것을
                              접속사(명사절)   강조의 do

originate / in the Ethiopian highlands].
에티오피아 고산지에서

해석 수세기 동안 사람들은 커피를 마셔 왔지만, 단지 어디서 커피가 유래했는지 혹은 누가 그것을 처음 발견했는지는 분명하지 않다. 그러나, 유력한 전설에 따르면 한 염소지기가 에티오피아 고산지에서 커피를 발견했다. 이 전설에 대한 다양한 시기는 기원전 900년, 기원후 300년, 그리고 기원후 800년을 포함한다. 실제 시기와 상관없이, 염소지기인 Kaldi가 그의 염소들 중 어느 것도 후에 커피나무라고 알려진 나무로부터 열매를 먹은 후 밤에 잠을 자지 않았다는 것을 발견했다고 한다. Kaldi가 그 지역 수도원에 그의 관찰 내용을 보고했을 때, 그 수도원장은 한 주전자의 커피를 우려내고 그가 그것을 마셨을 때 그것의 풍미와 각성 효과를 알아차린 첫 번째 사람이 되었다. 이 새로운 음료의 잠을 깨우는 효과와 좋은 풍미에 대한 소문은 이내 수도원 너머로 널리 퍼졌다. Kaldi의 이야기는 사실이라기보다 꾸며낸 이야기일지도 모르지만, 적어도 몇몇 역사적 증거는 커피가 정말 에티오피아 고산지에서 유래했다는 것을 보여 준다.

해석 (A) 「의문사 + 주어 + 동사」의 간접의문문 어순에 따라 where coffee originated가 알맞다.
(B) none과 no 둘 다 전체부정을 나타내지만 no 뒤에는 명사가 오므로 none이 알맞다.
(C) 문장의 시제가 과거이므로 originate를 강조하는 do의 과거형 did가 알맞다.

2. 구문분석 및 직독직해

❶ Plants are nature's alchemists; / they are expert / at
식물들은 자연의 연금술사들이다   그것들은 전문적이다

transforming water, soil, and sunlight / into an array of
물, 토양, 그리고 햇빛을 바꾸는 데
전치사+-ing

precious substances.
귀한 물질들의 집합체로

❷ Many of these substances are beyond / the ability of human
이 물질들 중 상당수는 넘어선다   인간의 능력을

beings / to conceive.
       상상할 수 있는
       └ 형용사적 용법

❸ While we were perfecting consciousness / and learning to
우리가 의식을 완성해 가고   두 발로 걷는 것을
접속사(부사절) 과거진행형(현재분사1)   (현재분사2/병렬구조)

walk on two feet, / they were, by the same process of natural
배우는 동안   그것들은 자연 선택의 동일한 과정에 의해

selection, / inventing photosynthesis / and perfecting organic
           광합성을 발명하고   유기 화학을 완성하고 있었다
           과거진행형(현재분사1)   (현재분사2/병렬구조)

chemistry.

❹ As it turns out, / many of the plants' discoveries / in
밝혀진 것처럼   식물들이 발견한 것 중 상당수가
접속사(~처럼)

chemistry and physics / have served us well.
화학과 물리학에서   우리에게 매우 도움이 되어 왔다
                     현재완료(계속)

❺ From plants / come chemical compounds [that nourish
식물들로부터   화합물들이 나온다
부사구 도치구문: 부사구+동사+주어   주격 관계대명사

and heal and delight the senses].
영양분을 공급하고 치료하고 감각을 즐겁게 하는

❻ Why would they go to / all this trouble?
왜 그것들은 ~을 할까   이 모든 수고를

❼ Why should plants bother / to devise the recipes / for so
왜 식물들은 애를 써야만 할까   제조법을 고안해 내고
                         명사적 용법(목적어)
                                                  (to)
many complex molecules / and then expend the energy /
그렇게나 많은 복합 분자들의   그런 다음에 에너지를 쏟는 것에

needed to manufacture them?
그것들을 제조하는 데 필요한
과거분사구   = many complex molecules

❽ Plants can't move, / which means [they can't escape the
식물들은 움직일 수 없고   이것은 의미한다   그것들이 생물체로부터
           계속적 용법의 관계대명사   (접속사 that 생략)

creatures {that feed on them}].
도망갈 수 없다는 것을   그것들을 먹이로 하는
           └ 주격 관계대명사

❾ It is this fact of plants' immobility / that causes them to
바로 식물들의 부동성(不動性)이라는 이러한 사실이
「It ~ that」 강조구문   cause+A+to부정사: A로 하여금 ~하게 하다

make chemicals.
그것들로 하여금 화학물질을 만들도록 한다

해석 식물들은 자연의 연금술사들이고, 그것들은 물, 토양, 그리고 햇빛을 다수의 귀한 물질들의 집합체로 바꾸는 데 전문적이다. 이 물질들 중 상당수는 인간이 상상할 수 있는 능력을 넘어선다. 우리가 의식을 완성해 가고 두 발로 걷는 것을 배우는 동안, 그것들은 자연 선택의 동일한 과정에 의해 광합성을 발명하고 유기 화학을 완성하고 있었다. 밝혀진 것처럼, 화학과 물리학에서 식물들이 발견한 것 중 상당수가 우리에게 매우 도움이 되어 왔다. 영양분을 공급하고 치료하고 감각을 즐겁게 하는 화합물들이 식물들로부터 나온다. 왜 그것들은 이 모든 수고를 할까? 왜 식물들은 그렇게나 많은 복합 분자들의 제조법을 고안해 내고 그런 다음에 그것들을 제조하는 데 필요한 에너지를 쏟는 것에 애를 써야만 할까? 식물들은 움직일 수 없고, 이것은 그것들이 그것들을 먹이로 하는 생물체로부터 도망갈 수 없다는 것을 의미한다. 바로 식물들의 부동성(不動性)이라는 이러한 사실이 그것들로 하여금 화학물질을 만들도록 한다.

해설 ❺ → come chemical compounds / 부사구 from plants가 앞으로 나와 강조되었으므로, 도치구문의 어순에 따라 come chemical compounds로 고쳐야 한다.

3. 구문분석 및 직독직해

❶ A dramatic example / of [how culture can influence our
한 극적인 예는   문화가 어떻게 우리의 생물학적인 처리 과정에 영향을
주어   간접의문문(의문사+주어+동사)

biological processes] was provided / by anthropologist Clyde
미칠 수 있는지에 대한   제시되었다   인류학자인 Clyde Kluckhohn에 의해
                       동사

Kluckhohn, / who spent much of his career / in the American
그는 자신의 경력의 많은 부분을 보냈다   American Southwest에서
           계속적 용법의 관계대명사

Southwest / studying the Navajo culture.
           Navajo 문화를 연구하며
spend+시간+-ing: ~하는 데 시간을 보내다
                       (목적격 관계대명사 who(m))
❷ Kluckhohn tells of a non-Navajo woman / he knew /
Kluckhohn은 Navajo인이 아닌 한 여인에 대해 말한다 그가

in Arizona [who took a somewhat perverse pleasure /
Arizona에서 알았던   다소 심술궂은 기쁨을 얻었던
      주격 관계대명사

in causing a cultural response to food].
음식에 대한 문화적 반응을 이끌어 내는 것에서
in+-ing: ~하는 데 있어

❸ At luncheon parties / she often served sandwiches [filled
오찬 파티에서   그녀는 샌드위치를 자주 대접했다
            과거분사구

with a light meat {that resembled tuna or chicken / but had a
흰 살 고기로 채워진   참치나 닭고기와 비슷한   그러나 독특한
     주격 관계대명사

distinctive taste}].
맛이 나는

❹ Only after everyone had finished lunch / would the hostess
모든 사람이 점심 식사를 마친 후에야 비로소   그 여주인은
부사구 도치구문: 부사구+(조)동사+주어   습관

inform her guests [that {what they had just eaten} was neither
손님들에게 알려 주곤 했다 그들이 방금 먹은 것은
        관계대명사(주어)   neither A nor B: A도 B도 아닌

tuna salad nor chicken salad / but rather rattlesnake salad].
참치 샐러드나 닭고기 샐러드가 아니라 방울뱀 고기 샐러드였다고

❺ Invariably, / someone would vomit / upon learning /
어김없이,   누군가는 먹은 것을 토하곤 했다 알게 되면
     습관   upon+-ing: ~하자마자

[what they had eaten].
그들이 방금 무엇을 먹었는지
관계대명사(목적어)   대과거(had+p.p.)

❻ Here, then, / is an excellent example of how the biological
그렇다면 이것은   ~에 대한 훌륭한 예시이다
Here 도치구문(Here+동사+주어)   의문사절

process of digestion was influenced / by a cultural idea.
소화의 생물학적인 과정이 어떻게 영향을 받았는지에 대한 문화적인 관념에 의해
        수동태

❼ Not only was the process influenced, / it was reversed: / the
그 과정은 영향을 받았을 뿐만 아니라   완전히 뒤집혔다
부정어구 도치구문(Not only+동사+주어)

culturally based idea [that rattlesnake meat is a disgusting thing
문화에 기초한 '관념'이   방울뱀 고기는 먹기에 혐오스러운 음식이라는
     접속사(동격)

to eat] triggered a violent reversal / of the normal digestive
극단적인 반전을 촉발했다   정상적인 소화의 과정에
형용사적 용법 동사

process.

해석 문화가 어떻게 우리의 생물학적인 처리 과정에 영향을 미칠 수 있
는지에 대한 한 극적인 예는 인류학자인 Clyde Kluckhohn에
의해 제시되었는데, 그는 자신의 경력의 많은 부분을 American
Southwest에서 Navajo 문화를 연구하며 보냈다. Kluckhohn
은 음식에 대한 문화적 반응을 이끌어 내는 것에서 다소 심술궂은
기쁨을 얻었던, 그가 Arizona에서 알았던 Navajo인이 아닌 한
여인에 대해 말한다. 오찬 파티에서 그녀는 참치나 닭고기와 비슷
하지만 독특한 맛이 나는 흰 살 고기로 채워진 샌드위치를 자주
대접했다. 그 여주인은 모든 사람이 점심 식사를 마친 후에야 비
로소 손님들에게 그들이 방금 먹은 것은 참치 샐러드나 닭고기 샐
러드가 아니라 방울뱀 고기 샐러드였다고 알려 주곤 했다. 어김없
이, 그들이 방금 무엇을 먹었는지 알게 되면 바로 누군가는 먹은
것을 토하곤 했다. 그렇다면, 이것은 소화의 생물학적인 과정이
어떻게 문화적인 관념에 의해 영향을 받았는지에 대한 훌륭한 예
시이다. 그 과정은 영향을 받았을 뿐만 아니라, 완전히 뒤집혔다.
방울뱀 고기는 먹기에 혐오스러운 음식이라는 문화에 기초한 '관
념'이 정상적인 소화의 과정에 극단적인 반전을 촉발했다.

해설 ① → how culture can influence / 「의문사 + 주어 + 동사」의
간접의문문 어순에 따라 how culture can influence로 고쳐
야 한다.

4. 구문분석 및 직독직해

❶ The online world is an artificial universe — / entirely
온라인 세상은 인공의 세계이다   완전히

human-made and designed.
사람에 의해 만들어지고 설계된
과거분사구

❷ The design of the underlying system shapes [how we
그 근본적인 시스템의 디자인이 형성한다   우리가 어떻게
                   간접의문문1

appear] and [what we see / of other people].
보이고   우리가 무엇을 보는지를 다른 사람들에게서
       간접의문문2

❸ It determines / the structure of conversations / and [who
그것은 결정한다   대화의 구조와
                    간접의문문(의문사(주어)+동사)

has access / to what information].
누가 접근할 수 있는지를   어떤 정보에
     의문형용사

❹ Architects of physical cities determine / the paths [people
물리적인 도시의 건축가들은 결정한다
              (목적격 관계대명사 생략)

will take] and the sights [they will see].
사람들이 가게 될 길과 그들이 보게 될 광경을
     (목적격 관계대명사 생략)

❺ They affect people's mood / by creating / cathedrals [that
그들은 사람들의 기분에 영향을 미친다 지음으로써 경외감을 불러일으키는
          by+-ing: ~함으로써   주격 관계대명사

inspire awe] and schools [that encourage playfulness].
대성당들과   명랑함을 북돋는 학교들을
          주격 관계대명사

❻ Architects, however, do not control [how the residents of
그러나 건축가들은 통제하지는 않는다   그러한 건물들의 거주자들이 어떻게
                    간접의문문

those buildings / present themselves / or see each other] —
자신들을 나타내는지   또는 서로를 바라보는지를
     동사1 재귀대명사(재귀 용법)   동사2

but the designers of virtual spaces do, / and they have
하지만 가상공간의 설계자들은 그렇게 하며   그들은
               (= control ~ each other)

far greater influence / on the social experience / of their users.
훨씬 더 큰 영향을 준다   사회적 경험에   사용자들의
even, much, still. far(훨씬)+비교급

❼ They determine [whether we see each other's faces /
그들은 결정한다 우리가 서로의 얼굴을 볼지
       접속사(명사절)   whether A or B: A인지 B인지

or instead know each other / only by name].
아니면 대신 서로를 알지를   이름만으로

❽ They can reveal / the size and makeup of an audience, / or
그들은 드러낼 수 있다 구독자의 크기와 구성을   혹은

provide the impression [that one is writing intimately / to only
인상을 줄 수 있다   한 사람이 친밀하게 글을 쓰고 있다는
     접속사(동격)

a few], even if millions are in fact reading.
오직 소수에게만   실제로는 수백 만 명이 읽고 있을지라도
소수   접속사(부사절/양보)

해석 온라인 세상은 완전히 사람에 의해 만들어지고 설계된 인공의 세
계이다. 그 근본적인 시스템의 디자인이 우리가 어떻게 보이고 우
리가 다른 사람들에게서 무엇을 보는지를 형성한다. 그것은 대화
의 구조와 누가 어떤 정보에 접근할 수 있는지를 결정한다. 물리
적인 도시의 건축가들은 사람들이 가게 될 길과 그들이 보게 될
광경을 결정한다. 그들은 경외감을 불러일으키는 대성당들과 명
랑함을 북돋는 학교들을 지음으로써 사람들의 기분에 영향을 미
친다. 그러나, 건축가들이 그러한 건물들의 거주자들이 어떻게 자
신들을 나타내는지 또는 서로를 어떻게 바라보는지를 통제하지
않지만, 가상공간의 설계자들은 그렇게 하며, 그들은 사용자들의

사회적 경험에 훨씬 더 큰 영향을 준다. 그들은 우리가 서로의 얼굴을 볼지 아니면 대신 이름만으로 서로를 알지를 결정한다. 그들은 구독자의 크기와 구성을 드러낼 수 있거나, 실제로는 수백 만 명이 읽고 있을지라도 한 사람이 오직 소수에게만 친밀하게 글을 쓰고 있다는 인상을 줄 수 있다.

해설 (A) 간접의문문에서 의문사가 주어일 경우에는 어순이 「의문사(주어) + 동사」이므로 who has access가 알맞다.

(B) 간접의문문의 어순은 「의문사 + 주어 + 동사」이므로 how가 알맞다.

(C) 의문사가 없는 간접의문문의 어순은 「whether + 주어 + 동사」이므로 whether we가 알맞다.

어법 TEST 4 | *서술형 내신* **어법훈련하기**

pp. 168~169

1 01 does / 주어 time이 단수형 02 how much new information is available 03 why time feels slower for children

2 01 그녀의 부모 뒤에 서 있던 것은 Kathy였다 02 why she was crying 03 did Kathy discover the power of the pen

1. 구문분석 및 직독직해

❶ It's reasonable to assume [that every adult alive today has, /
~라고 추정하는 것은 온당하다 　오늘날을 살아가는 모든 어른들이
가주어 　　　　　진주어 　　접속사(명사절) 주어

at some point in their life, / expressed or heard from someone
삶의 어느 순간에 　　　　　사용하거나 다른 사람으로부터 들어보았을 것이라고
삽입어구 　　　　　　　　　　　　동사

else / a variation of the following: / "Where did all the time go]?"
다음의 다양한 변형을 　　　　　　"그 모든 시간이 어디로 간 거지?"

❷ While different on the surface, / the sentiment behind these
겉보기에는 다르지만 　　　　　　이러한 표현 뒤에 숨어 있는 감정은
접속사(부사절/양보) / 부사절의 「주어+be동사」 생략

phrases / is the same: / time does feel like / it moves faster /
매한가지, 　　　시간은 정말로 ~처럼 느껴진다 　그것이 더 빨리 흐른다
　　　　　　　　　　　　강조의 do

as we get older.
우리가 나이가 듦에 따라
접속사(~함에 따라)

❸ According to psychologist Robert Ornstein, / the speed of
심리학자 Robert Ornstein에 따르면 　　　　　　시간의 속도와
~에 따르면

time / and our perception of it / is heavily influenced by
　　그것에 대한 우리의 인지는 　　~에 매우 영향을 받는다

[how much new information is available / for our minds /
새로운 정보가 얼마나 많이 있는가 　　　　우리의 정신이
간접의문문(how+형용사/부사+주어+동사) 　의미상 주어

to absorb and process].
흡수하고 처리할
형용사적 용법(new information 수식)

❹ In essence, / the more new information we take in, / the
핵심은 　　우리가 더 많은 새로운 정보를 받아들일수록 　
　　　　　the+비교급 ~, the+비교급 … : ~하면 할수록 더 …한/하게

slower time feels.
시간은 더 천천히 흐르는 것으로 느껴진다

❺ This theory could explain / in part [why time feels
이 이론은 설명할 수 있다 　　부분적으로 　왜 시간이 더 느리게
　　　　　　　　　　　　　　　　　간접의문문

slower / for children].
느껴지는지를 　아이들에게는

❻ [Assigned the enormous task / of absorbing and processing /
엄청난 임무가 주어져서 　　　　　받아들이고 처리하는
분사구문(being 생략)

all this new perceptual and sensory information / around them],
이 모든 새로운 지각적, 감각적 정보를 　　　　그들 주변에 있는

their brains are continuously alert and attentive.
아이들의 뇌는 끊임없이 기민하고 주의하는 상태가 된다

❼ Why? Because everything is unfamiliar.
왜 그런가 모든 것이 낯설기 때문이다
접속사(부사절/이유) everything + 단수 동사

해석 오늘날을 살아가는 모든 어른들이 삶의 어느 순간에 다음의 다양한 변형을 사용하거나 다른 사람으로부터 들어보았을 것이라고 추정하는 것은 온당하다. "그 모든 시간이 어디로 간 거지?" 겉보기에는 다르지만, 이러한 표현 뒤에 숨어 있는 감정은 매한가지다. 즉, 우리가 나이가 듦에 따라 정말로 시간이 더 빨리 흐르는 것처럼 느껴진다. 심리학자 Robert Ornstein에 따르면, 시간의 속도와 그것에 대한 우리의 인지는 우리의 정신이 흡수하고 처리할 새로운 정보가 얼마나 많이 있는가에 매우 영향을 받는다. 핵심은, 우리가 더 많은 새로운 정보를 받아들일수록, 시간은 더 천천히 흐르는 것으로 느껴진다는 것이다. 이 이론은 왜 시간이 아이들에게는 더 느리게 느껴지는지를 부분적으로 설명할 수 있다. 그들 주변에 있는 이 모든 새로운 지각적, 감각적 정보를 받아들이고 처리하는 엄청난 임무가 주어져서, 아이들의 뇌는 끊임없이 살피고 주의하는 상태가 된다. 왜 그런가? 모든 것이 낯설기 때문이다.

해설 01 동사 feel을 강조하는 do이고, 주어 time이 단수이므로 does가 알맞다.

02 의문사 how 바로 뒤에 형용사나 부사가 나오는 경우 하나의 의문사로 취급하므로 「how much + 주어 + 동사」의 어순으로 쓴다.

03 간접의문문인 「의문사 + 주어 + 동사」의 어순으로 쓰되, 3인칭 단수 현재시제이므로 동사는 feels로 쓴다.

2. 구문분석 및 직독직해

❶ In the late 1990s, / a family visited the public elementary
1990년대 후반에 　　공립 초등학교에 한 가족이 방문하였다

school [where I taught deaf students].
　　　내가 청각 장애 학생을 가르친
　　　관계부사

❷ Standing behind her parents was Kathy, / a beautiful
부모 뒤에는 Kathy가 서 있었다 　　　　　　예쁜
보어 도치구문(보어+동사+주어) 　　　　동격(콤마)

five-year-old / with long shiny brown hair.
다섯 살짜리 아이 　빛나는 긴 갈색 머리의

❸ The whole time her parents were there, / she didn't make
부모가 있는 내내 　　　　　　　　　　소리를 내지 않았다
　　　　　　　　　　　　　　　　　not ~ any: 전체부정
　　　　　　　　┌(didn't)
any sound / or use sign language, / even when her parents
　　　　　수화를 사용하지도 　　심지어 부모가 유도해도
　　　　　병렬구조

prompted her.

❹ After a few weeks, / I was able to engage her / in a variety
몇 주가 지난 후 　　나는 그녀를 참여하게 할 수 있었다

of learning activities, / but writing was a constant struggle.
다양한 학습 활동에 　　그러나 쓰기는 계속 힘든 일이었다

❺ One day, / Kathy got off her bus / and stood in front of the
어느　　　　　 Kathy는 버스에서 내리고　　 학교 앞에서 서 있었다

school / crying.
　　 울며
　　 분사구문(동시동작)

❻ The staff member there did not know / enough sign
거기에 있던 학교 직원은 알지 못했다　　　　　 충분한 수화를
　　　　　　　　　　　　　　　　　　　　 enough+명사+to부정사

language / to ask her [why she was crying].
　　　　 그녀에게 물어볼 만큼　 그녀가 왜 울고 있는지
　　　　 ask+간접목적어+직접목적어(간접의문문: 의문사+주어+동사)

❼ Finally, / the staff member took Kathy into the office / where
마침내　　 그 직원은 Kathy를 사무실로 데려와서
　　　　　　　　　　　　　　　　　　　　　　　　　　 관계부사

she handed Kathy a pen and notepad.
Kathy에게 펜과 메모장을 건네주었다
　 hand+간접목적어+직접목적어

❽ Kathy wrote: / "PAC BAK."
Kathy는 썼다　　 'PAC BAK'이라고

❾ Immediately / she realized [the girl left her backpack / on
즉시　　　　　　 그녀는 알아차렸다　 아이가 책가방을 놓고 왔다는 것을
　　　　　　　　　　　　　　　　　　　 (접속사 that)

the bus].
버스에

❿ She called the bus back to school, / and soon Kathy was
그녀는 버스를 다시 학교로 불렀다　　　　 그리고 곧 Kathy는

reunited with her backpack.
자신의 책가방과 다시 만났다

⓫ Only then / did Kathy discover / the power of the pen.
그때서야　　 Kathy는 발견하였다　 펜의 힘을
부사구 도치구문(부사구+(조)동사+주어)

해석 1990년대 후반에, 내가 청각 장애 학생들을 가르친 공립 초등학교로 한 가족이 방문하였다. 그녀의 부모 뒤에 서 있었던 것은 빛나는 긴 갈색 머리의 예쁜 다섯 살의 Kathy였다. 부모가 있는 내내, 그녀는 심지어 부모가 유도해도, 소리를 내거나 수화를 사용하거나 하지 않았다. 몇 주가 지난 후, 나는 그녀를 다양한 학습 활동에 참여하게 할 수 있었지만, 글쓰기는 계속 힘든 일이었다. 어느 날, Kathy는 버스에서 내린 후 학교 앞에서 울며 서 있었다. 거기에 있던 학교 직원은 그녀가 왜 울고 있는지 물어볼 만큼 충분한 수화를 알지 못했다. 마침내, 그 직원은 Kathy를 사무실로 데려와서 펜과 메모장을 건네주었다. Kathy는 'PAC BAK'이라고 썼다. 그녀는 즉시 아이가 버스에 책가방을 놓고 왔다는 것을 알아차렸다. 그녀는 버스를 다시 학교로 불렀고, 곧 Kathy는 자신의 책가방과 다시 만날 수 있었다. 그때서야 Kathy는 펜의 힘을 발견하였다.

해설 O1 보어(standing ~ parents) + 동사(was) + 주어(Kathy)

　　 O2 간접의문문인 「의문사 + 주어 + 동사」의 어순으로 쓰되, 시제가 과거이므로 과거진행형으로 쓴다.

　　 O3 부사구가 앞으로 나온 도치구문이므로 도치구문의 어순에 따라 「조동사 + 주어 + 동사」의 어순으로 쓴다.

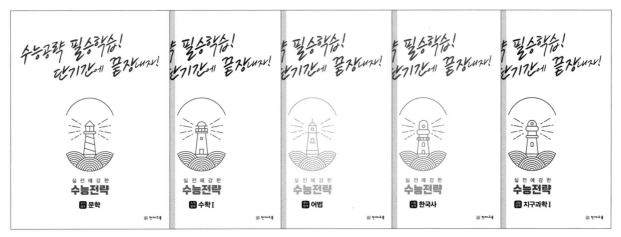

Basic

배움으로 행복한 내일을 꿈꾸는
천재교육 커뮤니티 안내

...

교재 안내부터 구매까지 한 번에!
천재교육 홈페이지

자사가 발행하는 참고서, 교과서에 대한 소개는 물론
도서 구매도 할 수 있습니다. 회원에게 지급되는 별을 모아
다양한 상품 응모에도 도전해 보세요!

다양한 교육 꿀팁에 깜짝 이벤트는 덤!
천재교육 인스타그램

천재교육의 새롭고 중요한 소식을 가장 먼저 접하고 싶다면?
천재교육 인스타그램 팔로우가 필수!
깜짝 이벤트도 수시로 진행되니 놓치지 마세요!

수업이 편리해지는
천재교육 ACA 사이트

오직 선생님만을 위한, 천재교육 모든 교재에 대한 정보가 담긴
아카 사이트에서는 다양한 수업자료 및 부가 자료는 물론
시험 출제에 필요한 문제도 다운로드하실 수 있습니다.

https://aca.chunjae.co.kr

천재교육을 사랑하는 샘들의 모임
천사샘

학원 강사, 공부방 선생님이시라면 누구나 가입할 수 있는 천사샘!
교재 개발 및 평가를 통해 교재 검토진으로 참여할 수 있는 기회는 물론
다양한 교사용 교재 증정 이벤트가 선생님을 기다립니다.

아이와 함께 성장하는 학부모들의 모임공간
튠맘 학습연구소

튠맘 학습연구소는 초·중등 학부모를 대상으로 다양한 이벤트와 함께
교재 리뷰 및 학습 정보를 제공하는 네이버 카페입니다.
초등학생, 중학생 자녀를 둔 학부모님이라면 튠맘 학습연구소로 오세요!